D0655940

AFGESCHREVEN

EEN ONGEKENDE WERELD

Jerry en Mary Newport
in samenwerking met Johnny Dodd

EEN ONGEKENDE WERELD

the house of books

Oorspronkelijke titel
Mozart and the Whale
Uitgave
Touchstone, New York

Vertaling
Cherie van Gelder
Omslagontwerp
Studio Jan de Boer BNO, Amsterdam
Omslagfoto
Getty Images/John Lund/Sam Diephuis
Opmaak binnenwerk
ZetSpiegel, Best

ISBN 978 90 443 1918 7
D/2007/8899/151
NUR 302/770

Opgedragen aan u, de lezer.
– Mary en Jerry Newport

Opgedragen aan Tex en Miss Ella, mijn twee kleine kometen.
Dat jullie nog lang helder mogen branden.
– Johnny Dodd

Proloog

De reis waarop wij u in de volgende paar honderd bladzijden mee zullen nemen is eigenlijk niets meer of minder dan een liefdesverhaal. Net als de zoektocht die door veel andere mensen wordt ondernomen verloopt onze odyssee langs omwegen, een route die extra zwaar werd door het feit dat we allebei aan het syndroom van Asperger lijden. Waar een gewoon stel met een normaal brein onderweg misschien op een verkeersdrempeltje zou stuiten, belandden wij ineens in een diepe geul. Waar mensen met andere zenuwprikkels misschien een paar donkere wolken aan de horizon zouden ontwaren, liepen wij vast in een ondoordringbare duisternis. De kleinste voorvallen dreven ons uit elkaar.

Dit verhaal gaat over wat er gebeurt als twee mensen met Asperger verliefd op elkaar worden. We moesten alles zelf uitzoeken. We hadden geen kaarten die de juiste weg uitstippelden en nauwelijks reisgidsen waarin stond wat we moesten doen als we op een bepaald punt waren aanbeland. We zijn ontelbare keren gestruikeld, gevallen en vervolgens weer opgestaan met de vaste overtuiging dat we ons lesje hadden geleerd en diezelfde fout niet opnieuw zouden maken. En net als we dachten dat we alles voor elkaar hadden, lagen we weer op onze neus. En weer. We kwamen er al snel achter dat je voor liefde behoorlijk stevig in je schoenen moet staan.

Maar het rare was, dat we er geen van beiden over piekerden

om de reis af te blazen vanwege alle ellende en het verdriet dat we onderweg tegenkwamen. Waarom niet? Omdat we tijdens de reis niet alleen allerlei dierbare geheimen over elkaar leerden kennen, maar ook een veel beter inzicht in onszelf kregen – iets van onschatbare waarde dat geen therapeut of adviseur ons had kunnen schenken. We ontdekten allebei dat liefde weliswaar iets was dat we met ons brein niet konden bevatten, maar ook dat ons hart daar heel anders over dacht. En dat het absoluut mogelijk was om van iemand te leren houden. Onze onstuimige reis heeft ons geleerd dat je eerst van jezelf moet kunnen houden voordat je een ander zover kunt krijgen dat hij of zij van jou gaat houden. Hoe je dat precies voor elkaar moet krijgen is iets dat ieder voor zich moet uitmaken, maar één ding staat vast. Als je geen liefde voor jezelf kunt opbrengen, hoe kun je dan verwachten dat een ander dat wel zal lukken?

Ons verhaal is echt niet uniek. Er lopen meer dan genoeg kinderen, tieners en volwassenen rond die zich net zo hopeloos 'anders' en 'onaantrekkelijk' voelen als dat bij ons het geval was en die zich hebben neergelegd bij het idee dat ze nooit van hun leven iemand tegen zullen komen die hen accepteert zoals ze werkelijk zijn. Wat we vooral hopen, is dat mensen met Asperger – plus hun ouders, vrienden en verzorgers – de moeilijkheden waarmee relaties gepaard gaan zullen herkennen, zodat ze die uit de weg kunnen ruimen in plaats van zich als een geslagen hondje bij de feiten neer te leggen. Want mensen met Asperger kunnen fantastische relaties hebben. We kunnen liefde beleven op een wonderbaarlijke manier waarvan onze broeders en zusters met een normaal brein geen weet hebben en ook niet kunnen begrijpen. Liefde kan je vleugels geven, maar je ook weer op aarde doen belanden op een manier die je nooit voor mogelijk had gehouden.

Als je er ooit van geproefd hebt, zul je nooit meer met minder genoegen nemen.

EEN

VENICE BEACH, CALIFORNIË
MAART 1999

De slaappillen hadden een uur geleden al moeten werken. Ik had er zeker een stuk of zestig geslikt, biddend dat ze me zouden verlossen van alles wat mijn leven was geworden. Ik had er goed over nagedacht, tot in de kleinste bijzonderheden. Voor het geval mijn lichaam pas over een paar dagen zou worden gevonden had ik een kort briefje geschreven en een flinke hoeveelheid zaad voor mijn vogels uitgestrooid voordat ik de gordijnen om mijn bed dichttrok en dicht tegen Mrs. Willy, mijn enorme pluchen walvis, aankroop. Aan de andere kant van het gordijn, voor de glazen schuifdeur die smerig was van alle stof die het zondagmiddagverkeer opwierp, zaten mijn vogels rustig naar buiten te kijken waar een stevige smog hing.

Ik had zo'n gevoel dat ze het wisten.

Het was geen fijne dag geweest. In feite hadden de afgelopen twee jaar een afschuwelijk dieptepunt gevormd, zelfs voor iemand die gewend was aan nare dagen. Net toen het erop begon te lijken dat het leven toch enigszins de moeite waard was, viel alles in puin en bleef ik met de brokken zitten. Mary was weg en ze kwam niet meer terug. Gisteren zou ze jarig zijn geweest. Ik deed mijn ogen dicht en wachtte tot er iets zou gebeuren. Het enige wat ik zeker wist, was dat ik niet voorgoed alleen wilde blijven. Ik snapte niet waarom het zo lang duurde. Zoveel pillen moesten toch wel werken. Heel even begon ik te piekeren over het getal zestig dat eigenlijk heel interessant was, al had ik nooit verwacht dat het mijn dood zou veroorzaken. Zestig is de uitkomst van twee keer twee keer drie keer vijf. Zestig is het aantal graden van de boog boven de zijde van een zeshoek binnen een cirkel. Elke zijde is gelijk aan de straal en de zeshoek bestaat uit zes gelijkzijdige driehoeken die aan elkaar geschakeld zijn. Als je ze allemaal uitvouwt, komen er nog eens zes bij, zodat je er twaalf hebt. Die vormen op hun beurt weer de davidsster, met één gelijkzijdige driehoek voor elke stam van Israël... Maar even later drong het al tot me door dat ik niet in de stemming was voor rekenkundige problemen en zelfs geen zin had om na te denken over getallen. Het werd stiller in de kamer, de verkeersgeluiden ebden weg. Ik vroeg me af of ik in slaap begon te vallen.

Terwijl ik daar lag, probeerde ik mijn geheugen uit te schakelen. Maar dat lukte voor geen meter. Ik had er mijn hele leven over gedaan om Mary te vinden en nu was ze weg. Ons huwelijk was na vijf jaar op de klippen gelopen en in de as gelegd. Zij was terug naar Tucson en ik zat hier vast. Een paar maanden geleden zag het ernaar uit dat we weer bij elkaar zouden komen, maar het ging niet door. Ik weet niet eens waarom ik die hoop koesterde. Er kwam helemaal niets van. Dit keer niet, tenminste. Maar er was een tijd geweest dat het wel degelijk was gelukt...

Ik kan me dat door mij georganiseerde Halloween-feestje nog heel goed herinneren. Het feestje waarop ik Mary Meinel leerde kennen. Dat was in het jaar 1993, een getal dat gelijk is aan de som van de kwadraten van 43 en 12. Als je die twee getallen bij elkaar optelt, krijg je 55 en dat was het jaar waarin Mary geboren was, 1955. De dag waarop we elkaar leerden kennen was de 289ste dag van het jaar, het kwadraat van 17. Het getal zeventien is ook uniek, want het is een primair getal en je kunt een figuur met zeventien zijden invoegen in een cirkel, wat eveneens zelden voorkomt.

Ik was wekenlang bezig geweest met pogingen om een walvissenkostuum te maken uit vuilniszakken en papier. Het resultaat was maar een zielige vertoning. Aan de zijkant bungelden sliertjes krantenpapier en stukjes kippengaas. Het leek meer op een karkas. Uiteindelijk sleepte ik het als een leeggelopen zeppelin op het feestje achter me aan. Maar mijn kostuum herinnerde me er ook aan hoe fantastisch AGUA was. Want hoe belachelijk het er ook uitzag, ik kreeg toch van iedereen complimentjes. Ze begrepen kennelijk wat ik probeerde voor te stellen en ze waren trots op me dat ik zelfs maar een poging in die richting had gedaan. Dit soort onvoorwaardelijke steun – of het je nu wel of niet gelukt was – zou een van mijn favoriete aspecten van AGUA blijken te zijn.

Ik ving een eerste glimp op van Mary toen ik in een van de gangen stond te wachten om naar het toilet te gaan. Ik had het gevoel dat mijn blaas ieder moment kon ploffen. Mary deed de deur van het toilet open en toen ze naar buiten kwam lopen was haar lavendelkleurige jurk het eerste wat me opviel. Een paar maanden eerder had ze een wegwerpscheermesje gepakt en al haar haar afgeschoren. Natuurlijk wist ik dat toen nog niet, want ze had een idioot uitziende Mozart-pruik opgezet, waarvan de bepoederde witte slierten rond haar schouders dansten. Tegen de tijd dat ik eindelijk uit het toilet kwam, was Mary de woonkamer al ingelopen. Daar stond ze te praten met een paar andere leden van mijn groep. Ik bleef een tijdje naar haar kijken, verbaasd door de manier waarop ze met haar verschijning de kamer opvrolijkte. Zoiets had ik nog nooit eerder gezien. Toen ik eindelijk de moed kon opbrengen om mezelf voor te stellen, was het eerste wat ik tegen haar zei: 'Wanneer ben je geboren?'

Een glimlachje huppelde over haar gezicht. 'Zes maart 1955,' antwoordde ze.

Het duurde niet lang voordat ik mijn antwoord gereed had, ongeveer een ademtocht. 'Zes maart 1955 was een zondag!' riep ik triomfantelijk uit. 'En het is precies honderdnegentien jaar na de dag dat het beleg van de Alamo werd beëindigd, op 6 maart 1836.'

Mary klapte in haar handen. 'Wat gááf!' giechelde ze. 'Jij bent vast ook een savant.'

Die stem van haar. Ik had nog nooit iets gehoord wat daarop leek. Het was zo'n onweerlegbaar vrouwelijk geluid. Een echte vrouwenstem, heel anders dan wat ik tijdens dit soort bijeenkomsten van onze steungroep meestal te horen kreeg. De helft van de vrouwen die daarvoor kwamen opdraven, waren alleen in naam autistisch. Omdat ze wanhopig probeerden ergens bij te horen, gedroegen ze zich alsof ze net zo waren als wij. Maar ze vielen net zo op als Jane Goodall ergens in de rimboe tussen haar chimpansees. Terwijl je al wist dat Mary anders was als ze alleen maar haar mond opendeed. Uit wat ze zei en de manier waarop ze de woorden aan elkaar reeg, kon je meteen opmaken dat ze iemand was die echt graag luisterde naar wat andere mensen te vertellen hadden.

Dat Mary de vreemde gewoonte had om andere mensen interessant te vinden was een zeldzaam verschijnsel bij iemand met Asperger, een neurologische afwijking die meestal tot gevolg heeft dat mensen zich in hun eigen, hermetisch afgesloten universum opsluiten. En als iemand met normale hersenen me vraagt om uit te leggen wat mijn afwijking precies inhoudt, gebruik ik meestal de volgende vergelijking: als we 'normaal' vergelijken met water, probeer je dan autisme eens voor te stellen als whisky. Asperger zit daar ergens tussenin. Vergeleken bij autistische kinderen leren kinderen met het syndroom van Asperger gewoonlijk op de normale leeftijd praten, hoewel ze zich misschien anders uitdrukken dan de meeste kinderen. Ze leren ook tegelijk met andere kinderen allerlei vaardigheden, zoals het strikken van veters en tandenpoetsen. Maar bij veel mensen met Asperger blijft de afwijking onopgemerkt, omdat we een manier vinden om munt te slaan uit onze interesses, waarbij door de vingers wordt gezien dat we een tikje 'eigenaardig' zijn.

Die 'eigenaardigheid' manifesteert zich het sterkst op het gebied van sociale communicatie. Mensen die net als wij behept zijn met Asperger kunnen intelligent zijn, het goed doen op school en een normale baan hebben, terwijl we tegelijkertijd in maatschappelijk opzicht een bord voor de kop hebben. Om een voorbeeld te geven: de meeste kerels vragen een meisje hooguit drie keer of ze met hem uit wil voordat ze doorkrijgen dat ze daar niet van gediend is. Mijn record stond op veertien keer en er was zelfs één ongelukkige jongedame die zich daardoor genoodzaakt zag het college wiskunde dat we allebei volgden te laten vallen. Meestal kunnen mannen met Asperger (volgens sommige studies zijn er vier keer zoveel mannen als vrouwen met het syndroom) niet eens de moed opbrengen om een vrouw mee uit te vragen, maar de kans bestaat ook dat ze iemand op het fanatieke af blijven benaderen. Ze denken dat ze haar met al die belangstelling en toewijding uiteindelijk toch wel kunnen overhalen. Maar dat is zelden het geval.

Behalve dat ze over een normale tot bovengemiddelde intelligentie beschikken, hebben mensen met Asperger vaak beperkte maar bijzonder obsessieve interesses. Praten met een Aspie kan al snel bijzonder frustrerend worden, omdat hij voortdurend probeert het gesprek weer terug te brengen op het enige waarvoor hij zich interesseert, ook al wil de persoon met wie hij praat het over heel andere dingen hebben. Ze hebben ook de neiging om alles letterlijk te nemen en subtiele lichamelijke of verbale hints ontgaan hen volkomen. In sociaal opzicht blijven ze vaak schrijnend in gebreke. Ze praten te luid of op een nauwelijks verstaanbaar fluistertoontje. Ze zoeken te opvallend oogcontact of juist helemaal niet. Met andere woorden: in de omgang met andere mensen zijn wij, bewoners van de planeet Asperger, echt hopeloze gevallen.

Een paar weken na die eerste ontmoeting met Mary reageerde ik geschrokken, verbijsterd en verbaasd toen ze me belde met een vraag die ik in geen jaren had gehoord: 'Zouden we niet eens een keertje samen uit kunnen gaan?' Een paar dagen later stapten we op de bus naar de Los Angeles County Zoo. Die eerste middag moest ik mezelf voortdurend in de arm knijpen terwijl we daar in die dierentuin rondliepen. Ik had me nog nooit van mijn leven zo op mijn gemak gevoeld bij een ander menselijk wezen, laat staan bij een vrouw.

Lang geleden had ik me neergelegd bij het onplezierige vooruitzicht dat ik waarschijnlijk de rest van mijn leven alleen zou blijven. Dat was iets dat me zo verdrietig maakte, dat ik alleen al bij de gedachte daaraan in een zeurpiet veranderde. Ik had sinds mijn studietijd vrijwel dag in dag uit zitten dromen over hoe het zou zijn om verliefd te worden op een vrouw. Net als in goedkope romannetjes en in films waarin je twee mensen lachend en hand in hand door een weiland ziet huppelen, terwijl ik gewoon wanhopig was en mijn buik vol had van mijn eenzaamheid. En ik deed niets anders dan me afvragen of ik altijd het gevoel zou houden dat er een onzichtbare muur om me heen stond die voorkwam dat ik contact kreeg met andere menselijke wezens.

Mary bracht daar verandering in. Zij zette mijn hele zonnestelsel op zijn kop en schudde het zo door elkaar dat alle planeten eruit vielen. Bij ons tweede afspraakje was al duidelijk geworden dat mijn leven nooit meer hetzelfde zou zijn. Vanaf dat moment begon ik zelfs te geloven dat ik puur toevallig de enige vrouw had gevonden met wie ik mijn leven zou kunnen delen. Dat was op de 344ste dag van het jaar en die viel op vrijdag, 10 december 1993. Mary was achtendertig en ik was vijfenveertig. We kenden elkaar inmiddels vijfenvijftig dagen en dat leek me toepasselijk, omdat Mary in 1955 was geboren. En nog verbazingwekkender is dat als je het getal 55 neemt en dat vermenigvuldigt met het aantal uren in een etmaal, 24, je uitkomt op 1320. En dat is toevallig precies het aantal voeten in een kwartmijl. Mijn lievelingsafstand op de middelbare school was de kwartmijl.

Ons afspraakje begon tijdens de maandelijkse bijeenkomst van de West L.A. Bird Club, waarvan ik lid was en Mary niet. Maar nadat we tot onze grote verbazing hadden ontdekt dat we allebei valkparkieten hielden, leek dat de ideale plek voor een afspraakje. In al die jaren dat we niemand hadden bij wie we steun konden zoeken waren die belachelijk dure maar trouwe wezentjes onze enige vrienden. Ze lijken zich duidelijk zorgen te maken als je weggaat en reageren heel enthousiast als je weer thuiskomt.

Na de bijeenkomst van de vogelclub namen we de bus die ons dwars door de stad naar mijn hopeloos volgestouwde appartement in Santa Monica bracht. Het was een onverwacht zoele avond voor december, maar het kan ook aan mijn overspannen zenuwen hebben gelegen dat het zo warm leek. Hoe dan ook, nu ik echt op het punt leek te staan een vrouw te versieren maakte mijn brein overuren. Het was al tientallen jaren geleden dat ik op de drempel stond van zoiets intiems, zoiets wonderbaarlijks. Toen we voor de deur stonden, zocht ik onhandig naar mijn sleutels. Oké, Jerry, wat nu? Moet je haar vragen om binnen te komen? En wat dan? Proberen of ze op je smerige bank wil gaan zitten? Een gezellig babbeltje met haar maken? Daarna kun je proberen je slag te slaan. Je kunt proberen haar te kussen... Misschien lukte dat wel.

Ik werd duizelig van al die stemmen in mijn hoofd. 'Ik heb een goed idee,' stamelde ik, terwijl ik de sleutels weer in mijn zak propte. 'Laten we naar de kaap lopen. Daar kan ik je iets laten zien wat je volgens mij wel leuk zult vinden.'

'Kom op dan,' lachte Mary. Haar lippen krulden tot de meest volmaakte glimlach die ik ooit had gezien. Iedere keer als die opflitste, ging mijn hart als een razende tekeer.

En dus liepen we samen de straat weer in op weg naar het park, dat hoog op de rotsen boven de Grote Oceaan ligt. We hadden nog maar een paar passen gedaan, toen ik plotseling iets merkte. Ik had me nog nooit van mijn leven, en zeker niet tijdens eerdere afspraakjes die ik had gehad, zo zinderend van leven gevoeld, zo volkomen op mijn gemak bij iemand anders en zo ontspannen. Ik had niet eens de behoefte om alles wat zich in mijn binnenste afspeelde te verstoppen. Terwijl Mary en ik over Montana Avenue wandelden, kreeg ik het gevoel dat ik mijn leven lang in een benarde gevangeniscel opgesloten had gezeten en dat de muren van mijn cel nu ineens verdwenen waren. Ik werd gewoon duizelig van het besef dat ik volledig mezelf kon zijn. Ik hoefde niet langer te doen alsof ik iemand anders was, iemand die door de rest van de wereld voor vol werd aangezien.

Na een paar minuten kwamen we langs een schitterend gerestaureerde Corvette uit 1957 die voor een stomerij geparkeerd stond. Het licht van een lantaarn in de buurt weerspiegelde in de smetteloze witte lak van de auto. Mary en ik stonden er bewonderend naar te kijken, en binnen de kortste keren viel me op hoe het licht dat van de motorkap van de Corvette weerkaatste Mary's rozerode pruik in vuur en vlam zette. Ineens tuimelden de gedachten als omvallende dominostenen door mijn hoofd. Dit kan mij niet overkomen. Het is allemaal te volmaakt. Een vrouw als Mary is niet geïnteresseerd in mannen zoals ik. Toen een inwendige stem me vertelde dat ik er maar beter vandoor kon gaan besloot ik er geen aandacht aan te schenken, tilde voorzichtig mijn voet op en tikte tegen de kentekenplaat van de Corvette. Mary wierp een snelle blik op de lukrake combinatie van cijfers en letters op de plaat en keek me vragend aan.

'Zal ik die kentekenplaat voor je doen?' vroeg ik.

'Zet hem op,' lachte ze en klapte vol verwachting in haar handen.

'2V0R013,' verkondigde ik en plukte haastig de cijfers uit de reeks: 20013. Mijn brein begon aan iets wat het zolang ik me kon herinneren had gedaan, het duikelde associaties en verbanden tussen de verschillende cijfers op. 'Hmmm, 20013 is echt een heel boeiend getal,' verklaarde ik.

'Hoezo?' vroeg Mary. 'Waarom is het zo bijzonder?'

'Omdat de belangrijkste deelgetallen 3, 7 en 953 zijn,' antwoordde ik. 'En als je bij eenentwintigen 953 keer 21 krijgt, win je genoeg om die Corvette te kunnen betalen.'

Inmiddels hadden we onze wandeling hervat. Hoewel ik niet naar Mary keek, wist ik instinctief dat ze me met grote ogen aankeek. Ik had het gevoel dat haar reeënogen dwars door me heen keken. Ik durfde er niet in te kijken. Dat had me altijd al veel moeite gekost. Als ik iemand in de ogen keek, ook al was het maar gedurende een onderdeel van een seconde, kreeg ik het gevoel dat ik boven op een wolkenkrabber stond en omlaag keek in een oneindige ledigheid. De gedachte dat ik in die afgrond zou kunnen vallen maakte me doodsbang. Daarom keek ik haar ook niet aan. Ik wist dat ze daar begrip voor had. Ik liep dus gewoon door terwijl het getal van die kentekenplaat als een soort mantra door mijn hoofd rondtolde.

'20013... 20013... 20013,' mompelde ik. 'Wist je dat 17 oktober 1955 de 20013de dag van deze eeuw was?'

'Gaaf,' lachte Mary. Er ging een bepaalde magie uit van haar stem en de manier waarop die uit haar keel omhoog borrelde. Als ik er alleen maar naar luisterde, begonnen de vlammen me al uit te slaan. Ik had het gevoel dat ik op het punt stond te gaan hyperventileren. Ergens voor ons zag ik een gehavende oude Saab met een bekeuring onder de ruitenwisser. De kentekenplaat sprak me meteen aan.

'2BYN467... 2467 is een priemgetal,' verklaarde ik en vroeg me af of ik misschien overdreef met dat gegoochel met cijfers.

'Wist je dat als je een binair getal maakt van 2467 je uitkomt op 100110100011?' Ik nam niet de moeite om op Mary's antwoord te wachten want nu kwam ik pas echt op toeren. Mijn hersenen begonnen letterlijk te knetteren. Ik had mezelf niet meer in de hand. Nog een eindje verder zag ik een Toyota 4Runner staan. '32908... dat is de geboortedatum van mijn vader, 29 maart 1908,' zei ik opgewonden terwijl ik even bleef staan om op adem te komen. 'En het is ook de dag waarop het beroemde renpaard Man O'War in 1917 werd geboren en één dag voordat in 1970 zijn latere opvolger Secretariat het levenslicht zag... In feite werd Secretariat om kwart over twaalf 's nachts in Virginia geboren en als je rekening houdt met het tijdsverschil was het toen in Californië nog de negenentwintigste.'

Hou je mond, Jerry. Dat hoorde ik een inwendig stemmetje zeggen, die maar al te bekende stem die tegen me zei dat ik moest ophouden met die onzin voordat het te laat was, voordat die fantastische vrouw die naast me liep zou gaan denken dat ik volslagen geschift was. Ik voelde me een idioot. Waarom liet ik me in vredesnaam zo door getallen beheersen? Hoe kon ik me toch zo laten gaan?

'Neem me niet kwalijk,' zei ik tegen haar. 'Het was niet mijn bedoeling om zo door te draven.'

Vanuit mijn ooghoeken wierp ik een snelle blik op Mary's gezicht. Ik had eigenlijk verwacht dat het heel onzeker zou staan, dat ik misschien zelfs een trek van walging zou bespeuren. Maar toen ik zag dat ze echt breed liep te grijnzen viel mijn mond open.

'Doe niet zo mal,' giechelde ze. 'Je hoeft je echt niet te verontschuldigen. En je moet ook niet ophouden, want ik vind het geweldig. Het hele universum is opgebouwd uit getallen.'

'Precies!' riep ik uit, overdonderd door het ongelooflijke idee dat ik eindelijk een vrouw had gevonden die het begreep. En Mary begreep het ook echt. Ieder vleugje materie in het universum, elk apart voorwerp dat zich daarin bevindt, bestaat uit atomen, die op hun beurt weer gevormd worden uit verschillende hoeveelheden deeltjes. Zodra je dat soort aantallen gaat vergelijken komt er een oneindige hoeveelheid patronen bovendrijven. En dat was dus precies wat er gebeurde als ik een bepaald getal onder ogen kreeg.

Dan kwamen er ineens allerlei patronen, verbanden en associaties als onkruid uit de grond omhoogschieten. Mensen als Mary, die symfonieën componeren en schilderijen maken, hebben dat soort ervaringen met kleuren en muziek. Bij mij zijn het getallen. Zolang ik me kon herinneren waren getallen het enige waar ik houvast aan had, de enige verschijnselen ter wereld die een mate van regelmaat boden die ik geruststellend en plezierig vond.

Iets anders had ik niet.

Terwijl we doorliepen, begon ik over mijn obsessie voor getallen te piekeren. En toen gebeurde het. Mary pakte mijn hand vast. Ik wist niet eens waarom ze dat deed. Het enige wat tot me doordrong was dat onze vingers in elkaar verstrengeld waren en dat het warme vlees van onze handpalmen tegen elkaar drukte. Het was echt een zalig gevoel. De laatste keer dat me dat was overkomen was inmiddels bijna twintig jaar geleden. Ik studeerde nog en in die tijd had ik vaak genoeg een afspraakje. Mijn aanpak, weliswaar uit wanhoop geboren, was briljant van eenvoud. Ik bleef gewoon in de bibliotheek rondhangen en als ik daar een meisje ontdekte dat met haar neus in een boek zat, slenterde ik naar haar toe en begon een praatje. Aan algemene ontwikkeling heeft het me nooit ontbroken, dus ik kon altijd een eindeloze hoeveelheid feiten en cijfers over vrijwel elk onderwerp onder de zon uit mijn mouw schudden. En meestal duurde het niet lang voor ik mijn vrouwelijke doelwit ervan had overtuigd dat ik een intelligente, geestige en – het allerbelangrijkste – normale vent was. Dat was in feite waar het mij om te doen was. Tegen de tijd dat ik de bibliotheek verliet, had ik meestal een papiertje met haar nummer in de hand. Vervolgens gingen we een paar dagen later met elkaar uit. En dan kwamen ze onveranderlijk tot de ontdekking dat ze belazerd waren. Dat er iets aan mij gewoon niet klopte. En soms bleef het daar niet bij. Ze belden me nooit terug.

Overigens nam ik het ze helemaal niet kwalijk dat ze me niet de moeite waard vonden. Ik begon zo langzamerhand hetzelfde idee te krijgen. Ik wilde het alleen niet toegeven. Desondanks werden al mijn afspraakjes ondraaglijke exercities van onzekerheid. Het drama dat zich in mijn hoofd afspeelde, nam me zo in beslag dat ik zelden aandacht had voor de persoon met wie ik uit was. Het enige wat ik wilde, was dat ze me normaal zou vinden. Dat was een obsessie voor me. Iedere keer als mijn vriendinnetje begon over dingen als waar ze op school had gezeten, wat ze studeerde en wat ze van plan was om in de toekomst te gaan doen, ging dat compleet langs me heen. In plaats van naar haar te luisteren hoorde ik alleen die inwendige stem, de stem die me met de grond gelijkmaakte of me zo vol zelfminachting pompte dat ik het liefst huilend in een kast was weggekropen. Ik tikte mezelf voortdurend op de vingers: *Hoe kom je erbij om zoiets belachelijks te zeggen, Jerry... Je klinkt echt als een idioot... Ik vraag me af wat ze van me denkt... Wanneer zal het tot haar doordringen hoe maf ik eigenlijk ben?*

En al deed ik nog zo mijn best, de subtiele trekjes op het gezicht van mijn vriendinnetje, de emotionele aanwijzingen waaruit ik had kunnen opmaken wat ze van me vond, bleven me ontgaan. Andere mensen schenen dat soort dingen altijd meteen te zien, maar op mij had dat hetzelfde effect als het staren naar een wand vol hiërogliefen. Geen wonder dat ik met angst en beven wachtte op het angstaanjagende moment dat ik niet meer wist wat ik moest zeggen en tot de ontdekking kwam dat ik zwijgend met mijn vriendinnetje naar de voordeur van haar appartement liep of naast haar op de bank zat. Dat soort momenten was echt ondraaglijk. En dan begon dat stemmetje weer te fluisteren: Wat nu, Jerry? Ben je van plan om haar hand te pakken? Wat zou je zeggen van een kusje op haar wang? Of op haar mond?

Waarom onderging ik dat soort kwellingen? De simpele reden was, dat mijn enige eigendunk door derden werd ingegeven. Ik bestond bij de gratie van wat andere mensen van me dachten. En ik was ervan overtuigd dat ze alleen de moeite zouden nemen om aan me te denken, als ik de soort partner zou hebben die er automatisch voor zorgde dat ze mij ook accepteerden.

Het was al meer dan tien jaar geleden dat ik voor het laatst een afspraakje had gehad. Overigens had niemand dat aan Mary en mij kunnen zien. Voor mensen die ons voorbij zagen komen, waren we gewoon twee mensen die hand in hand over Montana Avenue wandelden. Ik had tegelijkertijd zin om te lachen en te huilen.

Toen we eindelijk in het park aankwamen, beukten de golven

dertig meter lager op de kust, voorbij de zes drukke rijbanen van de Pacific Coast Highway. Ik kon het gedender in de verte horen. Mary staarde over het water tot ik haar voorzichtig aanstootte en wees naar het standbeeld dat ik haar wilde laten zien, op het randje van de afbrokkelende zandsteenrots. Het leek op een gigantisch ei en het was zo groot dat twee mensen er gemakkelijk in konden staan. En dat was precies de reden waarom ik haar meegenomen had.

'O, wow!' gilde Mary toen ze het zag. 'Wat waanzinnig.' Ze gooide haar armen omhoog als een of andere predikant in wie ineens de geest van de almachtige God was gevaren. Ze begon hysterisch te lachen en heen en weer te wiegen. En die lachbui had op mij het effect van een kleine tornado.

'Wat is dat in vredesnaam?' riep ze uit. 'Een nautilusschelp?'

'Volgens mij moet het een of ander vruchtbaarheidssymbool voorstellen,' zei ik schouderophalend terwijl ik langzaam de holle houten ruimte inliep. 'Kom binnen,' fluisterde ik terwijl ik mijn hand uitstak. 'Kom hier naast me staan.'

Mary giechelde. Ze keek een beetje weifelachtig, alsof ze niet precies wist wat ze van dat verzoek moest denken. Maar ten slotte, na een soort eeuwigheid, stak ze toch haar arm uit en pakte mijn hand. Mary was sterk en ze had de gratie van een bulldozer. Nadat ze een paar angstige momenten had besteed aan pogingen in het standbeeld te kruipen, besloot ik om haar gewoon naar binnen te trekken, zo in mijn armen. Heel even moesten we ons best doen om op de been te blijven en daarna keken we uit over het kolkende, schuimende water van de Grote Oceaan. Het zout uit de golven vermengde zich met de avondlucht en dreef omhoog, waar wij het op ons gezicht voelden. Ik zoog de vochtige lucht via mijn mond naar binnen en wist mezelf toen zover te krijgen dat ik diep in Mary's ogen keek. Ik werd even overvallen door een vlaag van duizeligheid, maar slaagde erin mezelf tot rust te brengen.

'Ik wilde dat we elkaar hier voor het eerst zouden kussen,' zei ik tegen haar.

Mary lachte alleen maar. Ze stond toe dat ik haar tegen me aan trok en mijn lippen op de hare drukte. Ik wist dat mijn techniek hopeloos moest zijn, maar vreemd genoeg stond ik daar geen moment bij stil. En voor het eerst van mijn leven voelde een kus volkomen natuurlijk aan. Bij wijze van uitzondering werd ik nu niet beheerst door het idee dat ik mezelf aan iemand opdrong.

Vervolgens waren we voordat ik het wist alweer op de terugweg naar mijn appartement. En onderweg bleef ik me voortdurend afvragen wat ze daarvan zou vinden. Als ik het een varkensstal noemde, zou dat een belediging voor varkens zijn. Het was een beerput, volledig ondergesneeuwd met reclamefolders, oude kranten en tijdschriften, aantekeningen die ik tijdens diverse conventies over autisme had gemaakt, ruwe manuscripten voor kinderboeken en gedichten, brieven aan de uitgevers van regionale bladen en politieke folders die ik had overgehouden aan de periode in 1992 toen ik als vrijwilliger had gewerkt voor de presidentiële campagne van Bill Clinton. Ik was meer dan eens begonnen met het opruimen van de flat, maar ik kreeg het niet voor elkaar. Iedere keer als ik een poging deed om iets weg te gooien werd ik bekropen door een akelig, onzeker gevoel. Het was niet zozeer dat ik bang was dat ik het ding op een gegeven moment nog nodig zou hebben, ik kon gewoon niet tegen het gebrek aan orde en regelmaat dat gepaard ging met het weggooien. Het is een paar keer voorgekomen dat ik gewoon de hele zooi inpakte en ging verhuizen, om vervolgens alles maandenlang in dozen te laten staan. Ja, het was uiteraard een complete puinhoop in mijn flat, maar ik wist precies waar ik elk stukje papier kon vinden.

Vanaf het moment dat we binnenkwamen, bleef ik voortdurend tersluiks naar Mary's gezicht kijken. Ik was op zoek naar overduidelijke en onverholen tekens van afschuw of walging van haar kant – een spottende uitdrukking, een boze trek, ogen die ten hemel werden geslagen of een ingehouden kreet van ontzetting. Het feit dat ik Asperger had, betekende ook dat ik absoluut geen kijk had op gelaatsuitdrukkingen. Zelfs als ik iets had gezien dan betwijfel ik nog of ik had geweten wat het inhield.

Maar wonderbaarlijk genoeg leek ze zich niet te storen aan de rotzooi. We vielen op mijn smerige bank neer en begonnen over onze vogels te kletsen. Ik genoot zo van dat gesprek dat ik niet eens tijd had om mezelf te kwellen. Voordat ik wist wat er gebeurde, zaten we te vrijen zoals ik alleen nog maar in mijn dromen met een echte vrouw had gedaan.

En toch was er een verschil. Ik had niet het gevoel dat ik een indringer was. Als ik niet beter wist, had ik durven zweren dat ze echt wilde dat dit zou gebeuren. Maar plotseling hield Mary zonder waarschuwing midden in een kus op. Ze deed haar ogen dicht, rekte zich met gestrekte armen uit en gaapte.

Ze raakt verveeld, Jerry. Ze wil naar huis. Je hebt het verknald. De inwendige stem had het nog niet opgegeven, maar ik draaide hem de nek om.

'Misschien kunnen we beter in bed kruipen,' stamelde ik en schrok van mijn lef.

'Nou,' antwoordde Mary, 'dat lijkt me een goed idee.'

Een paar minuten later lagen we stijf tegen elkaar aan op de door vogels aangevreten bruine deken op mijn bed. De gevoelens die werden opgeroepen door haar fluwelige huid tegen de mijne legden bijna mijn hele zenuwstelsel plat. Het ene moment leken ze me te verzengen en het volgende moment was het puur genot. Ik stond op het punt iets te beleven waar ik niets van begreep, iets waar ik geen naam voor had en voor het eerst van mijn leven vond ik dat best. Ik werd overspoeld door de ene na de andere aanval van duizeligheid en ik kon geen woord uitbrengen. Ik kon daar alleen maar zielig blijven liggen en naar het plafond staren.

'Ehhh,' mompelde ik. 'Ik heb geen voorbehoedsmiddelen... Ik had niet verwacht dat dit zou gebeuren.'

Mary rolde om en deed loom haar ogen open. Ze zag eruit alsof ze al half sliep. 'Geeft niet hoor,' koerde ze terwijl ze zich tegen me aan nestelde en haar slanke benen onder de mijne duwde. 'We hoeven niets te doen. Het is toch al zalig dat we hier zo lekker samen kunnen liggen?'

En daar bleef het dan ook bij. Ik heb geen flauw idee hoe lang we daar zo hebben gelegen. Waarom zou ik me daar druk over maken? De tijd stond stil. We lagen hand in hand, zonder iets te zeggen. Een sfeer van rust en kalmte hing als een sluier over de kamer. Het enige geluid was het kloppen van ons hart. Af en toe moesten we iets wegslikken. Heel even had ik het gevoel dat ik volkomen tot rust was gekomen en alles volledig in de hand had. Zelfs de stem in mijn hoofd deed er het zwijgen toe. Bijna tenminste. Ik hoorde alleen een gefluister: Dus zo voelt dat? Is dit nou liefde?

Na een poosje hoorde ik iets bewegen in een duistere, met spinrag behangen hoek van mijn slaapkamer. Mijn vier valkparkieten – Pagliacci en zijn vrouw, Caruso, plus hun twee kinderen, Cockatiel Dundee en Isadora Duncan – konden eindelijk de moed opbrengen om het vreemde gedoe op mijn bed eens nader te bekijken. Een voor een sloegen ze de vleugels uit, zeilden door het donker en landen op een gordijnroe vlak boven ons hoofd. Mary deed haar ogen open en schonk me weer die volmaakte glimlach waarvan mijn hart op hol sloeg. Ze hadden geen flauw idee wat die toestand onder hen moest voorstellen. Ik had nooit eerder een vrouw meegenomen naar mijn slaapkamer. Ik kon me zelfs niet meer herinneren wanneer ik voor het laatst iemand had uitgenodigd om mee te gaan naar mijn flat. De vier vogels keken op ons neer met een vreemde, bezorgde blik in hun kraaloogjes. Pagliacci zat opgewonden met zijn kopje te knikken en begon te krijsen. Binnen de kortste keren zat de rest van zijn familie instemmend mee te knikken en begon aan een soort dansje waarbij hun klauwtjes over de gordijnroe tikten terwijl ze heen en weer wipten.

'Als ik niet beter wist,' zei ik tegen Mary, 'zou ik echt denken dat je hun goedkeuring wegdraagt.'

Twintig weken na die wonderbaarlijke nacht stond ik onder de knoestige takken van een vermoeide oude vijgenboom die zich als een paraplu over ons uitspreidden en vroeg Mary of ze mijn vrouw wilde worden. Naar mijn idee had ik geen beter moment en geen geschiktere plek kunnen kiezen om haar ten huwelijk te vragen. Per slot van rekening was 30 april 1994 de 120ste dag van het jaar. Het was ook een week vóór de 120ste Kentucky Derby. Het cijfermatige toeval wilde bovendien dat de vijgenboom waaronder we stonden ontkiemd was in hetzelfde jaar waarin de Kentucky Derby voor het eerst werd gehouden. Wat alles nog boeiender maakte, was dat de dertigste april viel in de 28ste week nadat ik Mary op dat gekostumeerde feestje had leren kennen. Achtentwintig is voor mij een heel belangrijk getal – echt mijn lievelingsgetal. Dat kon toch ook niet anders? Als je per slot van rekening alle getallen waardoor het deelbaar is bij elkaar optelt, krijg je opnieuw 28. En hetzelfde gebeurt als je alle getallen van één tot zeven bij elkaar optelt. En getalsmatig waren er nog veel meer parallellen te vinden. Hoe langer ik er over nadacht, hoe meer stukjes van de legpuzzel op hun plaats vielen. Mary's moeder was 28 zaterdagen voor haar vader geboren en mijn verjaardag zit daar precies tussenin – veertien weken na die van haar moeder en veertien weken voor die van haar vader. De dag dat ik Mary ten huwelijk vroeg, was een zaterdag. En daar komen nog al die verwijzingen naar het getal 65 bij. De betonnen omheining rond onze vijgenboom bestond uit 65 pilaren en Mary is geboren op de 65ste dag van het jaar 1955. Voor een vent die zo gefixeerd is op getallen als ik ben, kun je het getalsmatig niet mooier wensen. Alles paste zo keurig in elkaar, het was gewoon volmaakt. Tot in de puntjes verzorgd.

En dus pakte ik Mary's grote hand vast en vroeg: 'Wil je mijn vrouw worden?' Ik keek in haar ogen die schuilgingen achter de synthetische pony van haar nootbruine pruik waarvan elk haartje glom in het zonlicht. 'Ja,' antwoordde ze. We omhelsden elkaar en ik deed mijn ogen dicht terwijl ik mijn wang op haar schouder legde. Ik had het gevoel alsof ik een leven vol beloften en dromen in de armen sloot. Ik was opgewonden, opgelucht en doodsbenauwd. Plotseling hield ik alles waar ik mijn leven lang naar had verlangd in mijn armen, terwijl ik er vast op had gerekend dat het leven me alleen maar teleurstellingen te bieden had. Het was zo'n zalig moment dat ik even bang was dat ik flauw zou vallen.

Jaren geleden had ik de gelofte afgelegd dat het genoeg voor me zou zijn, als ik ooit een vrouw zou vinden die echt van me hield, om één dag in haar gezelschap door te brengen. Meer had ik niet nodig om de rest van mijn leven gelukkig te zijn: de herinnering aan die ene dag van volmaakt samenzijn. Maar nu stond ik op de drempel van iets dat ronduit ongelooflijk was: dat ik de rest van mijn leven door zou brengen in het gezelschap van de vrouw van mijn dromen, een vrouw die evenveel van mij hield als ik van haar. Voordat ik Mary ontmoette, zou ik vast gezegd hebben dat de kans daarop zo miniem was dat zelfs zo'n getallenfreak als ik die niet kon berekenen. Statistische afwijkingen zijn echter geen zeldzaamheid. Af en toe gebeuren er dingen die je voor onmogelijk zou houden. En dat was mij dus nu ook overkomen. Tegen alle verwachtingen in had ik de eerste prijs in de loterij gewonnen. Zonder zelfs maar een lot te kopen.

Toen ik mijn ogen opendeed, besefte ik dat ik nog steeds niet dood was. Ik was gewoon alleen, precies zoals ik mijn leven lang alleen was geweest. Het was inmiddels na middernacht. Ik voelde me beneveld en stom. Ik pakte op de tast de telefoon op en toetste het nummer in van mijn chef bij de medische faculteit van de UCLA, waar ik vier jaar geleden door mensen met goede bedoelingen was aangenomen. Maar nadat ik het personeel tegen me in het harnas had gejaagd en zij me op hun beurt steeds stommere werkjes lieten opknappen, was ik inmiddels een veel te duur betaalde loopjongen geworden. En het was alleen aan mijn 'toestand' te danken dat ik niet al jaren geleden op straat was gezet.

'Ik voel me niet goed,' mompelde ik. 'Ik kan morgen niet komen.' Ik liet mijn hoofd weer op het kussen vallen en sloeg mijn armen om Mrs. Willy. Ik snapte niet waarom ik nog steeds in leven was. Bijna zestig slaappillen en het had geen meter geholpen. Goeie genade, ik kende mensen die met veel minder pillen het hoekje om waren gegaan. Na een poosje begon er ineens een gedachte door mijn hoofd te spelen die alleen maar als troostend omschreven kon worden: Misschien is het je tijd nog niet.

Tien minuten lang bleef ik daarover piekeren en lag naar het plafond te staren tot mijn oogleden te zwaar werden. Misschien is er een reden waarom je er nog steeds bent, hoorde ik de inwendige stem mompelen.

Misschien moet je dat maar eens proberen uit te vissen.

TUCSON, ARIZONA
OCTOBER 1999

Het leek echt een goed plan. Eerst zou ik de pillen innemen. Vervolgens trok ik de vuilniszak over mijn hoofd en plakte die vast. En daarna zou ik voor alle zekerheid mijn polsen doorsnijden met een scheermesje. Ik had aan weerszijden van mijn bed een prullenbak neergezet, om er zeker van te zijn dat ik niet te veel rommel maakte. Ik had al een paar zelfmoordpogingen achter de rug, dus ik had alles redelijk op een rijtje. De truc was dat je op de juiste manier je polsen door moest snijden. De meeste mensen doen dat gewoon niet goed. Je moet de slagaders doorsnijden en dat red je alleen als je het scheermes diep in je pols duwt, ongeveer vijf centimeter onder de aders. En dat doet behoorlijk veel pijn. Maar als je het niet goed doet, beschadig je alleen de gewrichtsbanden in je pols. Dat is niet zo best, want je blijft niet alleen in leven, je zult ook nooit je handen meer kunnen gebruiken. En dat wilde ik absoluut niet. Het enige wat ik wilde, was tot niets vergaan. Ik had namelijk zo'n flauw vermoeden dat dat met je gebeurde als je doodging. Gewoon een hele hoop zalig niets.

Ik had de afgelopen maanden voortdurend met zelfmoordplannen rondgelopen. Iedere dag als ik door de stoffige straten van de barrio – de Spaanstalige wijk – waar ik in Tucson woonde naar de supermarkt liep, kwam ik langs een nogal raadselachtig reclamebord. 'U Bent Niet Onmisbaar' stond daarop. Ik had geen flauw idee waar dat op sloeg, maar ik had het gevoel dat het speciaal voor mij bestemd was. Ik moest de hele dag aan dat reclamebord denken en aan de puinhoop die ik had gemaakt van alles wat er tussen ons was. Het lag echt niet alleen aan mij, maar de laatste tijd begon de mist net genoeg op te trekken om mij een idee te geven van de rol die ik had gespeeld. Het was me bijna gelukt, het had maar een haartje gescheeld of ik had de ware liefde gevonden. En die gedachte deed pijn, want het enige wat ik had overgehouden aan de tijd die we samen waren geweest was een gapend gat op de plek waar mijn hart had gezeten.

Jerry was een paar dagen geleden nog langs geweest. Hij kwam helemaal vanuit Los Angeles rijden om de vogels op te halen. Ik geloof niet dat hij begreep wat ik van plan was. Ik wilde dat hij ze hier weg zou halen. Ik was bang dat er iets naars met ze zou gebeuren als ik er niet meer was.

Ik gokte dat er zo'n twintig minuten voorbij waren gegaan vanaf het moment dat ik het laatste restje van mijn antipsychotica had ingenomen. Ik wist niet precies hoeveel er nog in had gezeten, maar het zou meer dan genoeg moeten zijn om me te verdoven, zodat ik zonder problemen met het scheermes aan de slag kon. Toen ik het vertrouwde wazige gevoel kreeg, trok ik de vuilniszak over mijn hoofd, zette die om mijn hals met isolatietape vast en bleef op de rand van mijn bed zitten. Het gedender van de vrachtwagens die de bottelarij naast mijn huis in- en uitreden deed mijn bed trillen. Of misschien waren het gewoon mijn zenuwen.

Na een poosje kreeg ik last van claustrofobie. Ik deed mijn best het te negeren door een paar keer diep adem te halen, maar dat viel niet mee met die vuilniszak over mijn hoofd. Vervolgens probeerde ik het scheermes tegen mijn linkerpols te drukken. Het ging ontzettend onhandig omdat ik niets kon zien. Daar had je aan moeten denken, Mary, mopperde ik tegen mezelf. Op dat moment begon ik te twijfelen of de uitweg die ik had gekozen wel de juiste was. Het was midden op een hete middag in het midden van de week, midden in de maand en ik voelde me plotseling stom en hopeloos alleen in dit oude huis met een plastic vuilniszak over mijn hoofd. Mijn hart begon te bonzen en ik zat me ineens allerlei dingen af te vragen. Hoe groot was de kans dat ik er echt in zou slagen zelfmoord te plegen? Per slot van rekening had ik wel eens gelezen over mensen bij wie in een fabriek de handen waren afgehakt en die waren niet eens doodgebloed. Ik rukte de zak van mijn hoofd. Het laatste wat ik wilde, was dat Jerry zich schuldig zou voelen als mij hier iets overkwam. Dat verdiende hij niet. Per slot van rekening was hij mijn wederhelft. Dat was me al bij ons tweede afspraakje duidelijk geworden.

In gedachten zag ik ons weer over Montana Avenue lopen. Dat beeld stond in mijn geheugen gegrift en ik kon het niet van me afzetten, wat ik ook probeerde. Dat was de avond waarop deze hele waanzin begon. Daarna konden we niet meer terug.

Jerry was gespannen. Maar het was een leuk soort spanning. Hij leek op een kind dat zijn ogen opendoet en dan ineens tot de ontdekking komt dat het Kerstmis is. Ik kon gewoon voelen wat zich allemaal in zijn hoofd afspeelde zonder dat hij er een woord over zei. Autisten hebben dat soms bij elkaar. Het is een kwestie van intuïtie. Af en toe kunnen we dingen aanvoelen op een manier die niet onder woorden kan worden gebracht. Maar de hemel weet dat ik vaak allang blij zou zijn geweest als ik niets anders dan woorden tot mijn beschikking had gehad, net als mensen met normale hersenen. Of zouden wij soms een wijze van communiceren hebben verruild voor een andere meer mysterieuze en ondoorgrondelijke manier? Laat ons echter los in een vertrek vol mensen met zogenaamde normale, voorspelbare hersenfuncties en we zullen de grootste moeite hebben om zelfs de meest primaire emoties op te vangen. Maar de normale wereld heeft precies dezelfde problemen met ons. Wij maken op hen een afstandelijke, onaardse en hopeloos afwezige indruk, alsof we gevangen zitten in een onzichtbaar krachtveld.

Ik waag het te betwijfelen dat mensen die ons die decemberavond zagen lopen ook maar het geringste benul hadden hoe ongelooflijk groot het belang van die avond was. Voor een toevallige voorbijganger waren wij alleen maar twee raar uitziende mensen van middelbare leeftijd die samen tijdens een wandelingetje kentekenplaten lazen en liepen te lachen.

Jerry zag er echt niet uit. Ik had nog nooit zoiets gezien, zeker niet tijdens een afspraakje waarbij de meeste kerels zich toch uitsloven om een goede indruk te maken. Maar volgens mij hadden we allebei het punt bereikt waarop we ons niet meer druk wensten te maken over indrukken. Dat gold in ieder geval voor mij. Dus trok ik me er weinig van aan dat hij kwam opdagen in het uniform dat hij tijdens zijn koeriersbaantje draagt: een keurig gestreken wit overhemd met zijn naam in cursieve blauwe lettertjes op het linkerborstzakje geborduurd. Jerry had een dikke bos stroblond haar. Eén blik op die kuif vertelde me al dat hij die met zijn vingers in model hield. Maar dat vond ik juist aantrekkelijk, want ik ben altijd dol geweest op die slordige, jongensachtige types, vooral als het zo'n grote vent is als Jerry.

Maar wat me echt in hem aansprak, was wat er onder die slordige bos haar verscholen zat. Ik had er de eerste keer dat we elkaar ontmoetten een glimp van opgevangen, van de kant die hij jarenlang voor de buitenwereld had verstopt en die hij nu pas aan derden durfde te tonen. Hij was een raadselachtige mengeling van jongen en man. Jerry kon naar een dier staren en reageren met de verbijsterde grote ogen van een kind dat er helemaal niets van snapt. En voordat je van de verrassing was bekomen kwam hij dan met zo'n diepe opmerking dat je er wekenlang over liep te piekeren.

Maar het liefst luisterde ik naar hem als hij begon door te draven over getallen. En die avond van ons tweede afspraakje, toen we samen over Montana Avenue slenterden, wilde ik dat hij daar gewoon mee door zou gaan, omdat hij zo blij was dat hij zijn wereld eindelijk met iemand kon delen. Jerry spon hele patronen van getallen. Hij zag vaak een onderling verband dat vrijwel iedereen ontging. Ik snapte er niets van hoe hij in vredesnaam meteen door kon hebben wat de overeenkomst was van het ene getal met het andere. Maar dat was ook helemaal niet nodig. Een doorsnee mens hoeft niets af te weten van muziektheorie om helemaal ondersteboven te raken van de adembenemende schoonheid van Mozart. Je hoefde Jerry alleen maar te horen uitweiden over zijn getalsmatige visioenen om te weten dat je een bijzonder begaafd persoon tegenover je had.

Toen Jerry eindelijk op het idee kwam om me te kussen, stonden we allebei te trillen als een rietje. We werden overspoeld door zoveel vreemde gevoelens, die het gevolg waren van jaren vol frustratie, eenzaamheid en de ijdele hoop dat we op een dag iemand zouden vinden bij wie we ons normaal en op ons gemak zouden voelen. Jerry had niet veel ervaring met vrouwen. Dat was wel duidelijk. Daarentegen was ik zo door de wol geverfd dat de sleet er bijna op zat. Ik had weliswaar vaak genoeg een vrijgezellenbestaan geleid, vooral in mijn hippietijd toen ik nog in geknoopverfde jurken rondliep, maar ik was met een heleboel mannen naar bed geweest. Toch wilde ik eigenlijk alleen maar dat een van hen iets in mij zou ontdekken waar ik zelf tevergeefs naar op zoek was geweest. Natuurlijk gebeurde dat nooit. Dus zwierf ik van de ene vent naar de andere, altijd met het idee dat mijn laatste verovering mijn ridder zonder vrees of blaam zou zijn, de man die me zou vertellen dat hij van me hield en me in mijn oor zou fluisteren dat ik helemaal niet zo'n mafkikker was als iedereen me wilde wijsmaken.

Zolang ik me kan herinneren heb ik me afgevraagd waarom de wereld me zo stuitend scheen te vinden, zo afstotelijk. Uiteindelijk gaf ik het op en legde me neer bij het ellendige lot dat mij was toebedeeld. Als de buitenwereld me toch zo'n raar misbaksel vond, dan konden ze krijgen wat ze wilden. Dan werd ik het grootste, meest stuitende misbaksel ter wereld. Mijn familie behandelde me alsof ik door een of ander ruimteschip vanaf een verre planeet hier op aarde gedumpt was. Iedereen met wie ik als kind in aanraking kwam, vond me maar een rare kwibus. Dus deed ik mijn uiterste best om me daarbij aan te passen en zat het merendeel van de tijd hysterisch te lachen waarbij ik onbeheerst heen en weer wiegde of ging me te buiten aan driftbuien die me in een krijsende psychopaat in zakformaat veranderden. Soms zat ik urenlang zwijgend in mijn eentje te peinzen. Op een goede dag kon je me meestal in de tuin aantreffen waar ik met uitgestrekte armen omhoogkeek naar de lucht terwijl ik als een razende op het gras rondtolde en me overgaf aan duizelingen en waanzinnige lachbuien tot ik erbij neerviel.

Alles wat ik hier over mijn verleden heb opgeschreven is exact zoals ik me het herinner, bij stukjes en beetjes opgediept uit mijn geheugen. Maar herinneringen kunnen bedrieglijk zijn, vooral als ze opgeborgen zitten in een vat dat zoveel lekken vertoont als het mijne. Er zijn dagen dat ik ervan overtuigd ben dat alles wat hier staat de letterlijke waarheid is. Maar het komt ook voor dat ik ineens besef dat alles wat ik me van het verleden herinner alleen maar een gekunstelde opsomming is van hoe ik gebeurtenissen ervaar in plaats van een exact verslag van wat in werkelijkheid plaatsvond. Het is geen wonder dat het me zoveel moeite kost om het verschil tussen waarheid en fantasie te ontcijferen – ik heb geen gemakkelijk leven achter de rug. Er zijn tijden geweest dat mijn levensweg me meevoerde naar de hoogste pieken en me een uitzicht bezorgde dat zo betoverend was dat de tranen van pure extase me hoog zaten. Maar mijn levensreis voerde me af en toe ook door diepe, donkere en troosteloze dalen waarin ik alleen nog maar naar het eind verlangde en het liefst tot stof wilde vergaan.

Wat ik destijds niet wist, maar wat inmiddels tot me is doorgedrongen, is dat ik bepaald niet de enige van het gezin was die aan

Asperger leed. Volgens mij hadden we er allemaal in meerdere of mindere mate last van, mijn ouders incluis. We waren een gezin vol hopeloze, maar ronduit briljante zonderlingen die volledig uit de toon vielen bij de rest van de wereld. En als gevolg van een of andere kosmische genetische grap was ik de grootste zonderling van het hele stel, met een zenuwstelsel dat veel te fragiel was om met de chaos van mijn rare, knotsgekke familie om te kunnen gaan. Het was niet zo dat ik in de eerste plaats behoefte had aan een ander stel ouders – in feite heb ik mijn heerlijke aangeboren talent voor muziek en kunst juist aan hen te danken. Maar in een ideale wereld zou ik een enig kind zijn geweest, dat zich in alle rust en afzondering had kunnen ontwikkelen. In plaats daarvan was ik terechtgekomen in iets dat op een soort eeuwig slagveld leek en ik lijd nog steeds aan de gevolgen van de shellshock die ik daarbij heb opgelopen.

Mijn ouders wisten niet wat ze met me aan moesten. Dat wist niemand. Ze probeerden dapper om van me te houden, maar ze waren als de dood voor me. Diep van binnen ben ik er altijd van overtuigd geweest dat ze allebei dachten dat ik krankzinnig was, een gedachte die hun ergste vrees leek te bevestigen. Krankzinnigheid was iets dat in onze familie regelmatig voorkwam.

Toen ik veertien werd, was ik inmiddels zo onhandelbaar geworden dat ze me in mijn nekvel pakten en me afleverden bij een paranoïde christelijke sekte in Texas. In feite was ik toen al zo in de war, zo'n groentje ten opzichte van het chaotische holderdebolder dat zich in mijn hoofd afspeelde, dat ik zelf met dat voorstel kwam. De leider van de groep predikte dat de dag des oordeels ieder moment kon aanbreken. Mijn oudere zus, Barbara, was jaren geleden al lid van de groepering geworden. En zij was dolenthousiast over de kameraadschap en de zusterlijke liefde die ze daar had gevonden. Vandaar dat mijn ouders dachten dat die sekte, die bekend stond als de Kinderen van God, de plek was om hun onberekenbare dochter op te bergen. Per slot van rekening zou het anders een inrichting moeten worden. En welk ouderpaar wil zijn kind nou naar een gekkenhuis sturen?

Ze jubelden bijna van opluchting toen ze me op een middag afgezet hadden op het modderige, afgelegen terrein van de groepering en reden meteen weer met een vaartje terug naar de snelweg. Ze keken niet om, waarschijnlijk omdat ze dat niet konden verdragen. Maar ik stond daar in de modder en keek ze toch na, wachtend tot een van beiden zich naar me om zou draaien, hopend dat ze op zouden kijken in een poging nog een glimp van mij op te vangen in de achteruitkijkspiegel. Ik hunkerde ernaar om hun donkere pupillen te zien. In plaats daarvan bleven ze stokstijf op hun stoelen zitten en tuurden strak door de vuile voorruit toen mijn vader het gaspedaal intrapte en met een noodgang dat smerige zandweggetje afreed.

Misschien heb ik daarom altijd zoveel problemen gehad met mensenogen. Als ik die het hardst nodig had, schitterden ze altijd door afwezigheid. Vanaf die tijd is het net alsof ik een groot deel van mijn leven doorbreng met ze af te wijzen of erdoor gehypnotiseerd te worden. Eerlijk gezegd geloof ik niet dat ik, tot ik Jerry aankeek, ooit een paar ogen had gezien waarbij ik me volledig op mijn gemak voelde. Hij veroordeelde me niet. Dat voelde ik instinctief aan de manier waarop hij naar me keek. En dat herinner ik me eigenlijk vooral van onze eerste kus. Niet zozeer die onhandige lippen van Jerry, maar de blik in zijn ogen. Niets anders dan medeleven, begrip en tederheid. Als ik voor die tijd de moed kon opbrengen om in de ogen van een van mijn minnaars te kijken, had ik nooit iets anders gezien dan mijn wazige evenbeeld dat me dom aanstaarde en uitriep: 'Mafkees... Monster... Beest.'

Niemand had me ooit zo aangekeken als Jerry. Ik had nooit van mijn leven het gevoel gehad dat iemand echt een poging deed om mij te zien, met zijn of haar blik vast op me gericht. In ieder geval niet op de manier waarop Jerry dat deed, toen we elkaar voor het eerst in dat uitgeholde houten standbeeld kusten. En tegen de tijd dat we terug waren bij zijn appartement was ik tot over mijn oren verliefd. En hij scheen precies hetzelfde te voelen, hoewel hij zo onhandig stond te klooien om zijn voordeur open te krijgen dat ik het idee kreeg dat hij behoorlijk veel last had van vlinders in de buik. Dat vond ik leuk. Ik kon me niet herinneren wanneer ik voor het laatst iemand zo nerveus had gemaakt... Nerveus op een fijne manier.

Zodra we binnen waren, pakte hij mijn hand en trok me voorzichtig mee langs een pad dat hij door al zijn troep had uitgespaard. Ik ben niet snel van mijn stuk gebracht. Maar de doordringende stank van stof vermengd met schimmel werd me bijna te veel. Ik was omringd door alles waar Jerry waarde aan hechtte: zijn antieke schrijfmachine op de eettafel, het zwart-witte hoofd van zijn Willy-de-Walviskostuum dat tegen een stapel papieren leunde en een kapot Zenith-televisietoestel bedekt met een dikke laag stof. Even zaten we zwijgend naast elkaar naar zijn privéverzameling rotzooi te kijken.

'Het kost me moeite om dingen weg te gooien,' bekende hij. Ik kon alleen maar reageren door zacht in zijn hand te knijpen en naar hem te glimlachen. Ik voelde hoe hij zich ontspande. Ergens in een andere kamer hoorde ik het gefladder van vleugels. Ik maakte mezelf wijs dat het misschien wel engelen waren.

'Zou je mij als je echtgenoot willen accepteren?' vroeg Jerry vijf maanden na die avond. Na een speurtocht van jaren was ik op de een of andere manier bij toeval eindelijk een ander menselijk wezen tegengekomen dat begrip kon opbrengen voor de eenzame, frustrerende wereld waarin ik mijn hele leven had doorgebracht. Daarna bleven we daar met ons tweetjes staan en ik keek Jerry diep in de ogen. Voor het eerst van mijn leven voelde ik geen weerzin jegens het spiegelbeeld dat naar me terugkeek.

Maar aan fijne dingen komt een eind. Zo gaat dat tenminste bij mij altijd. Vijf jaar later had ik Jerry afgedankt en was ervandoor gegaan. En nu was ik meer kwijt dan alleen maar een vriend. Ik had alles en iedereen waarbij ik steun kon zoeken weggegooid. Ik voelde me zo alleen dat het leek alsof ik op de maan zat.

'Ik moet naar het ziekenhuis,' riep ik uit op het moment dat ik mijn huisgenoot door de voordeur naar binnen hoorde komen. 'Ik heb een hele hoop pillen geslikt.' Ze kwam mijn troosteloze kamer binnenlopen, bleef me even verwezen aankijken en liep toen de gang in naar de telefoon om een taxi te bellen. Ik probeerde op te staan, maar ik was draaierig van de pillen. Vandaar dat ik maar weer op het bed ging zitten wachten, terwijl ik zwijgend uit het kapotte, met het zand van de barrio bedekte raam keek.

'Ze komen er zo aan,' verkondigde ze. Ze zat er kennelijk over in dat ze had moeten bellen. Even later voelde ik hoe ik opstond en onzeker de openstaande voordeur uitwankelde. Buiten brandde de zon in het zand. Het licht was zo fel dat ik mijn ogen moest beschutten. Eigenlijk wilde ik alleen nog maar slapen toen ik dromerig toekeek hoe de taxi langs het trottoir stopte. Ik glimlachte. Dat ging vanzelf. Iedere keer als ik een taxi zag, moest ik aan Jerry denken en aan al die jaren dat hij in een taxi door San Diego heeft gereden. Ik trok het portier open, liet mezelf op de achterbank vallen en deed mijn ogen dicht. Heel even deed ik net alsof Jerry mijn chauffeur was en maakte mezelf wijs dat ik nog steeds van hem hield. Maar op dat moment, toen de taxi wegreed, voelde ik me eigenlijk alleen maar een mislukkeling.

TWEE

LITTLE FALLS, NEW YORK
AUGUSTUS 1948

In het begin was ik getalsmatig volmaakt. Bij mijn geboorte in een hoekkamer in het ziekenhuis van Little Falls waar een groot pikzwart nummer 28 op de deur geschilderd stond, leek mijn entree in deze wereld onder een gunstig gesternte plaats te vinden. Vanwege al die unieke en prachtige mathematische eigenschappen die aan het getal 28 worden toegedicht moet ik het gevoel hebben gehad dat er een zekere magie uitging van het feit dat ik geboren was in een kamer met dat getal op de deur.

Ik weet vrijwel niets van de omstandigheden rond de geboorte van Mary. Maar daar heb ik vaak over zitten piekeren. In mijn dromen zie ik mezelf wel eens de ziekenhuiskamer binnenlopen waar zij in een wiegje ligt. Er is buiten ons tweeën niemand in de kamer. En dan loop ik naar haar toe, til haar onhandig op, sta haar gezicht even te bestuderen en fluister haar vervolgens toe dat ze volgens mij een toonbeeld van perfectie is en dat ze in de jaren die voor haar liggen nooit geloof moet hechten aan het gevoel dat het tegendeel waar is.

Wat ik me voornamelijk uit mijn vroegste jeugd herinner, is het gefluister. De meeste mensen groeien op met verhalen over al die snoezige malle dingen die ze vlak na hun geboorte deden – onverwachte kotspartijen, onafgebroken gekwijl en incontinentie. Maar ik kreeg voortdurend van mijn familie te horen hoe ik me verzette toen de verpleegster me in de uitgestoken armen van mijn moeder wilde leggen. De gedachte aan die allereerste ogenblikken van mijn leven doet nog steeds pijn, want die roept alleen maar herinneringen op aan de vervelende bijverschijnselen die later zouden volgen. Mijn moeder wilde een teddybeer, die ze naar believen kon knuffelen. Maar knuffelen stond voor mij gelijk aan onmacht. Het gaf me het gevoel dat ik doodgedrukt werd door een van de gigantische diepzeewezens uit de stripboeken van mijn broertjes. Als ik werd geknuffeld begon ik te rillen van afschuw. Ik was, als zoveel autistische kinderen, een baby die geen prijs stelde op lichamelijk contact. Ik knuffelde nooit terug. Ik duwde mijn moeder weg als ze probeerde me te omhelzen. Ze bleef altijd de wens koesteren om 'contact' met me krijgen, maar tegen de tijd dat ik twee was, had ze de handdoek in de ring geworpen en haar pogingen gestaakt.

De ironie was dat ik heel diep vanbinnen juist ontzettend graag aangeraakt en geknuffeld wilde worden. Alleen niet lichamelijk.

Zolang ik me kan herinneren, was ik altijd het lelijke eendje in een wereld vol zwanen. Maar misschien is het wel een beetje overdreven om mijn familie als zwanen te omschrijven. Mijn ouders waren allesbehalve van nature voorbestemd om een stel kinderen groot te brengen. Ze waren allebei opgegroeid in een pleeggezin. En hoewel ze een plezierige jeugd en tienertijd hadden gekend, groeiden ze toch op met het gevoel dat ze een last waren voor de familieleden die hen onder hun hoede hadden genomen. Wat ze met elkaar gemeen hadden, was de innige wens dat hun drie zoons een echte mama en papa zouden hebben. Ze slaagden erin om dat naar hun beste vermogen voor elkaar te krijgen, maar daarbij vonden ze het kennelijk nodig om ons constant te wijzen op de offers die ze voor ons moesten brengen. Als ik terugdenk aan mijn jeugd, heb ik vaak het gevoel dat ik ben opgevoed door een vader en een moeder die alles wat ze wisten over het ouderschap uit een juridische brochure hadden gehaald. Ik heb me vaak afgevraagd waarom ze tien jaar hebben gewacht, voor ze besloten om alsnog een gezin te nemen. Ik heb ze altijd een beetje raar gevonden. Als kind was mijn grootste wens dat ik in hun leven was verschenen toen ze nog jong waren.

Maar waarschijnlijk is het niet zo vreemd dat ik me niet helemaal op mijn plaats voelde en een beetje eigenaardig. Hoogtevrees was de eerste angst waar ik last van kreeg. Daardoor werden de trappen in ons huis in Trumansburg, New York, waar mijn vader samen met zijn broer een Chevrolet-garage had, een regelrechte kwelling voor me. Uiteindelijk vond ik een manier die de scherpste kantjes eraf haalde. Ik hield me zo stijf mogelijk vast aan de trapleuning en liep dan letterlijk voetje voor voetje achterstevoren naar beneden. Ik zette eerst heel voorzichtig mijn rechtervoet op de volgende tree en schoof dan mijn linkervoet ernaast. Het duurde echt eeuwen voordat ik beneden was, maar het was de enige manier waarop ik de tocht aandurfde.

Dan waren er nog de twee waanzinnig levensechte, telkens terugkerende dromen die ik 's ochtends als ik wakker werd maar niet uit mijn hoofd kon zetten. In de eerste droom zat ik op een houten brug terwijl een dieseltrein die zwarte wolken rook uitbraakte op me af kwam denderen. Ondanks het gevaar ging ik er niet vandoor. Ik bleef er gewoon naar staren, berustend in het afschuwelijke lot dat me wachtte. Maar op het laatste nippertje doken ineens mijn broer Jim en mijn vader uit het niets op en trokken me opzij terwijl de trein voorbij daverde.

In de andere droom stond ik naast een snelweg en zag een hond op de middenstreep zitten. Ineens werd ik bekropen door een oncontroleerbaar verlangen om mijn hand over zijn zachte vacht te laten glijden. Maar er was één minpuntje: er kwam tegelijkertijd een grote vrachtwagen met brullende motor op de hond af. Hoewel ik heel goed wist dat ik platgereden zou worden als ik ook maar een voet op het asfalt zette, bleef ik een wanhopig verlangen koesteren om het diertje een geruststellend klopje op zijn kop te geven. Maar net toen ik op het punt stond naar hem toe te lopen, voelde ik hoe mijn broer John me bij mijn shirt pakte en me met een ruk in veiligheid bracht. Ik kan me nog goed dat heerlijke troostende en geruststellende gevoel herinneren als ik wakker werd in de wetenschap dat mijn broers genoeg om me gaven om mijn leven te redden.

Het enige wat mijn broer John in werkelijkheid heeft gedaan was me leren praten. Hoewel dat eigenlijk op het conto van zijn tamme kraai moest worden geschreven. Vlak na mijn geboorte ontdekte John het jonge vogeltje in onze achtertuin, ving het met zijn blote handen en zette het in een metalen kooitje dat naast mijn wieg hing. Hij verzorgde het diertje tot het er weer helemaal bovenop was, leerde het een paar woordjes en noemde het Blackie. Ik lag uren naar dat enge zwarte beest boven mijn hoofd te kijken en te luisteren naar zijn gekrijs. Dankzij Blackies lessen was 'hallo' het eerste woord dat over mijn lippen kwam. Die simpele groet zorgde voor een cruciaal moment in de verhouding tussen mijn moeder en mij. Toen ze dat eerste woordje uit mijn mond hoorde rollen, kwam ze tot de conclusie dat als ze me niet mocht aanraken, ze toch in ieder geval verbaal contact met me kon zoeken. Door middel van woorden.

Aangezien woorden de enige manier waren waarop ik contact kon krijgen met mijn omgeving, lijkt het me vrij logisch dat ik alles eigenlijk letterlijk opvatte en me strikt hield aan de gewone gang van zaken. De eerste keer dat die eigenschap de kop opstak, was op een ochtend tijdens het ontbijt, toen mijn broers hevig zaten te bekvechten over een onderwerp dat mij boven de pet ging. Mijn moeder liet ze een paar minuten begaan, tot het haar te veel werd. 'Als jullie twee daar niet onmiddellijk mee ophouden, loop ik de voordeur uit en kom nooit meer terug!' riep ze uit.

Ik barstte in lachen uit, omdat ik mijn oren niet kon geloven. Was ze nou helemaal gek geworden? Omdat we de ergerlijke gewoonte hadden overal in het huis moddervoeten achter te laten, wisten mijn broers en ik dat een van de ijzeren, onwrikbare regels van ons huishouden was dat de voordeur alleen openging om gasten binnen te laten. Wij gebruikten zelf alleen de achterdeur. Dat was er bij ons echt ingehamerd. Vandaar dat ik riep: 'Nee, mam, als je weggaat, mag je alleen de achterdeur gebruiken!'

Iedereen bleef doodstil zitten. Mijn familieleden zaten me met grote ogen aan te kijken en ongetwijfeld te wachten tot ze zouden begrijpen wat ik precies bedoelde. Maar dat gebeurde niet. Ze snapten er niets van. Vandaar dat mijn broers zich maar weer op hun ontbijt stortten en haastig hun havermout naar binnen werkten met een soort plaatsvervangende schaamte voor die rare uitspraak van mij. Hun reactie joeg mij schrik aan. Op dat moment begon ik te begrijpen dat ik niet leek op de mensen die ik kende. Ik was... anders.

Als kind kon ik nooit het gevoel van me afzetten dat de dingen die ik deed en zei eigenlijk helemaal uit de toon vielen bij de wereld om me heen. Ik begon het vermoeden te krijgen dat er iets raars in me verscholen zat. Maar ik kon nooit precies achterhalen wat dat nou was en wat nog veel erger was, ik kon niets doen om dat gevoel van me af te zetten. Ik voelde me uit het lood geslagen, een buitenbeentje. Ik was altijd bang dat ik weer iets raars zou zeggen, iets wat volgens mijn omgeving helemaal nergens op sloeg en ik wist dat iedereen die het hoorde me dan prompt uit zou lachen. Ik leefde constant in vrees dat mijn eigenaardigheid bij de eerstvolgende woorden die over mijn lippen kwamen aan het licht zou komen. En de nevel die me omringde, werd naarmate ik ouder werd steeds dichter. Ik voelde instinctief dat ik wegzonk in een duisternis die ondetermineerbaar was. Het enige wat ik kon doen was me vastklampen aan alles wat voorhanden was en bidden dat ik niet in die diepe afgrond zou vallen. Er was iets verschrikkelijk mis.

En die vroege gevoelens van zelfminachting werden vooral opgeroepen door Donald Duck. Ik haatte het beest, ook al was het maar een stripfiguurtje. De manier waarop hij helemaal overstuur kon raken en zo volkomen zijn zelfbeheersing verloor dat hij met zijn eendenpootjes begon te trappelen en wild met zijn met veren bedekte armen wapperde, kwam me angstig bekend voor. Donald was geen stripeend, hij was een rechtstreekse aanslag op mijn persoon. Het gebeurde meer dan eens dat ik naar zijn boze stuiptrekkingen op het enorme scherm in de plaatselijke bioscoop zat te kijken en dan ineens mezelf tegen een van mijn broertjes hoorde fluisteren: 'Ik moet naar de wc.' Maar dat was gelogen.

In plaats daarvan liep ik naar de hal, ging op een bankje zitten en bleef een uur of zo strak naar de popcornautomaat staren. Ik was tot alles bereid, als ik maar niet naar Donald hoefde te kijken. Tegen de tijd dat de Jerry Lewis-film waarvoor we naar de bioscoop waren gegaan begon, had ik geen zin meer om terug te gaan naar mijn stoel. Dus bleef ik maar gewoon zitten en probeerde niet te luisteren naar Jerry's spastische gekrijs en gegil. Ik kromp in elkaar als die afschuwelijke stem van hem in mijn oren drong en probeerde zich in mijn hoofd vast te zetten. En dan werd ik weer boos omdat we dezelfde voornaam hadden. Als de film afgelopen was, kwam een van mijn broertjes altijd de hal binnenlopen om te zien waar ik uithing. Dan keek hij me hoofdschuddend aan, omdat hij er geen bal van snapte dat ik meeging naar de film en vervolgens alleen maar in mijn eentje zat te kijken naar de automaat waarin de maïs werd gepoft.

Ik ben echt een pietje-precies. Vandaar dat het niemand zal verbazen dat ik exact weet op welk moment mijn leven instortte en ik voor het eerst kennismaakte met het duistere ding dat in mijn binnenste de kop opstak. Dat was op Thanksgiving 1952 en gezien mijn talent voor dat soort wetenswaardigheden kan ik er ook bij vertellen dat die dag op 27 november viel. Ik was samen met mijn familie op bezoek bij mijn oom Bob in Trumansburg, New York. Ik stond in zijn achtertuin en liep naar een moerassig, bebost stuk land dat aan zijn grondgebied grensde. De herfstzon begon achter de bomen weg te zakken. Mijn vader, mijn oom, mijn broers en mijn neefjes waren op weg naar het bos, maar om onverklaarbare redenen werd ik volkomen in beslag genomen door een vlucht ganzen die in de duister wordende lucht op weg waren naar het zuiden. Ik liep een stukje achter de groep, iets wat me vaak overkwam. Maar ineens voelde het heel anders aan. Ik had me nooit zo... afgezonderd gevoeld. Ze waren allemaal blijven staan en hadden zich omgedraaid om te kijken hoe ik door de modder ploeterde. Niemand zei iets. Ze keken alleen maar. En de uitdrukking op die gezichten leek akelig veel op de trek die mijn broers een paar maanden daarvoor tijdens het ontbijt op hun gezicht hadden gehad – een combinatie van verbijstering, amusement en ongeloof.

Een paar minuten later waren we weer terug bij het huis van oom Bob. Iedereen liep te praten en te lachen, het was een gekwebbel van jewelste. Maar ik was absoluut niet in staat om daaraan mee te doen. In het verleden had ik vaak moeite gehad met dit soort gezellige bijeenkomsten. In de woonkamer van oom Bob groeiden de omstandigheden me echter volkomen boven het hoofd. Ik werd een geestverschijning, volledig afgezonderd, een hopeloos buitenbeentje. Als ik toch iets uit wist te brengen en iemand viel me in de rede, raakte ik zo gefrustreerd en boos dat ik meteen weer mijn mond hield. Dan liep ik maar weer naar een andere groep en probeerde me in hun gesprek te mengen, maar altijd op het verkeerde moment en altijd met nietszeggende opmerkingen over onderwerpen die een paar minuten geleden aan de orde waren geweest.

Nadat we die avond thuis waren gekomen stond ik in de badkamer voor de spiegel en bestudeerde mijn gezicht, terwijl ik nadacht over alles wat er net was gebeurd. Het was raar, want ik zag er precies zo uit als de anderen. Hoe kwam het dan dat niemand ooit aandacht voor me had? Waarom voelde ik me zo afgezonderd? Voor het eerst van mijn leven kon ik dat niet verklaren door mezelf erop te wijzen dat ik veel jonger was dan de rest. Hoe erg ik het ook vond, ik moest gewoon erkennen dat zelfs mijn jongere neefjes zich beter hadden aangepast en zich meer op hun gemak hadden gevoeld in het huis van oom Bob.

En toen drong het ineens tot me door: ik was een buitenbeentje. Nu wist ik ineens wat het was. Ik was anders dan de rest. Ik vroeg me af of ieder levend wezen zich zo eenzaam voelde.

Tegen de tijd dat ik voor het eerst naar de kleuterschool ging, was ik gewend geraakt aan mijn last. Maar het bleef toch aanvoelen alsof je met een zak stenen op je rug rondliep. Het was ontzettend moeilijk om die lading in evenwicht te houden. Ik wist nooit wanneer of hoe die last zou gaan schuiven. Ik had voornamelijk grote problemen met de subtiele nuances van wat wel en wat niet geoorloofd was in de omgang met andere mensen. Destijds had ik behalve mijn broers helemaal geen vrienden. Maar er zat een jongetje bij mij in de klas dat wel met me kon opschieten. Hij heette Eric. Op een keer liep ik dwars door de stad naar zijn huis. Het was op een zaterdagmiddag en toen ik aanklopte, werd de deur niet opengedaan. Maar ik moest ontzettend nodig naar de wc en voordat ik wist wat ik deed, was ik al in de boom naast het huis geklommen en kroop door een openstaand slaapkamerraam naar binnen. Toen de familie thuiskwam, vonden ze mij op het toilet in de badkamer op de bovenverdieping. Erics vader zei tegen de rest van het stomverbaasde gezin dat hij me wel even naar huis zou rijden. Hij zette me op de achterbank van zijn stationcar, startte de motor en bleef me onderweg tersluiks in de gaten houden via de achteruitkijkspiegel. Op het moment zelf drong het nog niet tot me door, maar nu weet ik dat zijn ogen bezorgd stonden. Hij zei geen woord tegen me.

Een paar weken later stond ik bij ons eigen huis op de achterdeur te kloppen. Ik was net afgezet door de schoolbus en het begon al donker te worden. Om de een of andere reden was er nog niemand thuis en ik begon me zorgen te maken. Een van de geboden van mijn ouders luidde: gij zult voor donker thuis zijn. Want anders zwaait er wat! Omdat ik geen enkele regel met voeten durfde treden, ook al was het nog zoiets triviaals, leek het de normaalste zaak ter wereld om de ruit in de achterdeur met mijn lunchtrommeltje kapot te slaan, zodat ik naar binnen kon. Toen de rest van de familie een paar minuten later thuiskwam, zat ik aan de keukentafel met een legpuzzel. Het gezicht van mijn vader werd rood toen hij de glasscherven op de grond zag. Hij wist absoluut niet wat hij moest denken van mijn vreemde gedrag. En in zijn ogen stond die zelfde blik vol vrees en bezorgdheid die ik in de achteruitkijkspiegel in de auto van Erics vader had opgevangen.

In juni 1954, toen ik zes jaar was, ging het niet alleen bergafwaarts met mijn vaders carrière als autoverkoper maar ook zijn huwelijk met mijn moeder kreeg zwaar weer te verduren. Hij had ruzie met zijn broer, en omdat het niet bepaald rozengeur en maneschijn was bij ons thuis werd overwogen om mij en mijn broers een tijdje onder te brengen bij een van onze familieleden, een methodistendominee. In plaats daarvan besloot hij echter om een baan in het onderwijs aan te nemen, op een middelbare school in Islip, New York. Dat ligt op Long Island. Ik hielp mee met het inladen van onze spulletjes in de verhuiswagen. Omdat iemand had gezegd dat we met de muziek meegingen, zat ik twaalf uur lang te wachten tot het orkest zou gaan spelen.

Uiteraard gebeurde dat niet, maar niet lang daarna leerde ik iets anders kennen dat me als muziek in de oren klonk: getallen. Het gebeurde op een avond bij een spoorwegovergang. Mijn broers en ik zaten elkaar te stompen op de achterbank van onze Oldsmobile. Mijn vader die daar knettergek van werd of gewoon wilde voorkomen dat we elkaar nog meer blauwe plekken bezorgden, begon hardop de wagons van een goederentrein te tellen terwijl ze voorbij denderden. Ik keek op en zag tot mijn verbazing dat hij iedere keer als er een wagon langskwam een getal riep. Plotseling ging me een licht op. Ik kon al wel tellen, maar pas op dat moment drong de logica van getallen tot me door. Ze waren niet abstract. Ze waren echt. Ze betekenden iets. Ik werd er door omringd. Als ik dat wilde, kon ik ze letterlijk aanraken.

Ik ben er altijd van overtuigd geweest dat mijn broer John die avond aan mijn gezicht kon zien dat er iets gebeurd was. Toen we een halfuurtje later thuis waren, nam hij me mee naar zijn kamer en liet me zijn werkstuk voor natuurkunde zien waar hij een prijs mee had gewonnen. Het was zo'n globe met een lamp erin. Hij had er met een naald gaatjes in geprikt en als hij de lamp aandeed kon je op de buitenkant van de globe alle sterrenbeelden zien. Met de vinger die hij meestal gebruikte om me te porren, liep hij nauwgezet het hele melkwegstelsel langs en dreunde de namen van alle sterrenbeelden op. Maar die interesseerden me totaal niet. Het enige wat ik wilde, was alle sterren tellen. Ik was met één klap verslaafd geraakt aan getallen en ik hunkerde naar mijn dagelijkse dosis.

Mijn broer was niet de enige die iets in me zag waaraan ik geen gehoor wilde of kon geven. We hadden een buurmeisje dat Lois heette. Zij zat samen met mijn broer John in groep acht, toen ik net in groep één zat. Inmiddels was ik al helemaal verzot geraakt op lezen. Dat wist Lois, die graag onderwijzeres wilde worden als ze groot was, en ze wist ook dat ik het leuk vond om nieuwe woorden te leren. Mijn ouders vroegen haar vaak om op me te passen als zij weg moesten en ze had altijd een hele stapel kaarten met nieuwe woorden bij zich. Als we in de keuken zaten, hield ze die één voor één omhoog en dan praatten we over elk nieuw woord. Na een poosje begon ze zich zorgen te maken omdat ik haar nooit aankeek.

'Je moet mensen altijd aankijken als je met ze praat,' legde Lois uit met haar zachte stem. Ik wendde mijn hoofd altijd af als ze tegen me sprak. En toen deed Lois iets wat volgens mij nog nooit iemand had gedaan. Ze stak haar hand uit, raakte mijn gezicht voorzichtig aan en draaide mijn hoofd tot ik haar recht aankeek. Ik had vlak daarvoor in een flits gezien dat ze haar hand naar mijn wang uitstak, maar ik wist niet wat ik daartegen moest doen. Toen haar vingers mijn huid raakten, zette ik mezelf schrap voor de onvermijdelijke reactie, dat maar al te bekende claustrofobische gevoel van paniek. Maar dat bleef uit. Ik vond het niet erg dat ze me aanraakte, omdat ze een deugdelijke reden had.

Ongeveer rond dezelfde tijd ontdekte ik *Willy, de Walvis die bij de Opera Wil,* een tekenfilm over zo'n gevaarte dat verschrikkelijk graag bij de New York Metropolitan Opera wil gaan zingen. De lompe, ernstige Willy sprak me aan. Ik zat vaak na te denken over het simpele verhaal van Willy, een echte tranentrekker, die begint met een gerucht dat er ergens op de noordpool een walvis woont die opera's kan zingen. De muziekwereld en de wetenschap reageren spottend en vol ongeloof op dat nieuws. Maar daar trok Willy zich helemaal niets van aan. Hij bleef gewoon hardnekkig zijn aria uit *De barbier van Sevilla* zingen met de passie en de overgave van een uit de zee verrezen Pavarotti. Als professor Tetti Tatti hoort waartoe het dier in staat is, raakt hij er vast van overtuigd dat Willy een operazanger heeft ingeslikt en hem opgesloten houdt in zijn gigantische buik. Tetti Tatti organiseert een expeditie, reist naar het noorden en ondanks het feit dat Willy zijn uiterste best doet om hem op andere gedachten te brengen vuurt hij een harpoen af die de walvis in de borst raakt en het zo getalenteerde dier doodt.

Na de sterfscène zegt de stem van de verteller op een dreinerig toontje: 'Nu zal Willy nooit in de Met zingen. Maar jullie moeten het Tetti Tatti niet echt kwalijk nemen, hoor. Hij snapte het gewoon niet. Want dat Willy kon zingen was een wonder en mensen zijn niet echt gewend aan wonderen... Maar wonderen gaan nooit dood. Ergens is een stukje van de hemel gereserveerd voor zeedieren en daar zingt Willy vrolijk verder.'

Aangezien wij streng presbyteriaans waren, had ik moeite met het idee dat Willy ergens rondzwierf in de hemel waarover ik op zondagsschool had geleerd. Maar het idee dat je niet begrepen wordt, dat je een buitenbeentje bent en dat er iets heel bijzonders in je schuilgaat, was wat mij betreft heel reëel. Na een poosje raakte ik er stiekem van overtuigd dat de tekenfilm alleen voor mij was gemaakt. En iedere keer als ik genoeg rust in mijn hoofd had om de rest van de wereld buiten te sluiten durfde ik te zweren dat ik de warme bariton van Willy alleen voor mij hoorde zingen.

In de herfst van 1955, toen ik in groep twee zat, nam mijn moeder een baan aan als invallerares wiskunde. Op een avond nadat we gegeten hadden viel er een papiertje uit haar tas. Ik pakte het op en bleef ernaar staren. Ik snapte er niets van.

'Dat zijn tafels van vermenigvuldiging,' legde ze uit.

'Wat betekent dat?' vroeg ik.

Binnen de kortste keren legde ze me het principe uit van vermenigvuldigen, kwadraten en worteltrekken.

'O, nou begrijp ik het,' zei ik glimlachend. 'Dankjewel.'

Mijn moeder keek me een beetje verwonderd aan, haalde haar schouders op en schonk me een vermoeid glimlachje.

Niet lang daarna, op een zondagmiddag, gebeurde er opnieuw iets. Mijn vader zat aan de tafel in de eetkamer en werkte de boekhouding bij van de kerk waar wij lid van waren. Op tafel stonden een oude telmachine en een doos met de opbrengst van de collecte van die dag. Hij had al meer dan vijfentwintig getallen van één cijfer op een velletje papier geschreven en begon die nu op de telmachine aan te slaan.

Ik liep naar hem toe, wierp een blik op de cijfers die hij had neergekrabbeld en pakte zijn potlood op. Daarna schreef ik een getal op een stukje papier en wachtte tot hij klaar was met het invoeren van de bedragen in de telmachine. Zonder iets te zeggen legde ik het papiertje voor hem neer. Mijn vader keek er even naar, zonder te begrijpen wat ik hem wilde laten zien. Maar ineens zette hij grote ogen op.

'Hoe heb je dat gedaan?' wilde hij weten. Zelfs de parkiet in zijn kooi in de hoek van de kamer zat me aan te staren.

Ik vroeg me af waarom hij zich zo druk maakte. Zo moeilijk was het niet geweest. Ik had gewoon naar een vel met getallen gekeken, die uit mijn hoofd opgeteld en het antwoord uit mijn mouw geschud. Ik kon niet uitleggen hoe ik dat deed. Het gebeurde gewoon. Het antwoord kwam even natuurlijk en ongedwongen bij me op als het herkennen van de kleur van de iepenblaadjes in de achtertuin.

'Vooruit, vertel op, hoe deed je dat?' vroeg hij opnieuw.

Ik bleef hem alleen maar aankijken zonder te weten wat ik moest zeggen. Zolang ik me kon herinneren, had ik naar dit soort aandacht gehunkerd. Maar nu ik kreeg wat ik vroeg, was het allemaal een beetje overdonderend en negatief. Ik wilde dolgraag hetzelfde soort complimentjes krijgen als andere jongens. Bijvoorbeeld omdat ik een honkbal heel hard weg kon slaan of leuke grapjes kon vertellen. Niet omdat ik een of ander raar trucje kon uithalen met getallen zonder zelf precies te weten hoe ik dat deed. Bovendien was ik er niet helemaal zeker van dat ik al die heisa wel leuk vond. Maar ik besloot me er toch bij neer te leggen en begon met mijn vinger tegen mijn slaap te tikken. Mijn vader lachte.

'Kun je meer van dat soort dingen?' vroeg hij opgewonden. 'Kun je het ook met grotere getallen?'

'Dat wil ik best proberen,' zei ik.

Hij schreef langzaam een getal van drie cijfers op, met daaronder een getal van twee cijfers en begon ze te vermenigvuldigen. Nadat hij even had zitten krabbelen schreef hij het antwoord op een ander stukje papier, zodat ik het niet zag. Ik hoefde het trouwens niet eens te zien. Toen hij me het papier voorlegde, lepelde ik meteen het antwoord op. Mijn vader lachte breed, woelde door mijn haar en riep: 'Lieverd, ik wil je iets laten zien!'

Nadat hij zijn telmachine, zijn potlood en een velletje papier had opgepakt wenkte mijn vader dat ik mee moest lopen naar de keuken, waar mijn moeder bij het aanrecht borden stond af te drogen. We gingen achter haar aan de keukentafel zitten en mijn vader begon ijverig nieuwe getallen op te schrijven.

'Jerry kent een heel leuk kunstje dat hij je wil laten zien,' zei hij zonder op te kijken. 'Kijk maar.'

Hij wenkte dat ik moest beginnen en wachtte niet eens op mijn antwoord, maar begon meteen de getallen op de telmachine aan te slaan. Het geluid van dat apparaat deed me aan een tractor denken.

Hij was nog lang niet klaar toen ik zijn potlood al oppakte en een viercijferig getal onder op het velletje schreef. Een moment later zat mijn vader naar hetzelfde getal te staren dat op het rolletje papier van de telmachine stond.

'Ik snap echt niet hoe hij dat voor elkaar krijgt,' zei hij hoofdschuddend.

Mijn moeder keek me aan en deed net alsof het niets bijzonders was, maar ik kon toch zien dat ze het leuk vond. 'Nou ja,' zei ze tegen mijn vader. 'We hebben allebei aanleg voor rekenen. Dus dat zal hij ook wel hebben.'

Ik vroeg me af of ze zou proberen me te omhelzen, maar besefte al snel dat ik daar niet bang voor hoefde te zijn. Ze keken me allebei tevreden lachend aan, zonder iets te zeggen. Even later had ik alweer genoeg van al die aandacht, ik begon me een soort clown te voelen. Ik liep terug naar de eetkamer, ging op de stoel van mijn vader zitten en probeerde niet aan optellen of vermenigvuldigen te denken. Onze parkiet floot een verrassend vals melodietje waarvan ik mezelf wijsmaakte dat het alleen voor mij bestemd was. Terwijl ik naar de staccato geluidjes luisterde die uit zijn keel kwamen, dreef ik langzaam maar zeker weg naar de oneindige ruimte, ver van alles wat op cijfers leek.

Elk Horn, Wisconsin, Maart 1955

Op de maan, op het gedeelte dat op aarde nooit zichtbaar is, bevindt zich een diepe, obscure krater die vernoemd is naar mijn grootvader. Hij was een wereldberoemde astronoom, die voornamelijk bekend is geworden vanwege zijn berekeningen van de hitte van de zon. Mijn vader was ook een befaamd astronoom, van het kaliber naar wie asteroïden worden vernoemd. Als je nagaat hoeveel tijd die beide mannen naar de hemel hebben zitten staren, is het heel toepasselijk dat mijn eerste herinnering iets met sterren te maken heeft. Honderden sterren. Schitterende felwitte vlekjes, speldenprikjes van licht die voor mijn ogen in de rondte draaiden en dansten. Eigenlijk ontzettend mooi.

Er is nog een goede, maar vreemde reden waarom mijn eerste herinnering betrekking had op sterren. Dat lag aan mijn zusje Elaine, die per ongeluk mijn jongere broer David op zijn hoofd had laten vallen. Dat gebeurde vier jaar na mijn geboorte in Elk Horn, Wisconsin, waar mijn vader de leiding had over het observatorium van de universiteit van Chicago. Omdat mijn moeder vaak de hele nacht samen met mijn vader doorwerkte in het observatorium, probeerde ze 's middags altijd een paar uurtjes te slapen. Daarom zat Elaine op die warme middag David in zijn gloednieuwe rieten wiegje te schommelen – alleen kreeg dat al na één zetje veel meer vaart dan het oude en het duurde dan ook niet lang voordat de wieg omsloeg, waardoor David op zijn hoofd op de houten vloer terechtkwam.

Elaine schrok zich dood en stoof naar buiten, de tuin in. Maar ik bleef gewoon staan en keek naar David die naar het plafond lag te staren voordat hij bloedstollend begon te krijsen. En voor het eerst van mijn leven voelde ik iets dat leek op sympathie, een gevoel dat ik daarna niet vaak meer heb gehad. Het was net alsof alle pijn en schrik die in Davids kleine lijfje opwelden ineens door mijn aderen vloeiden. Daarna werd alles zwart en in mijn hoofd zag ik dingen voorbijschieten die op sterren leken. Ik veronderstel dat David soortgelijke beelden kreeg voorgeschoteld. Het was alsof we naar de melkweg keken, een uitgebreide en glanzende verzameling sterren.

En vlak nadat ik hem had leren kennen, drong het tot me door dat Jerry ook graag naar de sterren keek. Als hij omhoog tuurde naar de nachtelijke hemel slaagde hij er altijd in om dierenfiguren te ontdekken tussen al die schitterende lichtjes, voornamelijk stripfiguurtjes. Als hij naar het sterrenbeeld Cassiopeia keek, zag hij om de een of andere reden de beeltenis van Wonderdog. Hij beweerde dat hij ergens tussen de drie heldere sterren Vega, Altair en Deneb een glimp opving van Felix de Kat. Dat was voor mij een van de aantrekkelijkste dingen van Jerry, het feit dat hij al die maffe figuurtjes aan de nachtelijke hemel zag staan. Zoiets zou voor mijn nuchtere familieleden die allemaal prat gingen op een wiskundig brein absolute heiligschennis zijn geweest.

Dat we een vreemd gezin waren, staat buiten kijf. Mijn ouders deden me denken aan een vreemde kruising tussen twee stompzinnige, in witte jassen gehulde wetenschappers uit een *Far Side*-strip en de briljante madame Curie en haar echtgenoot, Pierre. Er was niemand van de familie Meinel die naadloos bij de buitenwereld paste. En in dat hele rariteitenkabinet sprong ik er nog steeds uit. Voor zover ik me kan herinneren, hebben we nooit contact gezocht met onze buren. We verhuisden vaak en trokken van het ene huis naar het andere. En elk volgend huis lag weer een stukje verder van de bewoonde wereld dan het huis ervoor. Ik gedroeg me vaak zo onvoorspelbaar, dat ze me de bijnaam 'circusmonster' hadden gegeven. Ik kon heel lief en rustig zijn, om van het ene op het andere moment te veranderen in een razende roeland waar geen touw aan vast te knopen was. Ik leek wel een beetje op Taz, de lieve Tasmaanse duivel uit de Warner Bros-tekenfilmpjes, die zo ongenadig tekeer kan gaan.

En met zo'n ingebouwd komisch nummer als ik in het gezin zal niemand ervan opkijken dat het een van de lievelingsbezigheden van mijn zes broertjes en zusjes was om mij uit te schelden en vervolgens toe te kijken hoe ik vanuit mijn cocon van rust ineens gek van woede werd. En er was niet veel voor nodig om mij op stang te jagen. De kinderen uit de buurt kwamen ook vaak voor de lol kijken. Dan pakten ze een stoel en gingen leeuwentemmertje met me spelen om te zien of ze me zover konden krijgen dat ik krijsend door de kamer stoof. Mijn oudere zusje Carolyn was de enige die niet meedeed aan dat gepest. Ze kwam niet altijd tussenbeide, maar de anderen schenen instinctief te weten dat Carolyn het niet eens was met de kwellingen die ze me lieten ondergaan. Eén vernietigende blik van haar was voldoende om er een eind aan te maken.

Trouwens, mijn broertjes en zusjes sprongen nog hardhandiger met elkaar om. Ze timmerden er vrolijk op los en niet alleen met hun blote vuisten. Bij één uit de hand gelopen ruzie zaten Elaine en Wally elkaar achterna met honkbalknuppels. En mijn broertjes en zusjes waren al even meedogenloos bij spelletjes als Risk, waarbij je alleen kunt winnen door te liegen en te bedriegen. En dat was iets wat ik nooit onder de knie heb kunnen krijgen, ondanks het feit dat ik omringd werd door mensen die er een aangeboren talent voor hadden. Een avond spelletjes eindigde voor mij altijd in tranen.

Toen ik twee jaar was, verhuisden we naar Scottsdale, waar mijn vader tot professor benoemd was aan het Kitt Peak National Observatory van de universiteit van Arizona. Niet lang daarna begon mijn uitgeputte moeder zich in de badkamer op te sluiten om even van mij verlost te zijn. Maar dat hielp niet, want ik leerde al snel hoe ik deuren open kon maken. Ik liep altijd door het hele huis als een hondje achter haar aan. Soms keek ze me even aan, zette me in de tuin en zei dat ik mezelf maar moest bezighouden. Daarna sloot ze de deur af. Het duurde jaren voordat ik door had hoe het gecompliceerde grendelslot op de achterdeur werkte.

Toen ik drie jaar was, zat mijn vader een keer in een stoel naast de open haard. Dolgelukkig dat ik hem helemaal voor mezelf had, rende ik de kamer door, sprong op zijn schoot en gaf hem een kus. Hij gaf me een klap in mijn gezicht en duwde me weg. Ik probeerde mezelf wijs te maken dat ik hem per ongeluk had gebeten. Elk ander idee was ondraaglijk. Maar inmiddels besef ik wat er werkelijk aan de hand was. Mijn vader had zelf ook problemen met lichamelijk contact. Dat hij me sloeg en wegduwde, was een paniekreactie en geen kwaadaardigheid. Hij vond het vreselijk om geknuffeld te worden, hoewel het mijn broers en zusjes bij grote uitzondering wel eens lukte als ze hem heel voorzichtig en langzaam benaderden, ongeveer op de manier waarop je met een schichtig konijn of een zenuwachtige kat omspringt. Helaas was ik veel te impulsief voor dat soort subtiliteiten. Als gevolg van die afwijzing werd ik zo boos op mijn ouders dat ik nooit meer aan hen wenste te denken als mam en pap. In plaats daarvan noemde ik ze bij mezelf altijd Marjorie en dr. Meinel.

Op een middag, toen mijn vader op zoek was naar een geschikt terrein waar de universiteit van Arizona een nieuw observatorium kon bouwen, ving hij op Kit Peak een zwart stinkdier. Hij nam het diertje mee naar huis als cadeautje voor de kinderen en stopte het in een hok in de hoek van de tuin. En zo kwam ik uiteindelijk aan mijn eerste echte vriend... een stinkdier. Als mijn moeder me daarna buitensloot, ging ik naast zijn met gaas bespannen kooitje zitten en zonk weg in de diepte van zijn donkere ogen die op twee in olie gedrenkte knikkers leken. Het kwam nooit bij me op dat hij me kon besproeien.

Het was tijdens zo'n gedwongen verblijf in de tuin dat ik ontdekte hoe geluid een situatie volledig kan veranderen. Het instrument dat ik daarvoor gebruikte was een houten picknicktafel die midden op ons grondgebied stond, in de buurt van de enorme groentetuin waar mijn moeder het merendeel van ons eigen voedsel verbouwde. Op een middag verveelde ik me zo ontzettend daar in mijn eentje in de tuin, dat ik puur toevallig mijn oor tegen de splinterende planken van de tafel drukte. Ik luisterde stomverbaasd naar wat ik te horen kreeg: allerlei lage keelklanken en gerommel die door het hout omhoog leken te komen. Iedere keer als ik mijn hoofd verlegde, veranderde de toonhoogte van de geluiden. Het duurde dan ook niet lang voordat ik hele middagen naar de picknicktafel zat te luisteren en de wereld alleen nog zijdelings aanschouwde, terwijl ik mezelf overgaf aan dat fascinerende gekreun waarvan ik pas later – na een van Marjories wetenschappelijke verhandelingen – te weten kwam dat ze werden veroorzaakt door veranderingen in luchtdruk waardoor mijn trommelvlies een andere stand aannam, precies zoals gebeurt wanneer je luistert naar het geruis in een zeeschelp.

Uiteindelijk werd de tuin achter ons huis mijn domein. Mijn moeder hoefde de deur niet meer op slot te doen, omdat ik toch niet van plan was om binnen te komen. Ik had eindelijk een toevluchtsoord gevonden, waar ik veilig was voor mijn broertjes en zusjes, althans meestal. Ik kan me de middag dat mijn broer Wally mijn rust verstoorde nog goed herinneren. Hij was op weg naar een knokpartij met kinderen uit een nieuwbouwwijk vlakbij en ik wilde absoluut mee. Maar daar moest hij niets van hebben, omdat ik helemaal niet kon vechten en hij wist dat ik zijn aandacht af zou leiden zodra er klappen vielen en de modder door de lucht vloog. Toen ik me niet bij die weigering wenste neer te leggen, begon hij me een aframmeling te geven.

Na een paar minuten viel mijn blik op het lage hek waarmee

onze tuin aan de zijkant afgezet was. Vier van de vechtersbazen uit de buurt, stuk voor stuk tieners, leunden over het hek en keken toe hoe ik een pak slaag kreeg. Zoals gewoonlijk was mijn gezicht vies en nat van de tranen. Ik had weer een van mijn wilde driftbuien, maar tussen mijn heftige gesnik door bleef ik onwillekeurig hun nieuwsgierige gezichten in de gaten houden. Een jonger broertje of zusje op de kop zitten is uiteraard een normale levensles voor beide partijen. Maar ik kon aan hun gezichten zien dat ze nog nooit een dergelijke toestand hadden meegemaakt. Ik begreep instinctief dat ze het een gênante toestand vonden.

'Hou daarmee op, Wally,' schreeuwde de grootste knul. 'Laat je zusje met rust.' Hij wachtte even en deed net alsof hij van plan was om over het hek te klimmen. 'Heb je me begrepen? Je moet líéf voor haar zijn!'

Ik keek om naar mijn broer om te zien hoe hij daarop zou reageren. Op dat moment draaide Wally net om me heen, kennelijk van plan om zijn normale genadeklap uit te delen. Maar ineens bleef hij stokstijf staan, staarde schaapachtig naar de grond en mompelde iets dat ik niet kon verstaan. Meteen daarop vluchtte hij naar binnen en ik bleef achter en vroeg me af of het leven voor iedereen net zo'n ramp was als voor mij.

Rond mijn derde ontdekte ik ook het wonder van de beeldende kunst, dankzij een enorm olieverfschilderij dat in de zitkamer boven de bank hing. Toen ik nog heel jong was, zat ik er regelmatig met mijn neus tegenaan gedrukt, zwervend door een universum dat was geschapen door een schilder die volgens de signatuur op het schilderij Cryl E. Baker heette. Dit simpele landschap, bestaande uit een reusachtige berg die omhoog rees uit een met gras begroeid heuvelland, sprak me aan in een taal die ik onmiddellijk begreep, een taal die geen woorden nodig had. Uit de rotsspleten op de hellingen van de berg sproten schriele naaldbomen. De lucht was niet blauw, maar had een vuilgroene tint. Ons huis in Scottsdale lag midden tussen de bergen, maar die leken in de verste verte niet op de berg die bij ons aan de muur hing. Maar wat echt geniaal was aan het schilderij, het deel dat me als een magneet aantrok, was de haast microscopisch kleine ruiter te paard die op de voorgrond was afgebeeld, rechts van het midden. Hoe kon die Cryl E. Baker zoiets magisch vastleggen op een doek van een meter vijftig bij negentig centimeter?

Op het eerste gezicht leek het schilderij mijn aandacht te willen vestigen op de massieve piek die zo overheersend aanwezig was op het doek. Maar toch bleven mijn ogen altijd rusten op de eenzame ruiter die langzaam op weg was naar de hoge piek in de verte. Het was midden op de dag op het schilderij en hij droeg een vreemd uitziende hoed en een zachtrode mantel, een kledingstuk dat mij echt met stomheid sloeg. Waarom zou een schilder zo'n klein figuurtje zo'n opvallend gekleurde jas geven?

Ik kon uren achter elkaar naar dat landschap blijven staren, op dezelfde manier als de rest van ons gezin tv keek. Dan bestudeerde ik zorgvuldig iedere aparte penseelstreek, met een diepe bewondering voor het genie en het vakmanschap waarmee de verf op het canvas was gelegd. Ieder miniem onderdeeltje, iedere oplaaiende kleur deed eigenaardig levend aan. Ik had niet het gevoel dat ik in het schilderij getrokken werd. Het was eerder zo dat het schilderij zich op de een of andere manier in mijn brein nestelde en me vriendelijk vroeg of ik me voor kon stellen hoe het was om die eenzame ruiter te zijn, om zo klein en desalniettemin zo alom aanwezig te zijn terwijl ik op weg was naar iets dat zoveel groter was dan ikzelf.

Ik bewonderde mijn oudere broers en zusjes, hoewel ze niets met me te maken wilden hebben. Ze hadden allemaal een kunstzinnige aanleg en ik besteedde een groot deel van mijn tijd aan het imiteren van de dingen die zij deden. Elaine bouwde hele dorpen op uit klei en bevolkte die met ontelbare handgemaakte mensjes. Maar Carolyn stak echt boven de rest van mijn broers en zusjes uit. Zij duldde me op een manier die me af en toe het gevoel gaf dat ze mijn gezelschap best op prijs stelde. We werkten samen in de tuin, waar ze me bijvoorbeeld leerde dat ik de grond eerst nat moest maken voordat er geploegd kon worden. We fokten kippen en fazanten. En soms gingen we samen, als ze 's middag terug was van school, uit wandelen met onze kippen. Dan liepen we een blokje om, alleen wij tweeën met onze vogels. Af en toe haalde mijn vader een bijl uit de garage en hakte een van onze hanen de kop af. Maar over dat soort dingen maakte Carolyn zich nooit druk.

Ik was vier toen mijn moeder op een middag mij en mijn jongere broertje David in de auto zette en op weg ging naar de Townsend Junior High School, waar Carolyn in groep acht zat.

'Carolyn is in de klas in slaap gevallen,' mopperde mijn moeder, zonder enig vertoon van emotie. De rit door de stad nam ongeveer een kwartier in beslag.

Vrijwel meteen nadat we voor de school gestopt waren, kwamen twee mannen door de zware klapdeuren naar buiten. Ze droegen Carolyns slappe lichaam tussen hen in. De een hield haar bij de enkels vast en de ander onder haar armen. Carolyn hing tussen hen in als een zak kippenvoer. Ze legden haar achter in de stationcar en sloegen de achterklep dicht. Er werd nauwelijks iets gezegd. Althans geen dingen die ik kon begrijpen. Mijn moeder zette de radio aan en reed weg. Ik zat op mijn knieën met mijn buik tegen de rugleuning gedrukt en keek neer op Carolyn, terwijl ik heel voorzichtig haar vlossige blonde haar met mijn vingertoppen aanraakte. Ik snapte niet waarom ze haar ogen niet open wilde doen.

We brachten haar naar het ziekenhuis. Ik zag mijn moeder naar binnen gaan en na een paar minuten weer tevoorschijn komen. Op de terugweg wilde mijn moeder niets over mijn zusje zeggen. Carolyn lag bijna het hele jaar dat daarop volgde in coma. Ik miste haar ontzettend. Het enige familielid dat me een beetje vriendelijk behandelde, was weg en ik begreep absoluut niet waarom. Maar dat gold ook voor de andere kinderen. Ieder keer als we Marjorie en dr. Meinel vroegen wat er nou eigenlijk aan de hand was, kregen we een ander antwoord. Er waren twee zogenaamde redenen voor haar diepe slaap. De eerste was dat Carolyn was gestoken door een tseetseevlieg, waardoor ze encefalitis had opgelopen. Het andere excuus kwam neer op het idee dat ze ineens zo volslagen krankzinnig was geworden dat er een soort kortsluiting was ontstaan in haar hersenen, die daardoor volledig in de vernieling waren geraakt. Na een paar maanden hadden we ons allemaal bij die laatste verklaring neergelegd.

Het duurde niet lang voordat Carolyns coma de aanzet werd voor wat binnen ons gezin een veel gehanteerd thema zou worden: krankzinnig gedrag. Mijn vader was diep vanbinnen ontzettend bang dat krankzinnigheid bij onze familie in de genen zat. Als een van ons kinderen iets ongebruikelijks deed, zich raar gedroeg, of streken uithaalde waarvan Marjorie of dr. Meinel niets moest hebben, dan werd je ter plekke krankzinnig of schizofreen verklaard, of je was aan het hallucineren. Ik werd al snel ontzettend bang als iemand me krankzinnig noemde. Want dat betekende maar één ding: dat je in slaap viel en niet meer wakker zou worden.

Mijn liefste wens was dat Carolyn wakker zou worden en weer thuis zou komen. Ik bleef maar aan Marjorie vragen of ze me mee wilde nemen naar het ziekenhuis om bij haar op bezoek te gaan. Op een morgen reden we ernaartoe en ik moest in de lobby blijven wachten, waar ik naar de liften staarde en wachtte tot de deuren open zouden glijden en mijn zusje tevoorschijn zou komen. Toen het eindelijk zover was, kon ik mijn ogen niet geloven. Carolyn sliep niet meer, maar ze was nauwelijks bij bewustzijn. Haar lichaam leek klein en het hing slap als een verwelkte plant in de rolstoel. Haar prachtige blauwe ogen stonden glazig en keken lusteloos omhoog naar het plafond. In de maanden nadat ze in coma was geraakt, had ze problemen gekregen met haar longen en ik kon horen hoe moeizaam en schurend ze ademhaalde.

Toen ze eindelijk weer thuiskwam vanuit het ziekenhuis was ze niet meer de oude Carolyn. Ze begon voor het eerst van haar leven te tekenen en te schilderen en het duurde nog een jaar voordat ze er weer helemaal bovenop was. Mijn moeder propte haar vol amfetaminen om haar wakker te houden, maar ze bleef op de vreemdste momenten in slaap sukkelen. Volgens mij was ik jaloers op haar. Ik wilde met haar mee naar de plek waar ze naartoe vluchtte, naar de plek die haar maar niet losliet.

Na haar coma sliepen we in dezelfde kamer. 'Ik heb je gemist,' zei ik keer op keer tegen haar. 'Waar ben je geweest? Ik wil weten waar je was.'

Dat wist ze eigenlijk niet meer en ze bleef volhouden dat het enige aandenken dat ze aan die hele odyssee had overgehouden een herinnering was aan een droom die ze meer dan eens had gehad. Daarin was ze een hond geweest, die door een mooi, weelderig bos wandelde, waarvan de grond onder haar voeten veerde en met donkergroene naaldbomen die vaderlijk boven haar uit torenden. Maar ineens begon het bos te veranderen in een kaal, uitgedroogd veld. Tegelijkertijd merkte ze dat ze zelf een wolf werd en daarna duurde het niet lang tot ze midden op een slagveld uit de Tweede Wereldoorlog stond, waar een dikke scherpe rook hing en withete metalen scherven door de lucht vlogen. Ontsnappen was er niet bij, er was nergens een veilig plekje en ze kon zich niet verstoppen.

Ik begreep absoluut niet wat Carolyn tijdens haar vreemde reis had doorgemaakt, maar ik kon me er wel iets bij voorstellen. Ik voelde me ook steeds anders. Het probleem was alleen, dat ik niet precies wist in welk opzicht. En wat nog verwarrender was, ik kon de schuld daarvan niet op een coma afschuiven.

Inmiddels meed ik mijn broers en zusjes zoveel mogelijk en bracht mijn tijd liever door met Lady, onze dalmatiër, en Tom, onze kat. Als ik me niet ergens in de tuin schuilhield, lag ik in de zitkamer op de grond op een oude parachute waar ik ze urenlang kon aanhalen, terwijl ik allerlei lieve dingen in hun oor fluisterde, dingen waarvan ik dacht dat ze die graag wilden horen. Dingen waarvan ik wenste dat mensen ze tegen mij zouden zeggen. Voor mijn familie bestond ik niet meer. Ik was gewoon uit beeld. Ik verbeeldde me vaak dat ik op een paard zat en ergens hoog door de bergen in de omgeving reed, ver weg van mijn eigenaardige familieleden.

Soms drentelde ik naar de oude Baldwin-vleugel die ooit van de moeder van mijn vader was geweest en raakte de toetsen aan. Ook al was het instrument volkomen ontstemd omdat mijn vader het niet meer had aangeraakt sinds hij terug was gekomen uit de oorlog, de geluiden die het voortbracht waren mooier dan alles wat ik ooit had gehoord. De boventonen en het ritme waren hypnotisch en verleidelijk.

We waren een godsdienstig gezin, streng luthers, en we gingen iedere zondag naar de kerk. De kerk was de enige plek waar ik geen moeite had om stil te zitten. De gregoriaanse gezangen werkten op de een of andere manier als een kalmerend middel op mijn chaotische brein. En ik luisterde gefascineerd naar de orgelmuziek. Zelfs als klein kind kon ik al snel bijna vijftien minuten van de gezangen onthouden. Iedere keer als ik behoefte had aan rust en vrede, mompelde ik die oude Latijnse melodieuze gezangen voor me uit en bad uit alle macht dat het vredige gevoel dat ik in de kerk altijd had me zou overspoelen, precies zoals de emmers water die mijn broers over mijn hoofd uitgoten.

Ondanks het gebrek aan communicatie binnen ons gezin vond ik taal fascinerend en ik vatte alles wat ik hoorde letterlijk op. Dat kon af en toe tot desastreuze resultaten leiden, zoals die keer dat ik hoorde dat iemand een record had gebroken, een feit dat door de hele familie met gejuich begroet werd. Omdat 'record' in het Engels ook 'grammofoonplaat' betekent, dacht ik dat ik dat ook best zou kunnen en sloeg samen met mijn jongere broertje David triomfantelijk een groot deel van Marjories platencollectie aan diggelen.

Toen ik in groep één zat, begon het langzaam maar zeker tot me door te dringen dat ik voor ons gezin een probleem vormde. Ze wisten gewoon niet wat ze met mij moesten beginnen. Ik zat in de klas aan mijn tafeltje met het gevoel alsof een deel van me uit mijn lichaam opsteeg, helemaal naar de ruimte waar het tussen de sterren rondzweefde. Daarom gaf ik vaak geen antwoord als mijn onderwijzeres me een vraag stelde, waardoor zij weer het idee kreeg dat ik doof was. Ik werd om de haverklap naar de schoolverpleegster gestuurd, waar me een koptelefoon op het hoofd werd gezet en ik een heel gamma aan tonen in mijn oren gepompt kreeg. Maar ik was allesbehalve doof. In werkelijkheid had ik het gehoor van een wild dier en die tonen, vooral de hoge, gaven me het gevoel alsof iemand me een ijspriem door het hoofd spietste. Uiteindelijk werd ik voor verder onderzoek naar een oorarts gestuurd. Hij zette me op zijn behandeltafel en legde me geduldig uit wat het onderzoek inhield. Daarna liep hij naar mijn moeder die achter in de kamer stond en fluisterde: 'Denkt u dat ze een lolly wil als we klaar zijn?'

'Ik lust best een lolly!' riep ik vrolijk.

Ze keken me allebei ongelovig aan en wisselden toen een blik.

De dokter haalde zijn schouders op. 'Ik geloof niet dat ze een gehoorproef hoeft af te leggen,' zei hij.

Dat was de laatste keer dat iemand het idee opperde dat mijn vreemde gedrag het gevolg was van een slecht gehoor. Daarna werden er geen excuses meer gezocht. Ik was gewoon een raar kind, een hopeloze mislukkeling. Punt uit.

Drie

Islip, New York
April 1955

Het was laat in de ochtend, vlak voor de lunch. Een onderwijzer gewapend met een glimmend metalen fluitje bracht de zesentwintig leerlingen van groep twee door een schone, met linoleum belegde gang voor het speelkwartier naar buiten, waar ik nooit op mijn best was. Ik drentelde langs de klimtoestellen en de schommels naar het stuk grond met aangestampte aarde dat als wedstrijdterrein fungeerde.

Mary zou het op onze speelplaats heel moeilijk hebben gehad. Bij het idee daaraan word ik al naar. Zelf was ik wonderbaarlijk genoeg net diplomatiek genoeg om de sociale valkuilen te vermijden die haar waarschijnlijk de nek hadden gekost. Als ik eraan denk hoe ontzettend ze geplaagd en gepest zou zijn, springen de tranen me in de ogen. Ik vraag me wel eens af wat ik voor haar zou hebben gedaan. Het idee dat ik haar in bescherming zou hebben genomen bevalt me wel, maar ik was destijds zo verward en zo vol zelfminachting dat ik geen flauw idee heb hoe ik zou hebben gereageerd. En dat doet me verdriet.

Op die lenteochtend achter de Wingamhauppague Elementary School waren de andere jongetjes druk bezig ploegen samen te stellen om te gaan honkballen, een van mijn lievelingssporten. Ik probeerde me niet af te vragen of ik wel mee zou mogen doen. De andere jongens lieten me nooit helemaal links liggen. Ze zetten me meestal wel ergens in het verre rechtsveld of op een andere plek waar ik weinig schade kon aanrichten.

Ik stond daar net een graspolletje te bestuderen en te wachten tot ik bij een van de ploegen zou worden ingedeeld, toen ik achter me het geluid van naderende voetstappen hoorde.

'Daar is hij,' zei een stem die ik nog nooit had gehoord. 'Dat is die knul waar ik het over had.'

Ik draaide me om en zag vier oudere kinderen naar me toe komen – drie jongens en een meisje. Ik wist wat er zou gaan gebeuren en richtte meteen verlegen mijn blik op het asfalt voor mijn voeten. Mijn hart bonsde en ik vroeg me af hoe je iets tegelijkertijd zo leuk en zo naar kon vinden. Een moment later kwamen ze om me heen staan.

'Hé, Newport, laat Johnny dat kunstje van je eens zien,' beval een van hen. 'Je weet wel, met die getallen. Maak eens een ingewikkelde som.'

Ik had het gevoel dat er een elektrische stroomstoot door me heen ging. Ik werd ineens bekropen door een gevoel van macht en het idee dat ik populair en geaccepteerd was. En dat ik echt alles geloofde wat in mijn hoofd opkwam. Ik haalde diep adem.

'Dan moet je me wel eerst de getallen geven,' merkte ik op.

'O ja,' zei hij. 'Da's waar ook.'

Ik stond een eeuwigheid te wachten tot hij eindelijk uit de losse pols met een paar getallen zou komen en probeerde het gevoel dat in me opwelde te onderdrukken.

'Oké, daar gaat-ie dan,' zei hij. 'Hoeveel is driehonderdvijfentwintig maal duizenddertien?'

Ik probeerde tegen mijn ondervragers te glimlachen, maar ik betwijfel of de grimas op mijn gezicht op een glimlach leek. Ondertussen wurmden de getallen zich diep in mijn hoofd en deden wat ze moesten doen. Destijds stelde ik me altijd voor dat het een soortgelijk proces was als het verteren van voedsel, waarbij mijn maag ook precies wist wat er gedaan moest worden als ik iets gegeten had. Dat gebeurde allemaal zo ver weg, dat ik me daar nauwelijks druk over maakte. En aangezien mijn brein net zo goed als mijn maag wist wat er moest gebeuren herhaalde ik de getallen die me werden voorgeschoteld nooit. In dat opzicht verschilde ik van anderen die aan hoofdrekenen deden. Juist dat herhalen maakte ze langzamer.

Binnen een paar seconden lepelde ik het antwoord op. 'Dat is 329.225,' zei ik tegen hem. Ze stonden me alle drie stomverbaasd aan te kijken, hoewel ik me afvroeg of ze echt zouden weten wat het juiste antwoord was. Ik was op de speelplaats al zo'n mythische rariteit geworden dat niemand zich afvroeg of mijn antwoorden wel klopten. Overigens kreeg ik zelden echt moeilijke vragen voorgeschoteld. Er was niet veel voor nodig om indruk te maken op de leerlingen van een lagere school. Het kwam nauwelijks voor dat ik getallen van meer dan vijf cijfers te horen kreeg.

Een hand klopte me op mijn rug. 'Heb je ooit zoiets gezien?' vroeg de jongen aan zijn kameraden. 'Newport is een wandelende telmachine. Maf, hè? Gekker kan toch niet?'

Zijn kameraden stonden me aan te staren alsof ik in een kooi in de dierentuin zat en schudden ongelovig hun hoofd. Daarna liepen ze weg en ik keek ze na, terwijl ik ze hoorde fluisteren.

'Ja, ik had al iets over hem gehoord,' zei een stem. 'Maar het leek me eigenlijk onmogelijk... Hoe speelt hij dat klaar?'

'Dat moet je mij niet vragen,' fluisterde zijn vriendje. 'Maar hij is een beetje geschift.' Hij drukte zijn wijsvinger tegen zijn slaap en maakte een draaiende beweging, het algemene teken voor iemand die niet goed snik was.

En toen waren ze weer verdwenen. De overstelpende aandacht was weer verdwenen en ik bleef alleen achter – Jerry Newport het fascinerende genie was weer gewoon Jerry Newport de eenzame mafkees geworden. Het ene moment was ik de populaire bink, een moment later weer de gebeten hond. Het ene moment kreeg ik alle aandacht die een kind zich maar kon wensen en een tel later wilde niemand iets van me weten. Waarom was ik niet gewoon goed in iets waar je iets aan had? Waarom kon ik geen honkbalgenie zijn? Er zouden nog enkele tientallen jaren overheen gaan voordat het tot me doordrong dat het helemaal niet erg was om een mafkees te zijn, zolang je er maar niet zo'n minderwaardigheidscomplex aan overhield als dat bij mij het geval was.

Het duurde niet lang totdat iedereen op de hoogte was van mijn speciale gave. Binnen een paar weken nadat mijn vader me voor mijn moeder liet demonstreren waartoe ik in staat was, leek iedereen bij ons in de buurt het erover te hebben. Daar keek ik niet echt van op, want mijn ouders behandelden mij en mijn broertjes als een soort trofeeën met wie ze maar al te graag pronkten. Vooral mijn moeder hechtte veel waarde aan dat soort erkenning. Zij probeerde het onderste uit de kan te halen en te zien hoever ik kon komen met mijn aanleg voor getallen. Het feit dat ik de moeilijkste rekensommen uit mijn mouw schudde, was goed voor haar zelfvertrouwen. Als de andere moeders haar complimentjes maakten over mijn prestaties gedroeg ze zich heel bescheiden, iets wat ze graag deed. Mijn ouders speelden zelfs even met het idee om mij op te geven voor het tv-programma *Original Amateur Hour* van Ted Mack, een talentenjacht die werd opgenomen in Manhattan en in het hele land werd uitgezonden. Mijn vader sprak er uiteindelijk zijn veto over uit. Hij begreep instinctief dat ik me niet prettig zou voelen als een soort circusattractie op tv en daar kon hij alle begrip voor opbrengen. Hij hield er ook niet van om op de voorgrond te treden. Volgens mij zou hij het diep in zijn hart het prettigst hebben gevonden als ik mijn hersenen op ijs had gezet tot de rest van de wereld hetzelfde presteerde als ik. Zelfs toen begreep ik al dat dit meer zei over de opinie die hij over zichzelf had, dan over zijn mening ten opzichte van mij.

Wat me het meest ergerde en verdrietig maakte, was het gevoel dat ik niets deed met mijn gave. Als ik een super getalenteerde honkbalspeler was geweest was ik vast nooit blijven zitten bij een club waar ik alle andere spelers ruimschoots overvleugelde. Dan zou mijn talent vast wel opgemerkt zijn en was ik overgeplaatst naar een andere competitie en een club met betere en oudere spelers. Waarom konden mijn ouders dat op studiegebied niet voor elkaar krijgen en me helpen om mijn gave ten volle te benutten in plaats van toe te staan dat ik het grootste deel van mijn schooltijd verknoeide met het wachten tot de rest van de leerlingen me bij konden benen?

In de loop van de tijd werd ik ook een van die wiskundige genietjes die een grondige hekel hadden aan rekenen. Terwijl mijn klasgenootjes zaten te worstelen met hun tafels van vermenigvuldiging, zat ik te kauwen op mijn potlood omdat ik niet kon wachten tot ik mijn tanden in geometrie, algebra, trigonometrie en differentiaalrekenen kon zetten. Ik zat me alleen maar aan mijn tafeltje af te vragen waarom niemand aandacht aan me schonk. Was ik dan echt zo'n bespottelijk buitenbeentje? Op een dag, vlak voor het einde van groep twee, kwam mijn moeder op een idee. Ze gaf destijds wiskunde aan groep acht en het leek haar wel interessant om mij de test te laten doen die kinderen moesten afleggen als ze naar privéscholen wilden. Ik had er geen enkele moeite mee en haalde moeiteloos dezelfde score als de leerlingen uit haar klas.

'Dat is heel goed van je, Jerry,' zei ze tegen me toen ze de uitslag hoorde. En daar bleef het bij. Het onderwerp kwam niet meer aan de orde.

Ondanks zijn gebrek aan geduld en zijn incidentele driftbuien voelde mijn vader mijn frustratie en het idee dat ik een intellectueel buitenbeentje was heel goed aan. Ongeveer zes maanden nadat hij mijn bijzondere aanleg had ontdekt, probeerde hij mijn aandacht te wekken voor statistische gegevens met betrekking tot sport. Hij wist intuïtief dat ik op die manier een uitlaatklep voor mijn gave zou hebben die mijn vriendjes zou aanspreken. Iedere avond spelde ik de sportpagina's van *Newsday* uit, waarbij ik alle artikelen verslond en alle statistische gegevens die me onder ogen kwamen in me opnam. Ik probeerde nooit opzettelijk al die gegevens te onthouden, maar als het om getallen ging, zoog ik ze op als een spons. Zodra ze in mijn hoofd zaten, bleven ze daar. Het duurde niet lang tot ik een wandelende encyclopedie werd van alles wat met sport te maken had, met name op het gebied van de atletiek. Ik kon alle numerieke gegevens opdreunen van elk wereldrecord, in elke discipline. Het besef dat ik al die gegevens in mijn hoofd had, gaf me een ongelooflijk gevoel van zekerheid. Voor het eerst in mijn leven kon ik enige orde scheppen in een universum dat vaak volkomen chaotisch leek.

En er was niets waar ik meer behoefte aan had dan aan orde en regelmaat. Ik kan me herinneren dat ik een keer een eikel in mijn hand had en via pure redenatie de maten ervan opnam. Daarna was ik een paar uur bezig om uit te rekenen hoeveel eikels van dezelfde grootte nodig waren om het bovenste laatje van mijn nachtkastje te vullen. Ik vond het heerlijk om de symmetrie van bladeren te bestuderen, via het netwerk van nerven dat zich over het hele oppervlak en in alle richtingen als aderen vertakte en vermenigvuldigde. 's Middags na schooltijd ging ik naar de garage en zette mijn fiets ondersteboven op de betonnen vloer. Dan draaide ik de pedalen met mijn handen rond en keek toe hoe het achterwiel vlak voor mijn gezicht door een soort waas omringd werd. In de hoek van diezelfde garage stond de wasmachine van mijn moeder. Als ik hoorde dat het apparaat begon te centrifugeren rende ik ernaar toe, trok het deksel open en probeerde te raden welke kleur ik het eerst zou zien. Witte sokken? Een rood T-shirt? Een spijkerbroek? De roodgeblokte boxershorts van mijn vader? Soms was het gevoel van opwinding dat mijn maag deed samenkrimpen vlak voordat ik het eerste kledingstuk te zien kreeg bijna ondraaglijk. De mogelijkheid dat je macht kon uitoefenen over een voorwerp in beweging was verrukkelijk verslavend. Zonder te begrijpen waarom, hunkerde ik daarnaar.

Het leven van ieder mens kan in hoofdstukken verdeeld worden. Op een middag aan het eind van groep drie brak er voor mij een nieuw hoofdstuk aan, toen een stel kinderen uit de buurt samen met mijn broers mijn fiets ondersteboven in de garage vonden en mee naar buiten namen, naar de oprit. Tot op dat moment was mijn fiets altijd een symbool van macht voor me geweest. Alle kinderen konden fietsen, behalve ik. Jaren geleden had ik al geleerd met angst en beven uit te kijken naar het moment dat we met ons allen aan het dollen waren bij iemand in de tuin en iedereen ineens op zijn fiets sprong. Dat betekende dat de tijd die ik had mogen doorbrengen met de paar kinderen die mij in hun omgeving duldden er officieel opzat, want zij reden de straat uit en lieten mij achter om de rest van de dag in mijn eentje door te brengen.

Maar op die middag ging het anders. 'Het is hoog tijd dat je eens op dat ding leert rijden, Newport,' zei Alfred, een ondeugend knulletje dat altijd haantje de voorste was en een paar straten bij ons vandaan woonde. 'Stap maar op.'

Ik keek hem met grote ogen aan en wachtte tot hij zijn gezond verstand zou gaan gebruiken. Per slot van rekening wist iedereen dat ik de coördinatie had van een dronken olifant. Het idee dat ik zou proberen om mijn lichaam in evenwicht te houden op die twee smalle bandjes leek theoretisch onhaalbaar. Maar Alfred duldde geen tegenspraak en hetzelfde gold voor zijn maatjes. Dus deed ik wat me gezegd werd en klom op het zadel. Vijf paar handen (vijftig vingers) pakten het frame van mijn fiets vast.

'Oké, Newport, nou lopen we mee en we zorgen ervoor dat je steeds sneller gaat,' legde Alfred uit terwijl hij mijn benen omhoog trok en mijn voeten op de pedalen zette. 'En als we snel genoeg gaan, laten we je gewoon los en dan kun je zelf doorfietsen.'

Bij wijze van uitzondering had ik geen tijd om mijn hersenen aan het werk te zetten. Alles ging veel te snel en ik was doodsbang. Maar op weg door de Oak Tree Lane begon ik steeds meer plezier te krijgen in het ritme van mijn benen die de pedalen rondduwden. En toen, voordat het goed en wel tot me doorgedrongen was, lieten de handen mijn fiets los en ik bleef door de straat fietsen, zo vrij als een vogeltje en volmaakt in evenwicht. Achter me hoorde ik gejuich. Eigenlijk wilde ik nooit meer stoppen, maar aan het eind van de straat kneep ik in de remmen en draaide de fiets om. Mijn hart bonsde zo dat het bijna uit mijn borst sprong. Zo moest sir Edmund Hillary zich hebben gevoeld op de dag dat hij op de top van de Mount Everest stond. Voortaan zou alles anders zijn.

Zodra ik had leren fietsen, veranderde mijn wereld onmiddellijk. Het duurde niet lang tot ik net als mijn broer Jim een krantenwijk had en iedere dag na schooltijd door de buurt peddelde om de *Newsday* rond te brengen. Dat bracht me een paar wijze levenslessen bij.

De baan van krantenjongen zorgt automatisch voor problemen. De eerste hindernis die ik moest overwinnen waren de honden uit de buurt, die instinctief wisten dat ik me niet op mijn gemak voelde en vaak onderweg tegen mijn fiets aan sprongen. En dan had je natuurlijk de kinderen die me stonden op te wachten als ik langs hun huis reed met mijn tas vol kranten op mijn rug. Ik werd een perfect doelwit om met stenen en modder te bekogelen. Maar er knapte iets in me op de dag dat Vinny, een voormalig vriendje dat groep vier over had moeten doen, me op zijn fiets van de weg probeerde te rijden. Iets vanbinnen besloot dat het tijd was om terug te vechten.

'Je bent een dooie diender, Newport,' schreeuwde hij terwijl hij naast me ging rijden en probeerde me omver te schoppen, waarbij hij zijn voorwiel als een soort stormram gebruikte. Mijn moeder had me altijd gewaarschuwd dat ik dit soort toestanden moest vermijden, dat ik de pestkoppen moest negeren en gewoon mijn weg moest vervolgen. Maar iets vertelde me dat ik daarmee de zaak alleen maar erger zou maken. Vandaar dat ik in mijn remmen kneep en haastig stopte. Vinny ging verbaasd langzamer rijden, stopte onhandig en keek me boos aan.

'Wat is er aan de hand?' schreeuwde ik.

'Ik... eh... ik mag je niet, Newport,' zei hij.

'Ik vind jou op dit moment ook niet bepaald aardig,' stamelde ik, terwijl ik een driftbui voelde opkomen.

'Dat kan me niks schelen,' zei hij. 'Geef hier die kranten.'

Dat gaf de doorslag. Als ik toeliet dat hij me mijn kranten afpakte, kon ik het schudden. Dan kon ik mijn krantenwijk wel opgeven, want dan zou ik een gemakkelijke prooi worden voor ieder knulletje dat iemand te grazen wilde nemen. Ik drukte mijn tas stijf tegen me aan, holde onhandig recht op Vinny af en gaf hem een schop tegen zijn scheenbeen. Hij zag er verbijsterd uit. Daarna gooide ik zijn fiets om.

'Het spijt me ontzettend dat je bent blijven zitten, Vinny,' schreeuwde ik. 'Maar daar kan ik niets aan doen... En iedereen blijft van mijn kranten af.'

'Hou je bek, Newport,' zei hij, terwijl hij zijn fiets oppakte en de beschadigde lak bekeek. 'Je hebt krassen op mijn fiets gemaakt.'

Maar ik was inmiddels alweer opgestapt en peddelde de straat uit. Er was een soort fragiele vrede getekend, dus het had geen zin om te blijven hangen. Ik poetste de tranen uit mijn ogen, stak mijn hand in mijn tas, pakte een krant en keilde die als een handgranaat op een grasveld in de buurt. De tranen bleven over mijn wangen biggelen, maar ik was niet verdrietig.

Als het om mijn eigen gevoelens ging, was ik een teerhartig kind. Elke emotie die in mijn hoofd of hart opwelde, ook al was er maar een vaag spoortje van te bekennen, was voor mij een intense belevenis. Desondanks had ik vaak geen flauw benul van wat andere mensen voelden. Mijn gebrek aan sympathie was niet opzettelijk. Het duurde gewoon wat langer voordat zaken als de gevoelens van andere mensen tot mijn hersenen doordrongen. Als het eenmaal zover was en ik dus in staat was om sympathie te voelen, schaamde ik me meestal ontzettend. Ik was een keer met mijn vader naar de stad geweest, toen we ergens een paar ambulances en een aantal politieagenten zagen staan. Een jongetje dat jonger was dan ik, de broer van een meisje met wie ik op de lagere school had gezeten, was net onder een auto gekomen en gedood. Ik stond toe te kijken hoe de vader van de jongen helemaal hysterisch werd door de dood van zijn zoon. Hij stond te huilen en naar adem te snakken. Als een van de politieagenten hem niet had ondersteund, was hij op het trottoir in elkaar gezakt. De volgende ochtend voordat de school begon, stond ik samen met een paar vrienden onder een trap en gaf een naar mijn idee verschrikkelijk grappige imitatie van de door verdriet overmande vader.

'Wie was er dan overreden?' vroeg iemand me.

'Het kleine broertje van Linda Morton,' antwoordde ik, een tikje geërgerd omdat mijn voorstelling was onderbroken. 'Ik geloof dat hij Billy heette.'

Er verscheen een verdrietige trek op de gezichten van mijn vrienden. 'Die ken ik wel,' fluisterde Johnny Aichroth. 'Eh... ik bedoel, ik kende hem... Dat was een hartstikke leuk ventje.'

Verder deed niemand zijn mond open. Ze liepen weg, een voor een. En ineens voelde ik me afschuwelijk. Tot op dat moment had ik gewoon verzuimd om één bij één op te tellen. Het was nooit bij me opgekomen dat Billy Morton echt had bestaan. En ik had er nooit bij stilgestaan dat zijn vader zo overstuur was geweest omdat zijn zoon net om het leven was gekomen. Ik had echt het idee gehad dat ik gewoon een scène naspeelde, zoals van de tv, om mijn vrienden duidelijk te maken wat me de dag ervoor was overkomen. De paar dagen daarna was ik echt misselijk van mijn eigen gedrag. Ik wilde me verontschuldigen, maar dat heb ik nooit gedaan. Ik wist niet wat ik moest zeggen of tegen wie.

Voor mij was het herkennen van andermans pijn en het besef

dat ze emoties hadden een kwestie van aangeleerd gedrag. Ik voelde geen pijn, letterlijk niet. Toen ik een keer aan een touw schommelde dat vastzat aan een van de takken van de esdoorn in onze achtertuin viel ik naar beneden en kwam met mijn achterhoofd op het metalen deksel van de afvalcontainer terecht. Ik stond op en begon weer in de boom te klimmen, toen me ineens opviel dat Jim eruitzag alsof hij ieder moment kon flauwvallen. Door de manier waarop hij me aankeek, voelde ik aan mijn achterhoofd dat nat was van het bloed. Ineens drong tot me door wat er was gebeurd en ik begon te krijsen. Een halfuur later lag ik in het plaatselijke ziekenhuis languit op een brancard terwijl mijn hoofd gehecht werd.

'Ik snap er helemaal niets van,' zei mijn moeder tegen een van de verpleegsters terwijl de dokter een rol wit verbandgaas om mijn hoofd wikkelde. 'Hij voelt gewoon geen pijn als het wel zou moeten.' De dokter had kennelijk geen idee waar ze het over had. Hij stond daar maar te knikken terwijl mijn moeder aan het woord was, daarna gaf hij mij een klopje op mijn schouder en liep de gang in, op weg naar zijn volgende patiënt.

Als de andere kinderen op school nog zaten te worstelen met een leesopdracht die ik allang klaar had, zat ik vaak boos om me heen te kijken, terwijl ik wachtte tot ze ook eindelijk klaar zouden zijn. Op dat soort momenten begon ik alle korstjes van de wondjes op mijn armen te krabben en in mijn mond te steken. Het was een zenuwtrek, die ik niet in bedwang kon houden. Soms begonnen de opengekrabde wondjes weer te bloeden, maar daar voelde ik niets van. Het was alsof ik naar iets zat te kijken dat zich op een bioscoopscherm afspeelde, alsof het iemand anders overkwam.

Dat wil niet zeggen dat ik er niet ergens diep vanbinnen, op een plekje ver weg van dat deel van me dat met getallen goochelde en statistische gegevens opsloeg, naar hunkerde om op momenten dat het erom ging te voelen wat andere mensen voelden. In die droomwereld, die ergens in mijn achterhoofd zat opgeslagen, hielp ik mensen in plaats van hen verdriet te doen. Ik droomde veel destijds, een soort avonturen- of actiefilms die zich in mijn hoofd afspeelden en waarin ik de rol speelde van een enorme walvis die de mensheid niets dan goeds bracht. Ik gebruikte mijn enorme kop om de trawlers te rammen die op jacht waren naar de kleinere vissen. Af en toe redde ik een mens van de verdrinkingsdood of voorkwam dat hij of zij door hongerige haaien verscheurd werd door die persoon op mijn rug naar de kust te dragen.

Verder had ik een soort blootliggende zenuw die meteen reageerde op elke belediging of kleinerende opmerking die ik naar mijn hoofd kreeg. Als dat gebeurde, werd ik overspoeld door een vloedgolf van verdriet, die me dreigde mee te slepen, omlaag te trekken en me nooit meer boven water te laten komen.

Soms leed ik in stilte. Maar het gebeurde ook dat ik een ziedende driftbui kreeg. Toen ik de middelbare school bereikte, had ik al de reputatie van iemand die om het minste of geringste in woede kon ontsteken. Ik gebruikte zelfs wel eens geweld. Iedere keer als ik bijvoorbeeld een valse noot speelde op mijn trombone, ramde ik de schuif op de grond, waardoor die al gauw in een belachelijke hoek kwam te staan.

Maar ik reageerde ook wel met een stevige vloekpartij. Toen we een keer met de padvinderij op kamp waren stonden een paar van mijn vriendjes de vijftienjarige toezichthouder ongenadig te pesten.

'Hé, Newport, vloek hem eens plat,' zei een van hen.

Ik keek hem even aan en voelde al snel de bekende woedeaanval opkomen. Een moment later spatten de vloeken me over de lippen alsof het de scherven van een ontplofte handgranaat waren. Als ik eenmaal begon, kon ik niet meer ophouden. Dat had ik niet in de hand. Na een poosje kregen mijn vriendjes genoeg van de voorstelling en slenterden terug naar hun blokhut. Maar de toezichthouder bleef gewoon staan en keek me met grote ogen aan terwijl ik hem op mijn complete oeuvre van vloeken trakteerde.

'Waarom zeg je al die dingen?' vroeg hij en schudde verbijsterd zijn hoofd.

Omdat ik inmiddels al mijn gif gespuwd had, hield ik mijn mond. Ik kon geen voet verzetten en begon ineens te huilen. Waarom had ik dat gedaan? Waarom was ik zo tekeergegaan tegen een wildvreemde?

Desondanks waren het de stille woedes die me het meest verdriet deden, de aanvallen van zelfverachting die me dieper konden kwetsen dan verbaal of fysiek geweld. Zoals op die zaterdagmiddag dat ik samen met mijn broers naar de stockcarraces in de buurt reed in Johns nieuwe Austin. Ik was een enorme fan van de Japanse coureur George Tet, die het voortdurend moest opnemen tegen alle redneck-coureurs die aan dat soort wedstrijden deelnamen. Zelfs toen hield ik al van underdogs. Daar voelde ik een bepaalde verwantschap mee. Tijdens een pauze tussen de races liep ik naar de toiletten om mijn met cola gevulde blaas te legen. Terwijl ik bij het urinoir stond, hoorde ik gegiechel en onderdrukt gelach. En ik had wel zo'n vermoeden waar dat op sloeg. Bij het uitdelen van het klok-en-hamerspel had ik niet bepaald vooraan in de rij gestaan. Desondanks vond ik het nog steeds ongelooflijk dat mensen zo wreed en sadistisch konden zijn. Ik draaide me om en zag een stel knullen die ik kende met spottende gezichten naar mijn edele delen kijken. Ik kon maar met moeite mijn tranen inhouden en strompelde het toilet uit, de met uitlaatgassen en zonneschijn gevulde buitenlucht in.

'Waar ga je naartoe, Jerry?' riep een van mijn kwelgeesten.

Ik was niet in staat om antwoord te geven. Het liefst was ik over het hek langs de baan geklommen om mezelf voor de aanstormende auto's te gooien, maar ik had zoveel last van hoogtevrees dat me dat nooit gelukt zou zijn. In plaats daarvan liep ik door het zand, langs het controlehokje naar buiten, in de hoop dat ik ergens onder de tribunes een plek zou vinden waar ik me kon verstoppen en me in alle rust kon overgeven aan het koesteren van mijn minderwaardigheidscomplex.

TUCSON, ARIZONA
APRIL 1964

Een geest. Dat was ik inmiddels geworden toen de lagere school me te pakken kreeg. Ik rook ook behoorlijk vies. Omdat mijn moeder duizenden andere dingen te doen had behalve ervoor te zorgen dat ik schoon bleef, gingen er soms weken voorbij dat ik niet in bad werd gedaan. Mijn handen en nagels zagen eruit alsof ik een bijbaantje had als automonteur. En mijn moeder hield mijn weerbarstige pony, die haar kapperskunsten te machtig was, onder controle met behulp van extra sterke vaseline, spul dat op smeer leek dat je voor auto's gebruikt. Mijn garderobe bestond meestal alleen uit veel te grote afleggertjes van mijn oudere zussen. De onderwijzeressen waren ontzet en mijn klasgenootjes liepen met een boog om me heen of pestten me genadeloos.

Wat zou Jerry hebben gedaan als hij me toen had gezien? Dat vraag ik me tegenwoordig wel eens af. Ja, inderdaad, ik moest nodig in bad. Maar toch had ik nog veel meer behoefte aan een vriend. Onwillekeurig heb ik steeds het idee dat Jerry die vriend zou zijn geweest. Ik maak mezelf meestal wijs dat wij tweeën als een magneet naar elkaar toegetrokken zouden zijn als we elkaar eerder hadden ontmoet. Dat wil ik gewoon geloven, want ik wil dat smerige, eenzame kleine meisje dat me nog zo scherp voor de geest staat iemand geven die haar ervan zal overtuigen dat ze niet echt zo'n raar buitenbeentje is als iedereen haar wilde doen geloven.

Destijds, op de lagere school, was ik een uit de kluiten gewassen kind, met een lijf dat balanceerde op de grens tussen te dik en veel te zwaar. De kinderen gaven me bijnamen als 'dikzak' en 'Meinel-olifant'. In groep vier gedroeg ik me nog steeds graag als een baby en ik zag er geen been in om over de vloerbedekking te kruipen als een hulpeloze, onwetende kleuter. De vloerbedekking voelde zacht en aangenaam aan tegen mijn huid. Achter ons huis was een stal en daar was ik vaak te vinden. Op handen en voeten omdat ik net deed alsof ik een paard was.

In groep vijf kreeg ik een onderwijzeres, mevrouw Young, een voormalige boerin die naar Arizona was verhuisd om de strenge winters in Iowa te ontlopen, en zij zag iets in me dat de rest van de wereld ontging. Ze raakte geïntrigeerd door mijn ongebreidelde nieuwsgierigheid. Van haar leerde ik hoe ik mijn nagels schoon moest maken en waarom ik niet met mijn benen wijd achter mijn tafeltje moest zitten. Op een dag stond ze bij ons thuis voor de deur en probeerde mijn moeder aan te spreken over haar vreemde, smerige dochtertje dat een aangeboren talent had om te tekenen. Mevrouw Young vond met name de paarden mooi die ik in de klas had getekend en ze nam zelfs een keer de moeite om ze aan een professor in de kunstgeschiedenis aan de Universiteit van Arizona te laten zien. Die kwam me zelfs op een dag op school opzoeken en vertelde me dat ik heel goed was.

Ik kan me nog goed herinneren dat ze tegen me fluisterde: 'Blijf tekenen en misschien zul je dan op een dag je eigen schilderijen in het museum zien hangen.' Omdat ik vrijwel geen ervaring had met complimentjes wist ik niet wat ik van die aardige opmerking moest denken. Dus draaide ik mijn hoofd om en bleef naar buiten staren, op zoek naar vormen in de wolken.

Mijn ouders waren niet onder de indruk van mijn tekenkunst. En ze keken er ook niet echt van op. Ze zouden verbaasd zijn geweest als ik niet zo goed was geweest. De enige kindertekeningen die ze de moeite van het ophangen waard vonden, waren de tekeningen die Carolyn had gemaakt van haar fazant, nadat ze was bijgekomen uit haar coma.

Het gesprek dat mevrouw Young met mijn moeder had, duurde maar een paar minuten. Marjorie was kennelijk van mening dat ze haar niet tegen zou houden als mijn onderwijzeres niets beters te doen had dan haar vrije middag te verspillen aan haar ongezeglijke dochter. Ik kroop in de tuigkamer rond op een baal luzerne toen ze de stal binnenkwam op zoek naar mij.

'Waarom ben je niet binnen?' vroeg ze. 'Het is hier koud.'

'Ik ben liever hier,' antwoordde ik. 'Dat vind ik fijner dan... dan daarbinnen.' Ik maakte met mijn smerige hand een gebaar naar het huis alsof ik een dood beest aanwees.

'Ja,' zei ze glimlachend. 'Dat kan ik best begrijpen.'

We liepen de met rotsen bezaaide woestijn in en ze luisterde toe terwijl ik vertelde dat ik me helemaal thuis voelde tussen de ronde cactussen en de duivelswandelstokken. Zoals gewoonlijk had ik geen schoenen aan. Mijn voetzolen waren zo hard als leer. We liepen door de uitlopers van de Catalina Mountains en ik wees haar waar ik enorme platen mica en woestijnschildpadden had gevonden en vertelde haar dat de eeuwenoude saguaro-cactussen die boven ons uittorenden niet zo gevaarlijk waren als ze eruitzagen. Als bewijs leunde ik ertegenaan en liet haar zien dat de oude, broze naalden al afbraken voordat ze zich in je huid konden boren.

De Hohokam-indianen hadden eeuwenlang in dit gedeelte van de woestijn geleefd en ik nam haar mee naar de plek waar Carolyn en ik een keer de restanten van eeuwenoude fundamenten hadden gevonden, plus een ontelbare hoeveelheid potscherven. Ik vroeg me af hoe ze in staat waren geweest om hier in dit gortdroge, bloedhete land te overleven. Maar ik probeerde zelf ook in een soort woestijn te overleven.

'Ben je niet bang voor ratelslangen?' vroeg mevrouw Young.

Ik schudde mijn hoofd en vertelde haar dat ik ze soms doodsloeg met stenen, ze vervolgens vilde en de huiden droogde door ze aan de houten planken om onze loopweide te spijkeren.

'Ik eet ze,' vertelde ik haar trots. 'Ik kook ze en maak er ratelslangenpuree van. Dat smaakt een beetje als kip. Het doet nogal exotisch aan.'

'Ja,' zei mevrouw Young terwijl ze goedkeurend knikte, 'dat heb ik wel vaker gehoord.'

Ik had nooit eerder zo'n onderwijzeres als mevrouw Young ontmoet. Ik denk dat ze het in haar hart leuk vond dat ik er alles uitflapte wat in mijn hoofd opkwam. Maar toch snapte ik niet dat die vrouw me de helpende hand reikte. Haar vriendelijke woorden en de geruststellende uitdrukking op haar gezicht stootten bij mij op een muur. Ik was ongevoelig voor haar medeleven en begreep niet wat ze voor me probeerde te doen. Tegenwoordig vraag ik me onwillekeurig wel eens af hoe anders mijn leven zou zijn geweest als ik daar wel op had gereageerd – al was het maar voor even geweest – en de reddingsboei had gepakt die ze mij aanbood. Die ervaring, ook al was ze nog zo vluchtig geweest, zou mij helemaal veranderd hebben. Als ik een hapje van haar vriendelijkheid had genomen zou de smaak me vast bevallen zijn en dan was ik ongetwijfeld op zoek gegaan naar anderen die me hetzelfde konden bieden.

Wat mevrouw Young in me zag was een vage mogelijkheid die niemand anders zag en waar ik me zelf niet eens van bewust was. Toen zij die professor in de kunstgeschiedenis vroeg om naar ons toe te komen en me te vertellen dat ik zo'n veelbelovend kunstenares was, ging ze ervan uit dat ze me een gunst bewees door me wat meer zelfvertrouwen te geven en me aan mijn verstand te brengen dat ik iets kon dat anderen niet konden. Maar waarschijnlijk had ze zich die moeite kunnen besparen. Afgezien van mijn onbenul was ik diep in mijn hart een eersteklas scepticus. Zelfs op die jeugdige leeftijd zat ik al zo vol met zelfverachting dat complimentjes me niets zeiden. Met betrekking tot mijn tekenkwaliteiten had ik de handdoek al in de ring geworpen en dat was allemaal de schuld van Michelangelo. Nou ja, ik wist natuurlijk wel dat ik op het gebied van tekenen mijn klasgenootjes ruimschoots de baas was. Maar elk gevoel van tevredenheid of persoonlijke genoegdoening dat ik daaraan ontleende, verdween op het moment dat ik op de salontafel in onze woonkamer een boek ontdekte over de artistieke ontwikkeling van Michelangelo. Ik sloeg het wel open, maar hield het al na een paar bladzijden voor gezien toen ik wat schetsen en beelden onder ogen kreeg die hij had gemaakt toen hij even oud was als ik. Het feit dat hij in staat was om driedimensionaal te tekenen en licht en schaduw weer te geven met alle materialen waarmee hij werkte, ging me ver boven de pet. Vanaf dat punt hing zijn intimiderende schaduw over alles wat ik maakte. Ik was tot de slotsom gekomen dat ik niets anders was dan een krakkemikkige beginneling als het ging om het scheppen van blijvende kunst.

Ik had een soortgelijk gevoel over mijn pianospel. In groep vijf componeerde ik een somber deuntje, 'Misery River', dat een eervolle vermelding kreeg bij een compositiewedstrijd in ons district. Toen de districtleider hoorde dat ik nooit les had gehad, schreef hij mijn moeder een brief waarin hij erop aandrong dat ik pianoles zou krijgen. Dat was rond dezelfde tijd dat mijn ouders, die dol waren op barokmuziek, een klavecimbel kochten voor de vrouw van onze voorganger bij de lutherse kerk in Calvalry. Voordat ik het wist, had mevrouw Jorstaad zich al bereid verklaard om mij les te geven en ik ging trouw naar haar huis om me verder in de muziek te bekwamen. Maar op een dag had ik opnieuw zo'n allesverterende Michelangelo-ervaring en daardoor verdwenen alle aspiraties die ik op het gebied van muziek had gekoesterd op slag. Ik maakte mezelf wijs dat ik niet over voldoende finesse beschikte om die stompe vingers van mij over de toetsen te laten dansen zoals dat een begaafd pianiste betaamde. Verder maakte ik mezelf wijs dat ik af en toe noten oversloeg omdat ik gewoon niet het aangeboren talent had om me te herinneren waar mijn vingers zich op de toetsen moesten bevinden. De druppel die de emmer deed overlopen was toen ik moest erkennen dat ik het ritme in de muziek niet aanvoelde. Dat had ik gewoon niet van nature. Ik moest mezelf letterlijk dwingen om naar het ritme te luisteren. Ik had mijn kennis van de klassieke muziek opgedaan met behulp van een paar grammofoonplaten die ik niet kapot had geslagen en daaruit maakte ik op dat een dergelijk gebrek gewoon heiligschennis was. Dat was de reden dat mijn droom dat ik op een dag een concertpianiste kon worden in duigen viel. Waarschijnlijk heeft het ook niet echt geholpen dat Marjorie me waarschuwde dat ik geen wonderkind moest worden, omdat die volgens haar allemaal na verloop van tijd krankzinnig werden, snel opgebrand waren of uiteindelijk niet meer dan een hopeloos middelmatig niveau haalden. In zekere zin beschouwde ik haar opmerking als een compliment, ook al deed haar advies een beetje belachelijk aan, zeker als ik mijn werk vergeleek met dat van Mozart of Beethoven.

Maar toch vond ik het heerlijk om dingen te scheppen. Als ik ging zitten en dat bezwaarde, chaotische brein van me richtte op tekenen of pianospelen kreeg ik het gevoel dat ik kon vliegen. Dan gebeurde er diep vanbinnen iets met me waardoor het leek alsof ik in mijn eigen lichaam rondzweefde. Het was gewoon zalig om te zien wat er uit mijn vingers vloeide en vervolgens te merken hoe mijn brein ze voorzichtig verder stuurde om een of ander idealistisch doel te bereiken. Het was alsof mijn vingers dansten om mijn ogen te behagen.

Omdat mijn ouders het niet goed vonden dat ik buiten in de stal sliep, heb ik een groot deel van mijn jeugd in kledingkasten doorgebracht. Daar voelde ik me veilig, net als in de achtertuin en de tuigkamer. Op een middag viel me ineens op hoe groot de kast was in de slaapkamer die ik met Elaine deelde. Niet lang daarna begon ik bij mijn moeder te zeuren dat ik daarin wilde gaan slapen en voordat ik wist wat er gebeurde, was ze al naar Montgomery Ward gereden waar ze een eenpersoonsbed en een schuimrubber matras kocht. Ik sleepte haastig al mijn spulletjes naar binnen, stapelde ze slonzig op in een hoek en trok de zware dubbele houten deuren dicht. Het enige licht kwam van een kaal peertje dat aan het plafond bungelde.

Ik kan me nog goed herinneren dat ik me destijds een soort Assepoester voelde. Niet omdat ik dacht dat op een goede dag mijn prins zou komen opdagen, maar omdat ik vond dat ik boze zussen had. En in mijn kast vielen ze me nooit lastig. Ze lieten me daar alleen zitten om die rare, onbegrepen dingen te doen waar alleen ik goed in was. Het liefst zat ik in mijn speelgoedkist te rommelen op zoek naar iets dat ik uit elkaar kon slopen. Dat was het lot dat al mijn speelgoed wachtte. Ik haalde alles wat ik kreeg uit elkaar en nam nooit de moeite om het weer in elkaar te zetten. Op een dag vond ik een doosje met spelden en stak die in de ogen van mijn Barbie en mijn Skipper. Toen ik uit mijn hol tevoorschijn kwam en ze aan een van de kinderen uit de buurt liet zien, werd haar moeder boos op me en zei dat ik een sadistisch meisje was.

'Maar het is juist aardig bedoeld,' legde ik uit toen ze probeerde me met een zoet lijntje haar huis uit te krijgen. 'Pupillen moeten licht doorlaten. Maar Barbie en Skipper hadden geen pupillen. Geen echte, tenminste. Ze waren er alleen maar op geschilderd.'

Maar ik vond al gauw een andere bestemming voor de spelden. Toen ik op een morgen op mijn bed lag, begon ik mezelf met de spelden te prikken en kwam tot de conclusie dat er geen gevoel van pijn was tussen de bovenste en de tweede laag van de huid. Toen Elaine de dubbele deuren opentrok om me te pesten, had ik bijna alle spelden uit het doosje in mijn handen, armen en benen gestoken. Gepikeerd omdat ik mezelf al erger gepijnigd had dan zij klaar kon spelen, smeet ze de deuren weer dicht en stormde de slaapkamer uit.

Mijn kast werd al snel meer dan een plaats om te slapen: het was mijn klaslokaal. We hadden een zwembad bij ons thuis en op een keer trok ik het rooster los en ontdekte tientallen levenloze kevers die in het vieze water dreven. Ik viste ze eruit, nam ze mee naar mijn 'slaapkamer' en slaagde erin een stukje karton op de kop te tikken. Een halfuur lang was ik druk bezig om de insecten stuk voor stuk op een speld te prikken en vervolgens op het karton, dat ik tegen de muur zette. Ik vond dat mijn ruimte nu echt op een museum leek.

‘Ga mee, dan zal ik jullie mijn insectencollectie laten zien,’ riep ik tegen iedereen terwijl ik door de buurt rende.

Tegen de tijd dat we bij mijn geïmproviseerde museum terug waren, werd één ding akelig duidelijk. De kevers waren maar tijdelijk verdronken geweest. In de tussentijd dat ik mijn publiek verzamelde, waren ze weer tot leven gekomen en zaten nu hulpeloos op het karton te wriemelen, niet in staat om zich los te wurmen. De buurtkinderen sloegen gillend op de vlucht.

Iedere verloren ziel heeft zijn of haar Vergilius, zijn of haar schutsengel. Ik had Kerrie. Ze kwam op een middag opdagen toen ik net in mijn eentje in de met spinnen gevulde afwateringsbuis zat, onder de weg recht tegenover het nieuwbouwhuis waarin zij woonde.

De eerste keer dat ik haar zag, kwam ze recht op mijn schuilplaats afbenen. Zonder ook maar een moment te aarzelen nam ik de benen in de tegenovergestelde richting. Als me op school één ding duidelijk was geworden, dan was het dat meisjes niet te vertrouwen waren. Ik haatte ze zelfs.

‘Hé,’ schreeuwde Kerrie. ‘Kom onmiddellijk terug anders sla ik je in mekaar!’

Ik bleef abrupt staan. Ze kwam naar me toe en stelde zich voor. Binnen de kortste keren waren we in onze vrije tijd onafscheidelijk, ook al was ze een jaar ouder dan ik. Afhankelijk van welke klas het eerst uit was, stond ik voor haar lokaal te wachten of zij voor het mijne. Een van de dingen die ik zo fijn vond van Kerrie was dat ze een keiharde tante was. Behalve mijn oudere broers en zusjes was ze de eerste die me tijdens een knokpartij de baas was. Ze kreeg les in zelfverdediging van haar vader en ze was zo’n meisje dat je ineens, zonder enige aanleiding, een klap kon verkopen. Ik had nog nooit zo iemand ontmoet.

Ik was een sterke meid en als iemand me beledigde of bedreigde, stond ik meteen klaar om erop los te timmeren. Dat hield me bezig en zorgde ervoor dat ik in conditie bleef. Maar ik vertrouwde meer op mijn woeste driftaanvallen dan op tactiek. Daar bracht Kerrie verandering in. Zij bracht me de eerste beginselen van strategie bij. Regel één: ik moest het niet in mijn hoofd halen om met haar te gaan vechten. Regel twee: als je iemand een stoot geeft, zorg dan dat je je duim buiten je vuist houdt, anders kun je die breken.

Kerrie beschikte over de straffe, efficiënte vechtstijl van een Golden Gloves-bokser. Als ik een stoot uitdeelde, kostte me dat veel te veel energie en mijn slonzige swing nam een eeuwigheid in beslag. Haar stoten waren snel en direct, zonder overbodige bewegingen of verspilde energie. En toch had ze ook iets zachts. Ik vond Kerrie altijd een typisch voorbeeld van een robbedoes. Ze had gevoel voor stijl en vond het leuk om hotpants te dragen of mini-jurkjes met een bijpassend onderbroekje. Ze bleef er maar op hameren dat ik tegen mijn moeder moest zeggen dat ik genoeg had van die rare kleren die ze me aantrok. Vreemd genoeg luisterde mijn moeder toen ik zei dat ik er meer dan genoeg van had om eruit te zien als een vogelverschrikker. Ze begon plooirokjes voor me te bestellen bij postorderbedrijven en op een dag verraste ze me zelfs met een paar netkousen.

Kerrie zorgde er niet alleen voor dat ik me beter ging kleden, ze genas me ook van mijn neiging om me als een baby te gedragen. Ze kwam op een middag bij ons binnenlopen en zag mij met mijn duim in de mond over de grond rondkruipen. Terwijl ze boven me uit torende als een driftige sergeant-majoor schreeuwde ze: 'Hou op met dat debiele gedoe!' Ze wond er geen doekjes om, maar niemand had ooit de moeite genomen om me met dat soort kritiek om de oren te slaan. Ze had volkomen gelijk, ik gedroeg me volslagen debiel. En toen ze dat tegen me schreeuwde, had ik het gevoel alsof iemand me een spiegel voorhield waarin ik mezelf voor het eerst kon zien. Dat was de dag waarop ik opstond en nooit meer als een baby over de grond rond zou kruipen.

Ik begon zoveel mogelijk tijd door te brengen in het deftige en welgemanierde huis van Kerrie. Iedereen scheen zich volgens een vast patroon te gedragen. En dat vond ik prachtig. Haar moeder deed me rustig voor hoe ik aan tafel moest zitten en op een beschaafde manier kon eten in plaats van als een wild beest. Ze tikte me even licht op mijn smerige arm als ik iets fout deed. Ik kreeg al snel door dat ik gewoon goed op haar moest letten en ik begon haar langzame, weloverwogen en beleefde gedrag aan tafel te imiteren. Tot dan toe waren maaltijden voor mij alleen een gelegenheid geweest waarbij ik zoveel mogelijk voedsel naar binnen propte. Ik durfde mijn mond nooit open te doen. Omdat iedereen me doorgaans toch als mikpunt van hun grapjes gebruikte, vluchtte ik meestal zodra mijn honger gestild was naar buiten of ik dook in mijn kast. Dat gebeurde nooit als ik bij Kerrie aan de keukentafel zat. Dan werden er zelfs gesprekken gevoerd over het milieu, politiek of kunst.

Toen Kerrie zich met geweld een plek in mijn leven veroverde, ging het op school inmiddels behoorlijk goed met me. Mijn terugval was nog niet begonnen. In groep vijf scoorde ik zo hoog bij de serie standaardtoetsen die we moesten afleggen, dat de schoolleiding eiste dat ik ze overdeed. Ze konden niet begrijpen dat iemand van mijn leeftijd al zo goed kon lezen en wiskundige berekeningen van middelbareschoolniveau kon maken. Ik kon het ook niet verklaren, zeker niet die wiskundige aanleg. Mijn griezelige vermogen om altijd het juiste antwoord te kiezen uit de mogelijkheden die me geboden werden, voelde net zo natuurlijk aan als ademhalen. Toen ze me de toetsen opnieuw lieten maken, vroegen ze me om te laten zien hoe ik aan de antwoorden op de wiskundeproblemen was gekomen, en dat maakte alles een stuk moeilijker. Want dat soort antwoorden kwam letterlijk gewoon bij me op. Ik hoefde alleen maar de noodzakelijke gegevens in me op te nemen en mijn brein deed de rest. Qua uitslag zat ik nog steeds bij de bovenste twee procent.

Maar in groep zeven veranderde alles. Destijds had ik geen flauw idee waardoor dat kwam, maar het was heel beangstigend. Op dat moment nam mijn zwerversbestaan een aanvang. Ik zweefde van het ene moment naar het andere, voortgedreven door de wispelturigheid of door wat zich in mijn hoofd afspeelde. Ik was van het intelligentste meisje in mijn klas veranderd in een hopeloze zwerver. Inmiddels weet ik dat die verandering het gevolg was van het feit dat het enige vaste, voorspelbare deel van mijn leven op zijn kop was gezet. Ineens was ik van de veilige, geborgen omgeving van de lagere school met haar kleine klassen en één onderwijzeres per dag in de chaos van de middelbare school terechtgekomen. Om te midden van de herrie en de rest van de leerlingen steeds opnieuw een ander klaslokaal te moeten opzoeken was voor mijn delicate stelsel een te grote opgave.

Vrijwel van de ene op de andere dag merkte ik dat ik geen getallen meer kon onthouden. In de tijd tussen het opnemen van de gegevens in mijn hersenen en het moment dat ik probeerde het probleem op papier uit te werken losten de getallen als het ware op. Na een poosje maakte ik mezelf wijs dat ik geestelijk gehandicapt begon te raken en belandde in een zware depressie. Ik miste de zekerheid van die ene onderwijzeres per dag die les gaf in alle disciplines en vaak iemand was die me onder haar vleugels nam en als raadgever optrad. Soms had ik echt het gevoel dat ik wegdreef, de ruimte in, en dat er geen enkele manier was waarop ik me aan de aarde vast kon ketenen. Het syndroom van Asperger had kennelijk een bloeiperiode en dat was iets dat zelfs ik niet kon ontkennen.

Het duurde niet lang tot Kerrie de enige vriendin was die ik nog overhad, een feit dat als een vlijmscherpe machete boven mijn hoofd hing en waar ze me dan ook regelmatig op wees. Ze droeg me op om bepaalde dingen te doen en ik was niet in staat om haar nee te verkopen. Het liefst vertelde ze me dat ik met haar mee moest naar het huis van haar vriendje waar ik vervolgens toe moest kijken hoe ze met elkaar zaten te vrijen. Het stel zat Mexicaanse pot te roken terwijl ik op de grond zat en toekeek hoe ze elkaar kusten en betastten. Ik vond het stomvervelend, maar ik dacht dat ik geen keus had, dat ik op de een of andere manier verstrikt was geraakt in een web dat zo groot en zo troosteloos was dat ik nooit de kracht zou kunnen opbrengen om te ontsnappen. Ik was verdoemd. Diep vanbinnen wist ik het zeker.

Iedere keer als ze daar zin in had, slingerde Kerrie me allerlei beledigingen naar het hoofd en dat liet ik gewoon over me heen komen. 'Ik ben veel aantrekkelijker dan jij,' schreeuwde ze dan tegen me terwijl haar vriendje haar een zuigzoen in haar nek gaf. 'Dat zegt iedereen.' En een moment later op een fluistertoontje: 'Mijn benen zijn ook veel mooier dan die van jou, hoor.' Dan knikte ik alleen maar. Na al die jaren van eenzaamheid maakte ik mezelf wijs dat die beledigingen gewoon de prijs waren die ik moest betalen voor het feit dat iemand aandacht aan me schonk.

Toen ik naar groep negen ging, begon ik het vermoeden te krijgen dat ik geen hersens meer had. Ik zat de hele dag achter mijn lessenaar naar de leraren te staren zonder een woord te begrijpen van wat ze zeiden. Als ze hun mond opendeden, kwam daar alleen een onbegrijpelijke brij van klanken uit. Ik kwam ontzettend in de knoop te zitten. De enige les die ik nog bij wilde wonen was muziek. Per slot van rekening speelde ik piccolo in de schoolband en bas in het klassieke orkest en ik was een van de alten van het schoolkoor. De rest van de tijd verdeed ik op een schaduwrijk plekje in het schoolpark, waar ik met de rest van de spijbelaars in het gras zat. We speelden gitaar en zongen hippieliedjes. Af en toe dwaalden we door de woestijn, rookten hasj of namen lsd en dan zat ik omhoog te staren naar de lucht en vroeg me af hoe lang het nog zou duren voordat ik mijn verstand volledig kwijt zou zijn.

Het duurde niet lang voordat ik daar achter kwam. De avond dat ik eindelijk volledig over de schreef ging, was vlak nadat mijn ouders waren vertrokken voor een reis naar India. Ze hadden een oude vriend van de familie, een zekere Lester, gevraagd om op de kinderen te passen. Lester was nogal een boerenpummel die door de rest van de familie als een soort peetoom werd beschouwd, maar niet door mij. Kerrie en ik zaten bij haar thuis in enkellange, psychedelische omajurken bedrukt met paarse en groene patroontjes, toen het ineens tot me doordrong dat het hoog tijd was om naar huis te gaan. Lester zou wel ongerust zijn.

'Het begint al laat te worden,' merkte ik op.

'Ik loop wel even met je mee naar huis,' antwoordde ze.

We waren net bij de brievenbus die voor hun huis aan de Catalina Highway stond, toen Kerrie ineens op een idee kwam.

'Er komt een auto aan,' zei ze. 'Laten we onze duim opsteken en eens kijken of ze ons meenemen.'

Dat deden ze. Een paar minuten later waren we zeveneneenhalve kilometer verder op de weg in een toeristisch plaatsje dat bekend stond als Trail Dust Town. We kenden iemand die daar in de ijswinkel werkte, dus gingen we er langs en troggelden haar een paar gratis ijsjes af. Daarna liepen we terug naar de asfaltweg, die nog steeds warm was van de zon die er de hele dag op had gestaan en die door de woestijn terugliep naar waar wij woonden.

'Hé!' brulde Kerrie. 'Kom op, dan gaan we naar een kroeg.'

Ik vond het een walgelijk idee, maar ik had ook geen zin om naar huis te gaan. Vandaar dat we in het donker weer met onze duim omhoog gingen staan. Na een kort ritje belandden we in een gore kroeg, waar we dansten op de rock-'n-roll die werd voortgebracht door een krakkemikkige jukebox. Na een paar uur legden we het aan met een stel bikers van wie ik me nog vaag kon herinneren dat ik ze een paar maanden eerder had leren kennen via mijn zus Barbara. Ze hadden allebei een ketting om hun hand gewikkeld en dat vond ik best gaaf. Ze namen ons mee naar hun smerige appartement, gooiden ons vol goedkope wijn en probeerden ons daarna te pakken. Toen ze beseften hoe ontzettend dronken we waren, mochten we onze roes uitslapen op hun bank. Kerrie moest overgeven.

Vanaf dat moment liep alles uit de hand. De volgende ochtend stelde een van onze slome gastheren voor om op de motor te stappen en naar Berkeley te rijden, een mythische plaats waarover al een jaar lang allerlei geruchten de ronde deden onder de aspirant-hippies en gesjeesde middelbareschoolleerlingen. Dus gingen we ronkend op weg door de woestijn van Arizona. Op de eerste avond van onze odyssee verloor ik in de buurt van een wegrestaurant bij Oakland mijn maagdelijkheid aan een biker met een zwart ooglapje. Hij was een dienstweigeraar op weg naar Canada. Het was een mistige avond en we lagen samen gepropt in een slaapzak ergens in het zand onder een groepje eucalyptusbomen. Ik deed mijn ogen dicht en zoog de vochtige, frisse lucht in mijn longen. Zoiets had ik in het hete en droge Arizona nog nooit meegemaakt. Ik lag daar op mijn rug, onder mijn éénogige minnaar, en staarde naar de takken van de bomen die zich tegen de avondlucht aftekenden. Het was een verrukkelijk soort pijn die pure extase veroorzaakte. Ergens in mijn achterhoofd vroeg ik me af of ik nu zwanger zou worden. Ik was veertien jaar.

De volgende ochtend zag ik Kerrie weer in het wegrestaurant. 'En?' vroeg ze, nieuwsgierig naar alle goedkope details van mijn defloratie. Ik haalde alleen maar mijn schouders op. Dat had ik allang weer van me afgezet.

'Ik heb een idee,' fluisterde ik. 'We zijn in Oakland. Laten we op bezoek gaan bij de Black Panthers.'

Kerrie lachte. We stapten weer in de auto van onze chauffeur, nog steeds een van de bikers die we een paar dagen eerder in Arizona hadden ontmoet. Ik was mateloos geboeid geraakt door de Panthers toen ik een paar maanden geleden met een zwarte knul van een andere middelbare school had zitten vrijen terwijl we opium rookten. Voordat ik hem leerde kennen, dacht ik altijd dat ieder kind een stal achter het huis had. Maar nadat ik een paar keer in het kleine, haveloze appartement was geweest waar hij met zijn moeder en drie zusjes woonde, begon het tot me door te dringen hoe de rest van de wereld leefde. En ik kon er met mijn verstand niet bij hoe mensen een compleet ander ras konden haten, zeker niet als ze van die lekkere, zachte zoenlippen hadden.

Toen we er eindelijk in slaagden het hoofdkwartier van de Black Panthers te lokaliseren in een vermoeid ogende wijk in het centrum van Oakland, waren ze niet echt enthousiast bij de aanblik van de drie uit hun krachten gegroeide blanke jongelui uit Arizona die in hun kantoor opdoken. Vier leden van de groep zaten ons aan te staren alsof ze niet wisten wat ze van ons moesten denken. Daarna keken ze elkaar bijna nerveus aan. Ik stak mijn vuist omhoog.

'Power to the Panthers!' schreeuwde ik. *'Fight the Man.'*

Niemand lachte. Uiteindelijk vroeg een van de mannen: 'Wat komen jullie hier doen?'

'We zijn vanuit Arizona hiernaartoe gereden,' antwoordde ik. 'We hadden van alles over jullie gehoord, dus we zijn hier om te zien wat jullie eigenlijk precies doen.'

'O ja?' antwoordde hij koeltjes. 'Daar staan we echt van te kijken, hoor.'

Vervolgens leken er een paar minuten voorbij te gaan zonder dat iemand iets zei. We keken elkaar alleen maar zwijgend aan. Ten slotte zei een van de Panthers: 'Nou, jullie hebben gezien wat jullie wilden zien. Dus dan kunnen jullie nu ook weer opstappen.'

Achteraf, toen we weer in de auto zaten, zei ik: 'Waarschijnlijk krijgen ze niet vaak blanke mensen te zien in het hoofdkwartier van de Panthers.'

Kerrie schudde boos haar hoofd. 'Wat een stel klootzakken,' mompelde ze, voordat ze een aanval van jaloezie kreeg omdat ik bekende dat ik al maanden geleden een zwart vriendje had gehad.

De volgende plaats waar we naartoe gingen was Berkeley, waar mijn oudere zus Elaine woonde in een oud bestelbusje dat ze helemaal beschilderd had met lichtgevende afbeeldingen van Charlie Brown die jointjes zat te roken. Ze had een paar maanden eerder de benen genomen naar Berkeley om de beest uit te hangen en te proberen als psychedelisch kunstenaar aan de bak te komen. Ik was vanaf het allereerste moment verliefd op de plaats, die wel iets weg had van een levend, ademend organisme bevolkt door een leger van net zulke mislukkelingen en verschoppelingen als ik was. Ik had me mijn leven lang een buitenbeentje gevoeld en het idee gehad dat iedereen me in de gaten hield en me veroordeelde. Wat er ook gebeurde, ik zou me nooit kunnen aanpassen, ik kon alleen maar doen alsof. Maar in de gore straten van Berkeley voelde ik me thuis, daar hoefde ik niet langer te acteren. Het was een bedwelmende ervaring, zelfs zonder al die drugs. Ik wilde nooit meer weg. Ik wilde mijn kleren uitrukken, mijn hoofd in de nek gooien en het uitschreeuwen van dronken geluk.

Binnen een paar uur na aankomst viel Kerrie al voor de charmes van een of andere oplichter en trok bij hem in. Ondertussen draafde ik rond op blote voeten, rookte opium en marihuana, bedelde om voedsel, dook met wildvreemden het bed in en sliep op een oud matras ergens in een kelder met een stel andere weglopers. Ik zat dagenlang voor een winkel met hippieposters in de hoop dat ik Elaine tegen zou komen, omdat ik het idee had dat er daar misschien wel werk van haar hing. Per slot van rekening was ze kunstenares. Een week later liepen we elkaar tegen het lijf. Ze leek niet bepaald blij om me te zien, vooral niet toen ze hoorde wat ik de afgelopen tien dagen uitgespookt had. Ze belde meteen mijn moeder op, die op dat moment in Japan zat. Twee dagen later dook ze samen met Kerries vader op in Berkeley en we gingen gevieren terug naar Tucson.

‘Weet je wel dat Lester een hartaanval heeft gehad?’ zei mijn moeder koel tijdens de lange vlucht naar huis waarbij nauwelijks een woord gezegd werd. ‘Hij is ziek van bezorgdheid over je geweest. Als we thuis zijn, bel je hem meteen op om je verontschuldigingen aan te bieden.’

‘Mijn verontschuldigingen? Waarvoor dan?’ vroeg ik.

'Voor het feit dat je hem een hartaanval hebt bezorgd,' snauwde ze.

Ik vond het een vreselijk idee dat ik Lester verdriet had gedaan. En heel even vroeg ik me af waarom het geen moment bij me was opgekomen dat hij zich zorgen zou maken. Had ik echt zo'n bord voor mijn kop? Maar ik werd toch vooral in beslag genomen door een gevoel van triestheid. De gore straten van Berkeley waren de eerste plaats waar ik echt was opgeleefd en werd geaccepteerd. Ik gedij in chaos, dacht ik, ervan overtuigd dat ik dood zou gaan als ik nooit terug zou kunnen.

VIER

ISLIP, NEW YORK
HERFST 1962

Door de deur van mijn slaapkamer hoorde ik hem aankomen. Ik zat op mijn bed met de centerfold van het laatste nummer van *Playboy* opengeslagen onder me. Het geluid van mijn vaders schoenen op de vloer van de gang klonk als donderslagen. Uit eerdere ervaringen wist ik dat de storm ieder moment los kon barsten. Binnen enkele seconden zou hij de deur opengooien en naar binnen stormen. Aan wat er daarna zou gebeuren wilde ik niet denken. Ik was nog lang niet klaar. Ik probeerde me te concentreren, maar besefte al snel dat ik er met mijn gedachten niet bij was.

'Jerry!' schreeuwde mijn vader. 'Wat ben je daar in godsnaam aan het doen?' Het zou nog jaren duren voordat ik eindelijk het antwoord op die vraag zou kennen, nog voordat ik ook maar het flauwste benul had hoe ik met vrouwen moest omspringen, behalve dan met open mond naar hun naakte lijven gluren in seksblaadjes. Dat moest ik van Mary leren. Zij leerde me een van de belangrijkste dingen die een man ooit ingeprent kan krijgen: dat een vrouw veel en veel meer is dan de optelsom van haar delen. En dat de eerste stap met betrekking tot het met respect behandelen van een vrouw – of van wie dan ook – pas gezet kan worden als je hebt geleerd respect voor jezelf op te brengen.

Dat heeft Mary me bijgebracht zonder er een woord aan vuil te maken.

Maar op die avond dat mijn vader me die vraag toebrulde, duurde het even voordat ik begreep dat hij werkelijk een antwoord verwachtte. Zolang ik me kon herinneren was ik altijd in de war geraakt van retorische vragen. Waarom zou je naar de bekende weg vragen? Ik probeerde onhandig te verbergen waarmee ik bezig was, maar ik wist dat het geen enkele zin had. Een paar tellen later vloog de deur open en stond mijn vader ineens midden in mijn slaapkamer. Hij had zijn tanden op elkaar geklemd en zijn mond stond strak, terwijl hij me een boze blik toewierp. Ik dwong mezelf om hem in de ogen te kijken, maar dat hield ik maar heel even vol. Daarna draaide ik me om. Wat ik in zijn ogen las, verwarde me. Een vreemde mengeling van woede, ergernis en verdriet.

'Waarom doe je dat toch?' wilde hij weten. 'Wil je soms iemand zwanger maken?'

Ik wist niet wat ik daarop moest zeggen, dus hield ik mijn mond en zat met een halfhartige blik naar de naakte vrouw op mijn bed te staren. Ik schaamde me. Ik wilde hem vertellen hoeveel pijn het deed om door iedereen gepest te worden met mijn anatomie als ik onder de douche stond of in het herentoilet op het circuit. In het jaar dat achter me lag, had ik mezelf wijsgemaakt dat er in biologisch opzicht iets mis met me was, een of ander fysiek gebrek waardoor ik nooit de kans zou krijgen om een vrouw te versieren. Ik wilde hem vertellen dat mijn gestoei met de *Playboy* alleen maar een manier was om mezelf te bewijzen dat er niets aan de hand was en dat alles prima werkte. Maar daar durfde ik niet over te beginnen, want dat zou hem alleen maar nog bozer maken. Hij balde zijn rechtervuist en ontspande vervolgens zijn vingers. Ik wist wat er komen ging. Hij sprong op me af, haalde uit met zijn rechterarm en gaf me een klap in mijn gezicht. Niet hard, maar het kwam wel aan.

'Dat hoor je niet te doen, Jerry!' riep hij uit. 'Ik wil niet dat je dat nog eens doet.'

Hij sloeg de deur zo hard achter zich dicht dat het hele huis stond te schudden. Ik bleef ineengedoken zitten, zonder opkijken.

Ik was het liefst in tranen uitgebarsten. Dat kwam ervan als ik met mijn joystick zat te stoeien. Straks zou ik de centerfold inklappen, het tijdschrift dichtvouwen en het vervolgens onder mijn matras stoppen met de plechtige belofte dat ik dit nooit weer zou doen. Maar ik wist heel goed dat ik het waarschijnlijk morgen na het eten alweer tevoorschijn zou halen.

Masturbatie was het enige wat ik had en nu voelde ik me daar ook nog schuldig over. Mijn vrienden hadden allemaal vriendinnetjes. Zij liepen gewoon naar een meisje toe dat ze leuk vonden en begonnen dan over van alles en nog wat met haar te kletsen. Maar ik niet. Ik was zo ontzettend verlegen en onhandig in de omgang met de andere sekse, dat mijn klasgenootjes me te pas en te onpas vertelden dat ik maar beter weg kon blijven. 'Feestjes-zonder-Newport' noemde ik dat soort gelegenheden. Ik maakte de anderen zenuwachtig door de manier waarop ik in de buurt van de drankjes rond bleef hangen en wanhopig probeerde met iedereen die binnen gehoorsafstand kwam een gesprek aan te knopen.

Ik werd verliefd op een paar meisjes die bij mij in de klas zaten, maar daar kwam nooit iets van. Ze gaven allemaal de voorkeur aan een ander. Ik kon zelfs nooit de moed opbrengen om ook maar een van hen te vertellen wat ik voor hen voelde. Mijn behoefte aan een vriendinnetje deed me denken aan toen ik zes was en de hele buurt doordraafde om een vlinder te vangen. Het grappige was dat ik absoluut niet wist wat ik ermee moest doen toen ik er eindelijk een in mijn holle handen te pakken had. Wat het allemaal nog erger maakte, was dat mijn middelste broer, Jim, al sinds hij in groep zeven zat verkering had gehad. Toen ik de wiskundewedstrijd van het schooldistrict won, verzon ik een verhaaltje waarin ik met mijn beker naar Judy ging, het eerste meisje op wie ik verliefd werd. Haar reactie? Ze smeet het ding het raam uit en zei dat ze alleen maar bekers wilde die je met honkbal kon winnen, zoals de beker die haar vriendje, Don, ieder jaar kreeg omdat hij een van de beste werpers van de school was.

Alles wat met sociaal gedrag te maken had, bleef in nevelen gehuld. Ik was zo onzeker, zo gedesoriënteerd, met betrekking tot de stappen die ik moest nemen, dat ik alleen maar kon struikelen. Ik had een soort kompas nodig, een gids. Ik bleef mezelf ook maar steeds afvragen hoe de anderen konden weten wat ze moesten doen. Hadden ze dat in een of ander boek gelezen? Ik moest met iemand praten, iemand die me dat kon vertellen of die me in ieder geval een paar zinnige tips kon geven over hoe het verder moest.

Maar het viel me ontzettend zwaar om het heft uit handen te geven en aan iemand te bekennen dat er dingen waren waarop ik het antwoord niet wist. Ik heb er een leven lang over gedaan om die karaktertrek de baas te worden, hoewel ik inmiddels het idee heb dat ik eindelijk heb toegegeven dat er heel wat dingen zijn waar ik niets van weet zonder me daar druk over te maken. Ik raak niet langer in paniek als ik bedenk dat er feiten en vergelijkingen in dit universum rondzweven die mij boven de pet gaan. Maar destijds op school zat ik nooit om een antwoord verlegen. Overigens trapte niemand daarin. En de hemel weet dat mijn ouders niets met mijn problemen te maken wilden hebben. In hun ogen was wat ik 's avonds na het eten in mijn slaapkamer deed ontaard en fout en het zou er uiteindelijk alleen maar toe leiden dat ik een seksmaniak werd, die een of ander meisje zwanger maakte en dan met haar zou moeten trouwen. Maar dat kon me niets schelen. Masturbatie was mijn enige uitlaatklep geworden. De fantasierelaties die ik gedurende luttele momenten had met de dames uit de *Playboy* leken haast echt. Dan trok de nevel waarin ik rondtastte plotseling op en had ik ineens iemand gevonden die diep in mijn verwarde hart kon kijken en precies begreep wat er in me omging. Zij had meer begrip voor me dan ik zelf kon opbrengen.

Terwijl ik net deed alsof ik de Playmate op de glanzende foto neukte, wilde ik eigenlijk veel liever met haar praten. Ik verlangde naar iemand bij wie ik mijn hart kon uitstorten, iemand die zou willen luisteren naar alles wat er vanbinnen bij me leefde en me dat niet zou aanrekenen. Overigens wil dat niet zeggen dat ik niet in staat was om een gesprek te voeren met een lid van de andere sekse. Toen ik als teammanager optrad van het basketbalteam van de Islip High School heb ik er heel wat afgekwekt met een paar van de mooiste, populairste meiden van de school. Maar ondanks de woordenstroom waaronder we elkaar bedolven, praatten we alleen maar over koetjes en kalfjes. De mooiste van allemaal was Marianne, een lief jong kind waar de halve middelbare school en een groot deel van de studenten achteraan liep. Tijdens uitwedstrijden zat ik vaak naast Marianne en een heel stel andere cheerleaders in de bus en dan zaten we te praten over wie met wie 's avonds naar het feestje achteraf zou gaan. Dat waren zo'n beetje de populairste meisjes van school, die stuk voor stuk in een totaal andere sociale dimensie verkeerden dan ik, een wereld die zoveel lichtjaren van de mijne verwijderd was dat ik niet eens de moeite nam om ervan te dromen. Maar naarmate ik ze beter leerde kennen en hoe vaker ik in die bus zat te luisteren naar de dingen waar ze bang voor waren en waar ze op hoopten, werd me ook steeds duidelijker waarom ik in hun gezelschap nooit last had van verlegenheid.

Ze waren net zulke buitenbeentjes als ik. Alleen hadden zij dat te danken aan hun prachtige lijven, hun lange slanke benen, hun keurig verzorgde gezichtjes met neusjes die precies op het juiste punt opwipten en hun volmaakt gevormde ogen. Ik was alleen maar een buitenbeentje omdat ik een wiskundegek was, een menselijke computer die de hebbelijke gewoonte had om op de meest ongelegen momenten in zijn neus te peuteren en de oogst in zijn mond te stoppen en door te slikken. Toch hadden we elk op onze eigen manier het gevoel dat we exemplaren uit een rariteitenkabinet waren, gekooide zonderlingen. De leerlingen op school gaapten hen aan omdat alles aan hen klopte. Ze gaapten mij aan omdat er van mij niets klopte. Hoe dan ook, de moed zonk je echt in de schoenen als je het schoolterrein op liep en wist dat je alleen maar ter vermaak van de andere leerlingen diende. In het gezelschap van Marianne en haar vriendinnen had ik meer het gevoel dat ik geaccepteerd werd dan bij de doorsnee leerlingen van onze school.

En ik wilde niets liever dan geaccepteerd worden. Ik hunkerde er echt naar om bij de toffe jongens te horen. Ik zou mijn gave voor getallen maar wat graag hebben ingeruild voor het vermogen om net zo te lopen, te praten en te denken als andere mensen, voor het onschatbare vermogen om te babbelen. Het enige wat ik tot dusver had overgehouden aan mijn griezelige geneigdheid om met getallen te stoeien was een handvol bekers en medailles van diverse wiskundewedstrijden die door een plaatselijke verzekeringsmaatschappij waren georganiseerd en een plaats bij de speciale wiskundeploeg van de school. En zelfs daar zat ik constant op de reservebank omdat de lerares die als coach fungeerde alleen aandacht had voor haar cijferwonders uit de hogere klassen, terwijl ik ze keer op keer in het stof liet bijten bij het oplossen van wiskundeproblemen. Het kwam nooit bij me op dat onze coach alleen maar probeerde om de ouderejaars beter te maken, zodat ze zouden slagen voor hun toelatingsexamen en naar college konden gaan.

Ik was vijftien jaar toen het eindelijk tot me doordrong dat ik erkenning zocht bij de verkeerde mensen. Ik was een avondje alleen omdat mijn ouders naar de bioscoop waren. Dus nodigde ik een stel van mijn zogenaamde vrienden uit om me gezelschap te houden. Het merendeel van die knullen hadden vriendinnetjes die naar een pyjamafeestje waren, dus ging ik ervan uit dat ze toch niets beters te doen hadden. Ze waren nog maar een paar minuten binnen toen ze al overal in huis de boel op stelten begonnen te zetten. Ze gooiden de schoenen van mijn vader in mijn aquarium en zetten alle wekkers op drie uur 's nachts. Eén knul deponeerde zelfs een drol in de bovenste la van mijn moeders ladekast. En toen ze de pijl-en-boog van mijn broer in de garage vonden, doopten ze de pijlen in benzine, staken ze aan en schoten ze vervolgens in de donkere lucht omhoog. Het duurde niet lang voordat ze brullend van het lachen weer in de nacht verdwenen om ergens damesondergoed te gaan jatten. Ik liep onze leeggeroofde keuken in. Mijn vader had een briefje op de koelkast achtergelaten: je mag eten wat je wilt, maar blijf van de kersentaart af. Op een tafel verderop stond het lege bakblik waarvan de inhoud een paar minuten geleden verzwolgen was.

Mijn hoofd liep om terwijl ik naast het met rood besmeurde metalen karkas ging zitten. Waarom wil je zo verschrikkelijk graag bevriend zijn met die knullen? Waarom vind je het zo belangrijk om bij die uitslovers te horen? Ben je echt bereid om je zo te laten misbruiken? Ik ging aan het werk om de troep op te ruimen en viel doodmoe in bed.

Niet lang daarna nam ik het weloverwogen besluit om niet langer achter een stel knullen aan te lopen die me nooit hadden gemogen en die me alleen maar in hun omgeving duldden. In plaats daarvan vond ik een paar echte vrienden, net zulke laatbloeiers als ik, een zootje asociale klunzen die ik had leren kennen bij de wiskundeclub, de schoolband en de padvinderij. We reden rond door de straten van Islip, gooiden met eieren, keilden vuilnisbakken om en toerden rond over de parkeerplaatsen van de bowlinghal en de plaatselijke McDonald's op zoek naar een kans om kattenkwaad uit te halen. We vonden het ook prachtig om onze populairdere klasgenoten te pesten, de sportievelingen en de hippe gozers die al vriendinnetjes hadden. Iedere keer als we een auto geparkeerd zagen staan op een stil plekje deden we onze lichten uit en reden heel zachtjes naar het verliefde stelletje toe. Het was nooit iets persoonlijks. Eigenlijk vonden we de meeste mensen die we pestten juist heel aardig. Toch leek het de natuurlijkste zaak van de wereld om ze lastig te vallen. Het was gewoon zo bepaald: zij vrijden met elkaar en wij stoorden hen daarbij. Trouwens, de blik op hun gezicht als wij onze koplampen aandeden, toeterden en ze met eieren bekogelden, maakte alles wat we de komende maandag op school te verduren zouden krijgen de moeite waard. En aan het eind van de week was alles meestal weer bijgelegd.

Ondanks het feit dat ik niets meer te maken wilde hebben met de popi-jopies was ik het best en het langst bevriend met Johnny Aichroth, een begenadigd sportman, een uitstekend muzikant, een briljante leerling en gewoon een toffe gozer. Niet lang na de vrijdag waarop ons huis onderhanden was genomen raakte Johnny bewusteloos tijdens een worsteltraining. De volgende paar maanden werd hij van het ene ziekenhuis naar het andere gesleept. Omdat hij zo geliefd was, kwam iedereen bij hem op bezoek en daar werden de verpleegsters knettergek van. Ze probeerden ons altijd weer de kamer uit te werken, tot we op het idee kwamen om net te doen alsof we bij andere patiënten op bezoek waren. Maar ik kon voor geen meter toneelspelen, en om ervoor te zorgen dat ik de boel niet verraadde, moest ik altijd naast Johnny's bed zitten. Hij zag er mager en bleek uit. De artsen stonden voor een raadsel.

'Als je weer naar huis mag, zal ik je komende zomer net zo vaak als je wilt meenemen om te gaan waterskiën,' stamelde ik. Johnny leek voor mijn ogen weg te teren en niemand kon er iets aan doen.

'Fijn hoor, Jerry,' zei hij met een lachje. Het stomme witte hemd dat ze hem hadden aangetrokken stond hem helemaal niet. 'Zorg jij nou maar dat je op jezelf past... oké?'

Toen Johnny in 1964 op Valentijnsdag overleed (dat was op een vrijdag), ging het nieuws als een lopend vuurtje door de stad. In de ochtend was mijn vader op school in de gang naar me toe gekomen, maar hij hoefde niets te zeggen. Zijn tranen spraken boekdelen. Ik liep verdoofd naar het lokaal waar we staatsinrichting kregen en gaf het nieuws fluisterend door aan Ted Hermann die achter me zat. Een paar minuten later onderbrak meneer Handler de les om zijn huilende klas te vragen wat er aan de hand was. Die avond droeg het basketbalteam van de middelbare school de wedstrijd op aan Johnny en won verrassenderwijs van een concurrent die ons altijd had vermorzeld. Oud-leerlingen die Johnny hadden gekend kwamen van college terug om zijn begrafenis bij te wonen.

Voor mij was het een enorm verlies. Maar ik wist eigenlijk niet wat ik aan moest met al die vreemde emoties die vanbinnen kolkten. Binnen één kalenderjaar waren de drie Johns in mijn leven verdwenen: Johnny, president John F. Kennedy, die in november van het jaar daarvoor in Dallas was doodgeschoten en mijn broer John, die weliswaar niet dood was, maar gewoon volwassen en het huis uitgegaan nadat hij met succes zijn collegeopleiding had voltooid. Ik kon er niet bij dat Johnny dood was. Toen president Kennedy werd vermoord, woonde ik de herdenkingsdienst in onze kerk bij en huilde tranen met tuiten. Maar toen een van mijn beste vrienden overleed, kon er geen traantje af.

Bij zijn begrafenis stond ik ergens achteraf, ver weg van de andere rouwenden, nieuwsgierig toe te kijken hoe iedereen door verdriet overmand werd, maar ik begreep er niets van omdat ik die informatie gewoon niet kon verwerken. Toch besefte ik tegelijkertijd wel dat het mij ook zou moeten overkomen en dat verontrustte me, ook al wist ik niet waarom. De leerlingen stonden allemaal huilend om Johnny's graf, hand in hand en leunend op elkaars schouders. Maar ik weigerde om mijn verdriet met iemand te delen. Het leek de ultieme vorm van rebellie. Als Johnny's beste vriend werd van mij verwacht dat ik de gemeenschap mijn verdriet openlijk zou tonen. Maar aangezien ik nooit het gevoel had gehad dat ik deel uitmaakte van die gemeenschap maakte ik mezelf wijs dat ik niet mee wenste te doen aan hun rituele smart. Alsof ik daar ook maar iets over te zeggen had. En toen ze Johnny's lichaam in de koude grond lieten zakken, had ik me nog nooit zo afgezonderd gevoeld van de mensen om me heen, zo geïsoleerd alsof ik omringd was door een ondoordringbare betonnen muur. Ik begreep dat het verdriet waardoor ik overmand werd precies hetzelfde was wat de anderen voelden. Het enige verschil was dat ik het in mijn eentje moest verwerken. Ik voelde het vanbinnen schrijnen, maar het wilde er niet uitkomen. Het was van mij alleen.

Tegen de tijd dat mijn laatste schooljaar aanbrak, was ik eigenlijk al van school af. De zomer daarvoor was ik zeven weken op kamp geweest, waarbij wetenschap en technologie gekoppeld werden aan de menslievendheid van het Clarkson Institute, dat op vierhonderdvijftig zalige kilometers ten noorden van Islip lag. Het was een idee van mijn vader geweest. Jaren geleden was hij geobsedeerd geraakt door het verhaal van een jong wiskundig genie dat al op Harvard afstudeerde toen hij nog een tiener was. Hij was een hopeloze sociale paria die niet één vriend had en helemaal gefixeerd was op de ondergrondse en de wetenschap dat het mogelijk was om met één kaartje de hele New-Yorkse ondergrondse af te reizen. Hij was nog maar begin twintig toen een paar vreemden hem enkele minuten voor zijn dood in een wagon van de ondergrondse aantroffen. Zijn laatste woorden waren: 'Die verdomde vader van me!' Vanaf het moment dat hij dat verhaal hoorde, wilde mijn vader nog maar één ding: dat mij niet hetzelfde lot zou treffen.

'Het is niet genoeg om alleen maar intelligent te zijn,' zei hij altijd tegen me. 'Je moet ook kunnen communiceren. Je moet kunnen schrijven.'

Die zeven weken van huis maakten me zo optimistisch over wat me op college te wachten stond, dat ik niet meer terug wilde naar de middelbare school. Het was ook de eerste keer dat ik zoveel jongeren ontmoette die in academisch opzicht beter waren dan ik. Het was alsof ik in een roes verkeerde. Een paar van hen zouden later tot de beste studenten van hun jaar behoren. In plaats van in een klas te zitten wachten tot de andere kinderen een beetje bij me in de buurt kwamen, moest ik nu op mijn tenen lopen en mijn verstand stond in vuur in vlam. In plaats van de vlammen te doven goten de andere kinderen olie op het vuur en bleven maar met aangestoken lucifers smijten.

Ik kon het bijna niet verdragen dat ik weer terug moest naar de Islip High School en telde de dagen tot mijn eindexamen. Het enige leuke dat tijdens mijn laatste jaar gebeurde, was dat ik eindelijk de moed kon opbrengen om een meisje mee uit te vragen. Maar dat werd geen blij keerpunt in mijn leven, integendeel, het was opnieuw een triest voorbeeld van een verkeerde keus. Scarlett was een eerstejaars met een snoezig gezichtje, gevoel voor humor, stevige borsten en een reputatie van het soort waarover ik jarenlang gedroomd had. Ik nam haar mee naar een tuinfeest. Op weg ernaartoe sloegen we een paar biertjes achterover die iemand anders voor me gekocht had. Na aankomst ging ik op zoek naar het toilet en bij mijn terugkomst zag ik een heel stel knullen voor Scarlett staan. Ze wachtten allemaal op hun beurt om met haar te mogen vrijen. Ik kon mijn ogen niet geloven. Terwijl de een na de ander haar onhandig kuste en bevingerde, bleef ik naar het eigenaardige tafereel staren tot ik na een paar minuten maar besloot ook in de rij te gaan staan om te zien of ik ook mee mocht doen. Per slot van rekening had ik haar meegenomen naar het feestje.

Bij ons volgende afspraakje verdween Scarlett al snel nadat we op het feestje waren aangekomen. Ik vond haar uiteindelijk in de bosjes met een knul uit het basketbalteam. Nou ja, dit keer was het tenminste geen groepsgebeuren, dacht ik. Later op de avond vroegen zij en haar nieuwe vriend of ik hen naar huis wilde brengen. Zij zaten op de achterbank terwijl ik door de straten van Islip reed. Ik huilde, maar ik geloof niet dat een van beiden dat gemerkt heeft. Ik kon niet wachten tot ik naar college kon.

Behalve bij een handjevol staatsscholen meldde ik me ook aan bij Harvard en Princeton. Mijn vader zei dat hij de auto die ik het liefst zou willen hebben voor me zou kopen als het me lukte om geselecteerd te worden, maar uiteindelijk bleek dat ik niet geschikt was voor een van die beroemde universiteiten. Al bij het eerste gesprek werd geconcludeerd dat ik misschien wel intelligent genoeg was, maar beslist niet over de juiste sociale vaardigheden beschikte.

Volgens mij waren mijn vader en ik alleen maar opgelucht. Hij kon zich die auto in geen geval permitteren. En ik werd al gek van het idee dat ik in mijn nieuwe Corvette naar Harvard zou moeten rijden, waar ik dan zou uitstappen in mijn zielige goedkope kleren. Toen ik de brief kreeg met de mededeling dat ik geaccepteerd was door de universiteit van Michigan had ik al bij mezelf besloten dat ik daar wilde studeren. Het had me een boeiende plek geleken vanaf het moment dat ik op de lagere school zat en van mijn moeder een twaalfdelige serie wiskundeboeken kreeg. Twee van die werken, met onderwerpen als geometrische ongelijkheden en visuele wiskunde, waren geschreven door professoren van Michigan. In mijn verbeelding had ik al bij hen college gelopen en ik wist mezelf er rap van te overtuigen dat die universiteit het soort wiskundeprogramma had dat het best bij mij zou passen. Maar het alleraantrekkelijkste was de afstand tussen Ann Arbour, Michigan en Islip – meer dan duizend kilometer. Dat leek niet alleen ver genoeg om te voorkomen dat mijn ouders ieder weekend bij me op bezoek zouden komen, maar het zou ook een reden zijn voor mijn klasgenoten om zich daar niet aan te melden. Dat vond ik heel belangrijk. Ik wilde namelijk niets liever dan ergens helemaal opnieuw beginnen. Ik maakte mezelf wijs dat dat de enige manier was waarop ik nieuwe vrienden zou kunnen vinden, échte vrienden. En ik droomde van de dag dat ik terug zou keren in Islip met mijn nieuwe vriendinnetje aan de arm, zodat iedereen in de stad zich zou schamen dat ze niet aardiger voor me waren geweest.

Het leek een eeuwigheid te duren voordat de dag van de diploma-uitreiking aanbrak. Aangezien ik de op een na beste eindlijst had van mijn jaar viel mij de eer te beurt om de afscheidsrede te mogen houden, waarin ik als een wilde tekeerging over het kwaad van nepotisme en de schaapachtige neigingen van onze cultuur om slaafs de laatste mode in kapsels en kleding te volgen. In plaats van mijn normale suffe toon, leek mijn stem geanimeerd, zinderend en melodieus te klinken. Helaas kwam mijn hartstochtelijke betoog niet precies zo over als de bedoeling was. De toehoorders, die op elkaar gepakt in de bloedhete sportzaal van onze school zaten, sloegen me alleen zenuwachtig gade. Toen ik klaar was, applaudisseerde niemand. Maar dat kon me geen reet schelen. De middelbare school, Islip en thuiswonen hingen me zo mijlenver de keel uit, dat ik alleen nog maar weg wilde.

'Verdomd goeie toespraak, Newport,' zei mijn maat Steve na afloop tegen me. 'Ik wist niet dat je zo kwaad was op alles en iedereen.'

'Ja, zo klonk het wel een beetje, hè?' mompelde ik.

'Vergeet het maar,' zei hij. 'Kom op, dan gaan we een paar pilsjes pakken voordat we naar het eindbal gaan.'

'Ik ga niet,' deelde ik mee.

'Hè?' zei hij verwonderd. 'Maar daar gaat iedereen naartoe.'

Ik nam niet eens de moeite om antwoord te geven. Ik liep gewoon naar buiten, de vochtige avondlucht in, en ging naar huis. Ik verlangde er alleen nog maar naar om de deur van mijn slaapkamer achter me op slot te doen, op mijn bed neer te vallen en me lekker te ontspannen in het troostende flikkerlicht van mijn tv. Als ik geluk had, kon ik misschien nog net een herhaling zien van mijn favoriete programma, *The Untouchables*. De ironie daarvan ontging me volkomen.

Ergens tussen Mingus en Ranger, Texas
Maart 1970

Op de achterbank van de huurauto keek ik naar de houten palen van de krakkemikkige afzetting die als rijen tanden, bruin van de nicotineaanslag, voorbijflitsten. Mijn ouders zeiden geen woord, hun lippen weken alleen van elkaar als ze door hun mond ademden. Zo tuften we als drie doofstommen door het armetierige heuvelachtige landschap van West-Texas, op weg naar mijn nieuwe onderkomen bij de Kinderen van God die gevestigd waren in een somber spookstadje. Dat ik daar terecht zou komen, was onvermijdelijk. Nadat ik terug was van mijn odyssee naar Berkeley met Kerrie hadden ze me naar Tucson gestuurd, waar ik bij mijn zusje Carolyn en haar man Keith woonde. Daar was ik gewoon doorgegaan met het slikken van lsd, het roken van hasj en het neuken van Jan en alleman.

Jerry heeft in de jaren zestig net zo goed drugs gebruikt, maar hij raakte daardoor geestelijk lang niet zo in de war als bij mij het geval was. Zijn brein is meestal veel vaster verankerd in dat firmament dat ons aan het hier en nu bindt. Dat heb ik altijd in Jerry bewonderd en ik heb altijd gewenst dat hij mij ook dat fantastische vermogen bij zou kunnen brengen om je op het heden te concentreren. Dat zou me in mijn leven absoluut goed van pas zijn gekomen. Ik vrees echter dat het iets is dat je een ander niet kunt leren, ook al geef je nog zoveel om ze.

Maar genoeg gefantaseerd. Op die vochtige ochtend was ik nog net geen vijftien jaar en een paria. Marjorie en dr. Meinel hadden eindelijk besloten zich van mij te ontdoen. Ik vroeg me af hoe ik me voelde. Ik had absoluut het idee dat ik iets van emotie zou moeten bespeuren. Ik prentte mezelf in dat ik blij mocht zijn dat ik niet naar een of andere psychiatrische inrichting werd gestuurd. Ik had horen zeggen dat mijn ouders dat overwogen. Maar ik voelde me helemaal niet blij. Ik voelde gewoon níéts. Iedere keer als ik dacht aan wat er met me ging gebeuren, had ik het gevoel dat ik midden in een soort vreemde droom zat die zich in het hoofd van iemand anders afspeelde. Zou dat het gevolg zijn van al die lsd-trips die ik had genomen? Er was in ieder geval iets mis met mijn hersenen. Hadden mijn hallucinatoire uitstapjes naar de andere kant van het universum mijn zenuwstelsel verpulverd, waardoor ik niet langer in staat was om bewegende beelden op te nemen? Alles leek in stukken en brokken op me af te komen, als een soort verwarrende surrealistische tekenfilm. Wat ik nog erger vond, was dat ik alleen nog incidentele opwellingen voelde van iets dat op gedachten of emoties leek. Ik was een wandelende zombie geworden.

'Daar is het, Aden,' hoorde ik mijn moeder zeggen terwijl ze naar een groep vervallen gebouwen in de verte wees. 'Daarginds... kijk.'

Even later verruilden we de snelweg voor de bouwvallige restanten van wat ooit een bloeiende oliestad was geweest, maar nu meer gelijkenis vertoonde met een platgebombardeerd concentratiekamp. Er zat geen druppeltje olie meer in de grond. Modder was het enige wat was overgebleven. Ik begon te lachen. Dit ging gewoon te ver. Een man met een walkietalkie en een belachelijke grijns ploeterde door het sombere bruine moeras naar onze auto toe. Mijn moeder vertelde hem kortaf wie we waren. Hij knikte, fluisterde een paar woorden in zijn walkietalkie en gebaarde toen dat we uit moesten stappen. Hij stelde zich voor met zijn 'bijbelse' naam, David Zebulon, en deelde mee dat de Kinderen van God op onze komst hadden gewacht. De volgende drie kwartier leidde hij ons rond door de dikke bruine klei, van het ene vervallen gebouw naar het andere.

'Hier kom jij te wonen,' zei David Zebulon, terwijl hij naar een gebouwtje van ruw uitgehakte stenen wees, die met behulp van cement enigszins krakkemikkig op elkaar waren gezet. Er stond een eindeloos lange rij eenpersoons bedden in.

Mijn zus Barbara, die inmiddels Naomi heette, werkte in het kinderverblijf. Ze begroette ons met dezelfde verzaligde grijns als onze gids, die elke stap die we verzetten in zijn walkietalkie fluisterde. Mijn ouders namen alles in zich op, hoewel ik aan hun strakke monden en de blik vol ergernis op hun gezicht kon zien dat ze dat liever niet hadden gedaan. Eigenlijk wilden ze alleen maar weg en dat kon ik ze niet eens kwalijk nemen.

Toen ze uiteindelijk weer in hun huurauto stapten, stond ik hen na te kijken. Vlak voordat ze de weg opreden, draaide mijn moeder het raampje omlaag en stak haar hoofd naar buiten. 'Gedraag je,' was het enige wat ze zei. Voordat ik wist wat ik deed, had ik me al omgedraaid en ploeterde terug door de modder tot ik op het topje stond van een heuvel boven het kamp. Ik ging op het natte gras zitten, sloeg mijn armen om mijn knieën en trok ze stijf tegen mijn borst. Mijn ouders waren weg. Ze waren er eindelijk in geslaagd om zich van mij te ontdoen. In mijn borst welde iets op dat leek op een gevoel van... *afwijzing*. Maar toen fluisterde een inwendig stemmetje dat ik me net zo goed van hen had ontdaan. Daardoor voelde ik me een stuk beter.

In de loop van de volgende dagen begon ik me af te vragen waarom ik had besloten om hiernaartoe te gaan. Ik kende de Kinderen van God al een paar jaar, nog uit de tijd dat ik af en toe gitaar speelde met een paar van hun leden in een park in de buurt van ons huis, waar ze van die hippieachtige liedjes over Jezus zongen. Barbara had besloten om lid te worden en toen ik op weg was om een aan drugs verslaafde jeugdige delinquent te worden, had ze haar medeleden zover gekregen dat ze me brieven begonnen te schrijven waarin ze vertelden dat ze zoveel van me hielden en me wilden helpen. Inmiddels begon ook het gerucht de ronde te doen dat mijn ouders van plan waren me voor onbepaalde tijd op te laten nemen in een psychiatrische inrichting, hoewel ze dat eigenlijk helemaal niet wilden. Toen ten slotte duidelijk werd dat geen enkele kostschool iets te maken wilde hebben met zo'n probleemgeval als ik, begon ik serieus over het aanbod van de groep na te denken.

Maar de werkelijkheid was heel anders dan wat ik me herinnerde. De wazige, alles-moet-kunnen hippiementaliteit had plaatsgemaakt voor overdreven paranoia. Jezus hield nog steeds van ons, maar de rest van de wereld wilde ons kennelijk vervolgen. Ik kreeg te horen dat het verlaten van het kamp ongeveer gelijkstond met het plegen van zelfmoord. Als we ook maar een voet op de weg zetten die langs ons terrein liep, zouden de schietgrage rednecks die in de buurt woonden ons met jachtgeweren naar de andere wereld helpen. Binnen de kortste keren was ik doodsbang voor de buitenwereld. Onze leider was een charismatische, vaak humeurige man met een voorliefde voor zonnebrillen. Hij heette David Berg. Maar op een gegeven moment had hij besloten om zich Mozes te laten noemen, omdat hij ervan overtuigd was dat hij met een paar uitverkorenen op de vlucht was uit een corrupte, moderne versie van Egypte. Hij vond het heerlijk om ons vol te proppen met verhalen: de antichrist was onder ons, het eind van de wereld was in zicht, duistere machten zouden het heft in handen nemen, christenen over de hele wereld zouden gevangen genomen en gemarteld worden. Ongelooflijke, afschuwelijke dingen stonden onze kleine groep van gelovigen te wachten. De dood was onvermijdelijk.

Als ik wakker was, besteedde ik het merendeel van mijn tijd aan bidden en het verwerven van bijbelkennis aan de hand van de boeken Daniël en Openbaringen, terwijl ik mezelf ondertussen voorbereidde op het martelaarschap. In plaats dat ik geaccepteerd werd, leek bijna iedereen me te haten of zich op zijn minst ontzettend te ergeren aan mijn aanwezigheid. Ik probeerde hun boosheid te negeren en verzamelde al hun negativisme in een grote zwarte wolk die ik vervolgens van me af probeerde te zetten. Het had geen zin om daarover na te gaan denken. Ik zou hier nog veel te lang moeten zitten. Na een maand tekenden mijn ouders de papieren waarmee ze hun ouderlijke macht overdroegen aan de sekte. Destijds was een van de belangrijkste taken die ik had het doorzoeken van de kratten met rottende groente die andere leden uit afvalcontainers in de steden om ons heen hadden gevist. Je werd kotsmisselijk van de pogingen om tussen al dat glibberige, slijmerige spul iets eetbaars te vinden. Wat ooit spinazie, tomaten, sla en kool was geweest was veranderd in een vies ruikende smurrie. Ik heb urenlang maden uit aardappels zitten plukken waar ik vervolgens de ranzige verrotte stukken uit wegsneed alsof het tumoren waren. Vervolgens mikten we onze smurrie in de kokende vaten vol kippenvoer dat in zakken van vijfentwintig kilo werd gekocht bij een handel in diervoeders in de buurt. Dat was ons normale ontbijt.

'Wat is dit... walgelijk,' fluisterden de andere meisjes, die kennelijk onpasselijk werden bij de aanblik van de rottende groente. Hun kieskeurige reactie ontlokte mij altijd een vals lachje.

'Hebben jullie wel eens een ratelslang gedood en opgegeten?' vroeg ik dan. 'Dit is helemaal niet erg... Je zou die slijmtroep zelfs op kunnen eten zonder er ziek van te worden. Als er tenminste geen bacteriën in zitten.'

Op een ochtend, net toen ik op het punt stond om in een verschrikkelijk stinkende doos te duiken die gevuld was met iets dat vaag op bloemkool leek, kreeg ik te horen dat onze leider net een boodschap van God had ontvangen dat ik uitgehuwelijkt moest worden aan een ander lid van de Kinderen van God, wiens sektenaam Asaph van Abdullam luidde. Hij noemde zichzelf altijd 'Ace de Alleskunner'. Hij was negentien, ik zestien. Ik had hem nog maar één keer ontmoet, toen ik tijdens een maaltijd tegenover hem zat. Hij keek me zo walgend aan, dat het meteen duidelijk was dat hij niets van me moest hebben. Hij kon niet begrijpen waarom God hem wilde straffen door hem met mij te laten trouwen.

‘Wat heb ik gedaan om jou te verdienen?’ kreunde hij dan. ‘Wat heb ik in vredesnaam gedaan?’

Maar aangezien hij van plan was om zijn leven lang bij de sekte te blijven, volgde hij het bevel plichtsgetrouw op. Ik was dol op zijn dikke wenkbrauwen en zijn hoge jukbeenderen. Kort na ons huwelijk werd hij de officiële fotograaf van de sekte, gedeeltelijk om af en toe bij mij weg te kunnen. Hij weigerde altijd om een foto van mij te maken, onder het mom dat ik te lelijk was om op film vastgelegd te worden. Als we met elkaar naar bed gingen, kon ik wel janken. Dat waren de momenten dat het echt pijn deed om samen te zijn met iemand die me haatte. Maar ik wist dat het verraad tegenover God en onze leiders zou zijn als ik Asaph afwees.

Toen ik zijn kind in mijn buik voelde groeien, was het inmiddels duidelijk geworden dat Amerika ieder moment vernietigd kon worden. De antichrist maakte zich op om toe te slaan. Dus pakten de Kinderen van God hun bullen bij elkaar en verplaatsten hun werkterrein naar een haveloos pakhuis in Bromley, een voorstad van Londen.

Nadat ik de dochter van de sekteleider had beledigd, die zich kort daarvoor tijdens een overdadige plechtigheid tot Koningin van het Koninkrijk Gods had laten kronen (kennelijk beviel het haar niet dat iemand haar had gecorrigeerd met betrekking tot iets onbenulligs uit het Oude Testament), was ik in onze commune min of meer een paria geworden. Iedereen liet me links liggen en dat vond ik heerlijk. Ik was graag alleen en zat de meeste tijd in de bijbel te lezen in een poging mijn spirituele kracht verder te ontwikkelen. Ik geloofde nog steeds in God, maar ik had een ijzersterk vermoeden dat Hij of Zij niets gemeen had met de godheid tot wie mijn medesekteleden hun gebeden richtten. Met betrekking tot theologie accepteerde ik alles wat me geboden werd, al keek ik af en toe wel verlangend uit het raam naar de grazige weiden daarbuiten. In die tijd woonde ik in een uitgewoond huis en zorgde voor de kleinste leden van de commune in de kinderkamer op de bovenste verdieping. Ik kwam alleen buiten om vreemdelingen te bekeren en Jezus te slijten aan jan-met-de-pet. Maar er waren twee redenen waarom ik als verkoopster niet deugde. Ik had nog steeds moeite om te communiceren en bovendien was ik veel te geïnteresseerd in wat er zich afspeelde in de bovenkamers van mijn potentiële bekeerlingen. Dat betekende weer dat zij uiteindelijk het meest aan het woord waren. Het feit dat ik er maar niet in slaagde om nieuwe leden voor de sekte te werven, deed de woede tegen mij alleen maar hoger oplaaien.

Het regende bijna iedere dag. We geloofden niet in artsen of moderne medicijnen, dus had ik een chronische bronchitis en constant oorpijn. Ik kreeg te horen dat de pus die uit mijn oren drupte een zichtbare verwijzing was naar al die keren dat ik de wetten van God met voeten had getreden. Ik zat vaak in de kinderkamer door de met regendruppels bedekte ramen naar de daken te kijken en te genieten van het wazige, onscherpe uitzicht met de vage en onwerkelijke angst dat ik misschien een acid-flashback had. Ik zong en speelde gitaar voor de baby's en de kleuters, probeerde ze aan het lachen te maken of hun ogen te laten stralen en er in ieder geval voor te zorgen dat ze zich niet zo ellendig voelden als hun ouders. Iedere keer als ik de kans kreeg, zocht ik contact met de baby die in me groeide. Dan neuriede ik het liedje 'You Gotta Be a Baby to Get into Heaven' of vertelde het verhaal van de rattenvanger van Hameln aan het kind in mijn buik. Het kon me niet schelen of het een jongen of een meisje zou zijn. Ik wist alleen dat ik voor het eerst van mijn leven eindelijk iemand zo hebben die onvoorwaardelijk van me zou houden en me zou accepteren, precies zoals ik hem of haar onvoorwaardelijk zou accepteren.

Rond de tijd dat ik eindelijk een doosje wattenstaafjes te pakken kreeg en die in het geheim begon te gebruiken om mijn ontstoken oren schoon te maken, betrokken we ons nieuwste pand, een wijnstokerij in Basetto in Italië, even ten zuiden van Florence. Een katholieke hertog was een van onze nieuwste bekeerlingen geworden. Het feit dat hij katholiek was – en bleef – kon gemakkelijk door de vingers worden gezien met het oog op al het land dat hij bezat. Ik was net klaar met het verzorgen van een ontbijt voor dertig van mijn 'broeders en zusters' toen mijn water brak. Inmiddels was de Alleskunner tot over zijn oren verliefd geworden op Barbara en was er op de een of andere manier in geslaagd om de sekteleiders zover te krijgen dat ze hem naar Frankrijk stuurden, waar mijn zus samen met een paar andere leden woonde. Toen de vroedvrouw van onze groep, een zekere Keturah (vernoemd naar de concubine van Abraham) probeerde de opening van mijn baarmoeder met haar vingers te controleren, werd ze nijdig.

'God is je niet welgevallig,' siste ze. 'Je baarmoeder zit te hoog, ik kan er niet bij.'

Met tegenzin belde ze een vroedvrouw die in een dorp in de buurt woonde. Die wierp maar één blik op me terwijl ik op mijn bed lag te kronkelen en verkondigde in gebroken Engels dat ze niets voor me kon doen. Ik moest meteen naar het plaatselijke ziekenhuis.

'Daar komt niets van in,' antwoordde Keturah streng. 'Onze kinderen worden allemaal thuis geboren. We gaan nooit naar een ziekenhuis.'

De vrouw joeg Keturah weg alsof ze een lastige duif was, waardoor ik in de lach schoot. Een paar minuten later vlogen we al over de kronkelwegen van Poggibonsi in haar gedeukte Fiatje. Het ziekenhuis stond onder leiding van nonnen, die me haastig uit de auto plukten en me met een brancard naar de eerstehulp brachten. Uit de manier waarop ze naar me keken, zag ik dat ik er niet best aan toe was. En ik had van mijn leven nog niet zoveel pijn gehad. Ik probeerde rustiger te ademen, zoog de bedompte antiseptische lucht van het ziekenhuis door mijn neus naar binnen en declameerde een vers uit het Boek der Spreuken: 'In de vreze des Heeren is een sterk vertrouwen, en Hij zal Zijn kinderen een Toevlucht wezen'. Ik was niet bang voor de dood. Het kon niet erger zijn dan het leven. Als God wilde dat ik thuiskwam, was ik klaar om te vertrekken.

Een dokter onderzocht me snel en gaf opdracht om röntgenfoto's te laten maken. Het laatste wat ik me kan herinneren is dat ik heftig begon te hyperventileren, terwijl Keturah met de dokter in discussie ging en volhield dat het helemaal niet nodig was om foto's te maken. Diep in mijn hart wist ik dat het haar niets kon schelen of mijn baby levend of dood ter wereld kwam. Dat zou ze aan God overlaten. 'Ik wil haar mee terugnemen... mee terugnemen... mee terugnemen!' stond ze te krijsen.

Ik werd de volgende dag wakker in een kamer vol vrouwen uit het dorp, die om me heen in bed lagen. 'Dolore... dolore... dolore,' jammerden ze, smekend om verlichting van hun pijn. Ik bad dat God hen ter wille zou zijn. Toen ze zagen dat ik mijn ogen open had, begonnen ze te lachen en schudden hun hoofd. Ze konden gewoon niet geloven dat ik nog leefde. Mijn bronchitis was inmiddels een complete longontsteking geworden. Iedere keer als ik durfde te hoesten om de kriebel uit mijn longen te krijgen, voelde ik pijnscheuten in het enorme litteken dat dwars over mijn buik liep. Na een paar minuten verscheen een verpleegster met mijn pasgeboren zoontje in haar armen. Hij was het mooiste wat ik ooit onder ogen had gehad. Ik had het gevoel dat mijn hart ieder moment open kon barsten. Binnen een onderdeel van een seconde werd hij het enige dat voor mij telde. Mijn kostbare kleinood. Ik legde hem op mijn borst en keek toe hoe zijn ogen dichtvielen voordat hij in slaap viel met een glimp van een glimlach op zijn gezichtje. Ik wist dat het hem niets kon schelen dat iedereen een hekel aan me had en me maar een raar mens vond. Ik had eindelijk iemand die evenveel van mij hield als ik van hem. Het was een gevoel dat ik nooit eerder had gehad. Het maakte zelfs niet meer uit dat de verpleegsters me geen pijnstillers of medicijnen wilden geven. De emotie die uit mijn hart opbloeide, was balsem voor mijn wonden en een geneesmiddel voor mijn ziekte.

Ace kwam een paar dagen later langs in het ziekenhuis. Hij was kennelijk uit zijn humeur omdat hij vanuit Frankrijk hiernaartoe had moeten komen om me te bezoeken. 'God heeft je gestraft,' zei hij. 'Dat weet je toch wel? Je bent het eerste sektelid dat een baby in het ziekenhuis heeft gekregen... Weet je wel wat ze nu van mij zeggen?'

Ik knikte en had oprecht medelijden met hem. Hij had nooit met me willen trouwen en nu zat hij vanwege mij ook nog met al die moeilijkheden. Ik probeerde hem op te vrolijken door hem zijn zoon te overhandigen. Maar hij keek naar het kind alsof het een insect was. 'Hij zal Stefano heten,' verkondigde hij. Dat leek me een prima naam. Niet omdat ik Stefano leuk vond klinken, integendeel zelfs, maar omdat de naam me aan Stevie Weinstein deed denken, een jeugdvriend van me uit Tucson met wie ik altijd Bugs Bunny en de Three Stooges speelde. Vanaf die dag noemde ik mijn baby Steve.

Ik lag bijna twee weken in het ziekenhuis. Hoewel ik nooit een woord met mijn kamergenoten wisselde, drong het al snel tot hen door dat Steve geen kleren had. Die had Keturah gestolen en ze weigerde ze terug te geven. Op een dag stond er ineens een oude vrouw in mijn kamer met een tas vol beeldschone, met de hand gemaakte babykleertjes en een paar flessen mineraal water. Die cadeautjes waren het eerste blijk van vriendelijkheid dat ik in jaren had ondervonden.

Niet lang nadat ik met Steve terug was uit het ziekenhuis wist Ace de leiders van de sekte zover te krijgen dat hij van me mocht scheiden. Het feit dat ik niet in staat was om nieuwe leden voor de sekte te werven bewees dat ik een slecht mens was. Maar wat Ace betrof, was mijn grootste zonde het litteken van de keizersnede die ik maanden daarvoor had gehad. Mijn litteken was een teken van God, een zichtbare verwijzing naar mijn minderwaardigheid. Hij wilde de afstand tussen ons zo groot mogelijk maken en uiteindelijk kreeg ik te horen dat ik teruggestuurd zou worden naar Amerika. De rest van de groep zou binnenkort aan boord gaan van een straalvliegtuig om naar Libië in Noord-Afrika gevlogen te worden. De leider van dat land, een kolonel uit het leger die Muammar al-Kaddafi heette, was onder de bekoring van onze charismatische leider gekomen en had hem en zijn volgelingen uitgenodigd om daar te komen wonen. Ondanks het feit dat Amerika binnen niet al te lange tijd door de antichrist veroverd zou worden, leek het me toch fijner om naar huis te gaan dan naar Libië. De middag dat Ace mijn sjofele bezittingen in een rugzak stouwde en die op de achterbank van de gedeukte zwarte Fiat van de groep smeet, was ik er klaar voor. Ik sloeg een dekentje om Steve heen, sprong in de kleine auto en deed mijn ogen dicht. Twintig minuten later stopte Ace op de vluchtstrook langs de snelweg, boog zich voor me langs, deed het portier open en gooide mijn rugzak naar buiten.

'Oké,' zei hij. 'Dit is een prima plek.'

De plek waar we stonden, lag een paar kilometer buiten de stadsgrenzen van Turijn. 'Maar ik heb geen geld, Ace. En ook geen luiers en eten.'

Voor het eerst van zijn leven glimlachte hij naar me. Zijn snorretje trilde ervan. 'Vertrouw maar op je geloof,' raadde hij me aan. 'Laat je daardoor leiden. Meer heb je niet nodig.'

Hij had gemakkelijk praten, dacht ik. Hij hoefde niet voor een kind van negen maanden te zorgen. Ik stapte uit de auto met Steve in mijn armen en schopte voorzichtig mijn rugzak van de weg in de berm. Het verkeer raasde langs me heen. Opnieuw legde ik me emotieloos bij de toestand neer. Het was tijd om mijn leven weer op te pakken. Per slot van rekening wilde ik niets liever dan God vinden, maar het stond als een paal boven water dat me dat niet zou lukken als ik bij zo'n paranoïde groep vreemdelingenhaters als de Kinderen van God zou blijven. Ik bukte me, pakte mijn rugzak op, hing die over mijn schouder en liep verder langs de snelweg, op weg naar Amerika.

Vijf

Ann Arbor, Michigan
Augustus 1966

De ochtend dat ik met knikkende knieën op de campus van de universiteit van Michigan uit de Greyhound-bus stapte, stond een heel bataljon van metalen sprinklers te spuiten in een ritme dat verrukkelijk exotisch klonk. Behalve de tuinlieden was er nog geen mens te zien. Ik had de hele nacht doorgereisd om hier te komen, met mijn gezicht tegen het raam gedrukt om naar de wereld die voorbijvloog te kijken. Ik heb me wel eens afgevraagd of Mary ooit zo'n busreis heeft gemaakt, op weg naar de toekomst met een miljoen vlindertjes in haar buik. Ik hoop van wel, uit het diepst van mijn hart. Ik wil er gewoon zeker van zijn dat ze tijdens haar chaotische leven toch net als ik heeft kunnen genieten van dat soort momenten vol hoop en verwachting, het soort momenten dat ik tijdens die nachtelijke rit beleefde. Want dat zijn de dingen die je in dit leven bijblijven en die een beetje licht brengen als je alleen maar duisternis ziet.

Op die eerste ochtend aan de universiteit van Michigan zag ik alleen maar nat gras terwijl ik op weg was naar een groep onbekende gebouwen die me het gevoel gaven dat ik was overgeplaatst naar het oude Griekenland. Overal waar ik keek, leken enorme witte Griekse pilaren uit de grond omhoog te schieten. De lucht was nu al vochtig. Ik had slaap, maar mijn brein draaide op volle toeren in een poging om die bedwelmende vreemde wereld om me heen in me op te nemen.

Vanuit het niets hoorde ik ineens een inwendig stemmetje dat zei: Niemand kent je hier. Niemand weet wie je bent. Maar als je zover bent dat je weer weggaat, zal dat wel zo zijn. Dan zal iedereen hier weten wie Jerry Newport is.

Ik bleef doorlopen, hoewel ik niet zeker wist waar ik naartoe moest. Dat kon me ook niets schelen. Alles hier was nieuw en fris. Ik was hier om een opleiding te krijgen, maar ik was eigenlijk voornamelijk naar Ann Arbor gekomen met het idee dat ik opnieuw zou kunnen beginnen, dat ik een heel nieuw mens zou kunnen worden. Ik wilde de oude Jerry Newport diep onder de groene zoden stoppen en nooit meer aan hem denken. Daarom had ik ook besloten om hier te gaan studeren. Bij elke andere universiteit waar ik geaccepteerd was, zou wel iemand van mijn middelbare school gaan studeren. En zij kenden de Jerry die ik net de nek om had gedraaid: Jerry, het buitenbeentje... de sociale paria... de knul die altijd problemen had met vrouwen... de wandelende en pratende telmachine. Ik wilde per se het scenario vermijden dat zich op de middelbare school af en toe had afgespeeld als ik een meisje had ontmoet dat helemaal niets van mijn verleden wist en dat echt in me geïnteresseerd leek. Tot iemand die ik kende, zag dat we met elkaar stonden te praten, want dan kon ik er op rekenen dat hij haar binnen de kortste keren alles zou vertellen over mijn rare gave voor getallen en zou proberen om me over te halen mijn kunstjes voor haar te doen alsof ik een of ander circusnummer was. Dat zou hier niet gebeuren. Niet als het aan mij lag.

Het enige wat ik nu wilde, was opgaan in de menigte. Ik wilde eindelijk alles in mijn binnenste de kop indrukken, vooral dat inwendige gedoe dat me zo anders maakte en waardoor ik altijd uit de maat liep met de wereld om me heen. Mijn vader had me verteld dat je om deel te nemen aan het universiteitsleven het best lid kon worden van een studentenvereniging. Dus toen in de herfst de open dagen werden gehouden stortte ik me daar helemaal in en meldde me aan bij vijftien verenigingen. Mijn vader was lid van Phi Delta geweest en die stonden bij mij boven aan de lijst. Helaas ik niet bij hen. Tijdens de tweede open dag sloeg een van de leden een arm om mijn schouder en vroeg of ik even mee wilde lopen.

'Ga even mee naar boven, Jerry,' zei hij. Ik kon mijn oren niet geloven. Zouden ze me echt vragen om lid te worden? Voor zover ik de gang van zaken had begrepen, leek het daar eigenlijk een beetje te vroeg voor. Maar wie weet? Misschien had ik een goede indruk op hen gemaakt. Een moment later stond ik in de slaapkamer van een van de leden. Vier van hen zaten op de bank voor me en ze zagen eruit alsof ze zich niet op hun gemak voelden.

'Moet je horen, Jerry,' zei een van hen. 'Het eh... het is echt niet zo dat iemand hier een hekel aan je heeft.'

'Nee,' deed een ander een duit in het zakje. 'Je lijkt best een toffe vent.'

'Maar we hebben alleen het idee,' ging de eerste verder, 'dat je misschien beter bij een ander huis zou passen.'

Ze glimlachten ernstig en streken haast gelijktijdig met hun hand over hun korte stekeltjeshaar. Een van hen herstartte zijn pogingen een pijp aan te steken. Ik werd naar beneden gebracht en beleefd op straat gezet. In de paar dagen daarna kwam ik erachter dat de lui van Phi Delta eigenlijk vrij menselijk waren geweest in hun manier van afwijzen. Bij een van de andere studentenhuizen betrapte ik een lid erop dat hij het labeltje van mijn jas controleerde en tegen een ander lid fronste toen bleek dat mijn moeder die bij een goedkoop warenhuis had gekocht. Een paar minuten later kon ik mijn biezen pakken.

Maar niet alle afwijzingen waren op initiatief van derden. Het lag ook vaak aan mezelf. Bij één huis werd ik apart genomen toen een paar van de leden hoorden hoe ik in geuren en kleuren verslag deed van het avontuurtje dat ik pas geleden had gehad met een leerling-verpleegster die ik tijdens hun vorige open dag had ontmoet. In mijn hart wist ik best dat het helemaal niet hoorde om daar zo over op te snijden, maar toen ik eenmaal over mijn verovering was begonnen, rolden de woorden bijna vanzelf over mijn lippen. Twee leden sloegen hun ogen ten hemel terwijl ze mijn monoloog aanhoorden. Een paar minuten later werd ik uitgenodigd om mee te gaan naar boven en even te gaan zitten.

'We weten dat je niet gewend bent aan dit soort open dagen,' kreeg ik te horen. 'En je zult vast wel een studentenhuis vinden waar je welkom bent.'

'Maar helaas voor jou is dat bij ons niet het geval,' snauwde zijn kompaan.

Het duurde niet lang voordat ik net als op de middelbare school de reputatie kreeg dat ik in sociaal opzicht een hopeloos geval was. Toen de colleges begonnen, kon ik de moed opbrengen om een meïsje dat net als ik het college wiskunde volgde mee uit te vragen. Ze heette Becky en ze zei ja. Niet lang daarna nam ik haar mee naar de bioscoop en toen de avond voorbij was, kreeg ik het gebruikelijke bedankt-voor-de-prettige-avondkusje op mijn wang. In de weken daarna vroeg ik haar keer op keer of ze opnieuw met me uit wilde, maar ze zei altijd beleefd dat ze het te druk had. Het duurde niet lang tot ze niet meer op het college verscheen, maar ik bleef haar toch bellen en vragen of ze met me uit wilde, hoewel ze me iedere keer afwees. Op een middag klopte een knul van wie ik wist dat hij op een andere verdieping in mijn huis woonde bij mijn kamer aan. Hij heette David.

'Hoi, Jerry,' zei hij. Hij zag eruit alsof hij zich niet op zijn gemak voelde. 'We moeten even met elkaar praten.'

'Waarover?' vroeg ik.

'Heb je je wel eens afgevraagd waarom Becky dat wiskundecollege heeft laten lopen?' vroeg hij.

'Eigenlijk niet,' zei ik.

'Ze probeert jou te ontlopen,' zei hij. 'Ze heeft er een beetje genoeg van dat jij haar steeds opbelt om te vragen of ze met je uit wil.' Hij probeerde me aan te kijken, maar ik wendde mijn ogen af.

'Hoe bedoel je, ze probeert me te ontlopen?' stamelde ik. 'Waarom?'

'Weet je wel hoe vaak je haar gebeld hebt, Jerry?' vroeg hij. 'Heb je ook maar een flauw idee hoe vaak dat is geweest?'

'Nou, wel een paar keer,' zei ik.

'Veertien keer,' antwoordde hij. 'De afgelopen twee maanden heb je haar veertien keer gebeld.'

Ik kreeg plotseling een onbehaaglijk gevoel en vroeg me af hoe het kwam dat ik zo'n bord voor mijn kop had. Ik snapte niet dat ik maar zo weinig inzicht had in wat zich in mijn hoofd afspeelde en de manier waarop ik me gedroeg. Ik was boos op mezelf dat ik zo stom was geweest en iemand die zo aardig was als Becky zoveel last had bezorgd. Dat verdiende ze echt niet.

'Doe het geen vijftiende keer, Jerry,' zei hij. 'Je belt Becky niet meer, hè?'

Hij stond op het punt om de kamer uit te lopen toen hij zich omdraaide en mij daar bewegingloos zag staan, met mijn blik vast op de grond gericht terwijl ik mezelf een geestelijk pak slaag gaf omdat ik haar had behandeld alsof ze een bijzonder lastig rekenprobleem was. Die pakte ik ook altijd op die manier aan, want als ik iets echt graag wilde, hoefde ik alleen maar mijn mouwen op te stropen, me er volledig op te concentreren en me uit de naad te werken, dan kwam ik er wel uit. Plotseling besefte ik dat mensen een heel andere aanpak vergden dan wiskundige problemen.

Waarom had het het zo lang geduurd tot ik dat besefte?

'Weet je hoe ik dat altijd aanpak, Jerry?' vroeg hij.

'Hè, wat?' mompelde ik, terwijl ik een eind probeerde te maken aan mijn zelfreflectie.

'Proberen afspraakjes te krijgen,' zei hij. 'Weet je hoe ik dat aanpak? Ik noem het altijd mijn "Drieslagtheorie". Als ik drie keer een blauwtje loop, kap ik ermee. Dan wordt het tijd voor de volgende.'

Lamgeslagen probeerde ik die parel van wijsheid te verwerken. Waarom was ik daar nooit op gekomen? Afgezien van het advies dat ik van Johnny's vader had gekregen voor zijn zoon stierf – om altijd mijn regenjasje te dragen als ik in het diepe dook – was dit het beste gedragsregeltje dat iemand me ooit gratis had toegeworpen.

'Ik zie je wel weer, Jerry,' zei David en verdween in de gang. Ik had hem wel kunnen omhelzen. Dat wil zeggen als ik niet zo allergisch voor dat soort geknuffel was.

Uiteindelijk belandde ik bij Delta Chi, een studentenhuis vol met het soort knullen dat me deed denken aan mijn oude wiskundeploeg van de middelbare school. Ik had niet meteen toegehapt, in de hoop dat ik een aanbieding zou krijgen van een wat hipper stel. Maar na een paar weken waarin de ene open dag de andere opvolgde, moest ik steeds vaker terugdenken aan die avond op de middelbare school toen al die populaire gasten bij wie ik zo graag had willen horen het huis van mijn ouders overhoop hadden gehaald. Het leek weliswaar al eeuwen geleden, maar ik had er toch een nare smaak van in mijn mond gehouden. Bijna iedereen in het Delta Chi-huis had een studierichting in de wis- of natuurkunde en dat betekende dat ik niet echt op mijn tellen hoefde te passen. Ik voelde me veilig tussen al die sociale minkukels. Desondanks bestond er wel degelijk een bepaalde mate van intimiteit in ons huis. Ik had het idee dat mijn nieuwe broeders echt om elkaar gaven, wat bij de andere studentenhuizen die ik had bezocht voordat ik afgewezen werd niet altijd het geval was geweest.

Tijdens mijn tweede jaar werd het voortbestaan van ons huis – net als dat van talloze andere studentenhuizen bij universiteiten overal in het land – ernstig bedreigd. De anti-establishmentbeweging die als een vloedgolf over het land trok, maakte dat studentenhuizen niets anders dan stomme tijdsverspilling leken. En in de herfst van 1967, toen we geen nieuwe aanmeldingen hadden, leek ons naar verhouding vrij kleine huis met maar dertig leden op de rand van de afgrond te staan. Dat beviel me helemaal niet. Als dat echt gebeurde, hoe moest het dan met mijn loffelijk streven om een totaal nieuw mens te worden? Plotseling leek het lot van Delta Chi allesbepalend voor het lot dat mij wachtte. Ik stortte me vol enthousiasme op de taak om dat te voorkomen en stelde me uiteindelijk zelfs kandidaat voor het voorzitterschap van de vereniging. Mensen waren bereid om op me te stemmen omdat ik zoveel energie stak in mijn pogingen om ons huis in stand te houden. Maar ze hadden ook het gevoel dat ik wanhopig genoeg was om zelfmoord te plegen als ons huis toch het loodje zou leggen. En waarschijnlijk hadden ze nog gelijk ook. Ik dacht dat ik het baantje al in de zak had, toen ik op de dag voor de verkiezingen door een van mijn huisgenoten op de achtertrap werd aangehouden. 'Ik wil eigenlijk helemaal geen voorzitter worden,' bekende hij. 'Maar ik heb ergens het gevoel dat jij dat baantje alleen wilt vanwege je ego. En dat is niet goed voor ons huis.'

Steve had gelijk, maar het huis stemde toch voor mij en tijdens de verkiezing op maandagavond won ik met een handjevol stemmen. Al snel daarna wenste ik echter dat iedereen naar mijn opponent van het laatste uur had geluisterd. Binnen de kortste keren was ik dag-in dag-uit bezig met het zoeken naar nieuwe leden voor het huis. Ik studeerde nauwelijks meer. Mijn cijfers zakten als een baksteen. Ik slaagde er wel in om in de volgende twee semesters een paar nieuwe leden te werven, maar ik was een hopeloze leider die absoluut niet kon delegeren. Bij onze wekelijkse vergaderingen werd ik vaak zo zenuwachtig van de andere bewoners van het huis die lol zaten te trappen en probeerden de boel te versjteren, dat ik in driftbuien ontstak, op de tafel ramde om ze tot de orde te roepen en tegen de dwarsliggers begon te schreeuwen om de rust te herstellen. Mijn woedeaanvallen waren zo verschrikkelijk grappig – behalve voor mijzelf, dan – dat mijn huisgenoten me de bijnaam 'Rocky de vliegende eekhoorn' gaven, naar een pluizig tekenfilmfiguurtje dat destijds nogal populair was op tv.

Op een middag liep ik tussen twee colleges door terug naar het huis om te gaan lunchen. Op weg naar de keuken kwam ik langs een stel knullen die in de slaapkamer van een van hen over mij zaten te praten. Ze hadden kennelijk het idee dat ik hen niet kon verstaan, maar dat was wel het geval. In plaats van door te lopen bleef ik naast de deur staan luisteren.

'Die brave ouwe Newport... onze geëerde voorzitter,' zei een van hen. 'Die vent is echt één grote contradictie.'

'Hij denkt echt dat hij een soort Don Juan is,' antwoordde een nieuwe stem.

'Hoor eens, Newport kan met ongeveer iedereen een afspraakje maken,' voegde weer een andere stem eraantoe. 'Die vent heeft meer nieuwe afspraakjes dan de rest van de universiteit bij elkaar. Jammer genoeg komt er nooit iets van.'

'Jullie denken toch niet,' mengde zich een vierde stem in het gesprek, 'dat die ouwe Newport zo'n type is dat ze idiot savant noemen?'

Ik had genoeg gehoord. En wat was in vredesnaam een idiot savant? Ik besloot om de lunch over te slaan en ging naar de bibliotheek, mijn favoriete plek om afspraakjes te maken. Na een paar minuten speuren dook ik een oud nummer van het tijdschrift *Look* op met een artikel over savants en begon het driftig door te bladeren. Op pagina 116 vond ik het, compleet met een foto van een zielepiet in een dwangbuis, een opname die in een Franse instelling was gemaakt. En ja hoor, hij kon als een computer met getallen omgaan en allerlei trucjes uithalen, zoals vertellen op welke dag van de week iemand geboren was als hij de geboortedatum van zo'n persoon voorgeschoteld kreeg. Ik werd er op slag duizelig van en prentte mezelf in dat ik veel meer kon dan alleen maar stoeien met getallen. Ik sloeg het tijdschrift dicht, legde het terug op de plank en begon door de paden van de bibliotheek te lopen om mijn gedachten te ordenen. Het piepende geluid van mijn instapschoenen weerkaatste door het hele gebouw. Het klonk alsof er een jong hondje zat te keffen. Mensen keken op van hun studieboeken en lachten. De afgelopen maanden had mijn gewoonte om op die luidruchtige manier de hele bibliotheek af te struinen op zoek naar eerstejaars studentes me de bijnaam Piepschoen opgeleverd.

Iets zei me dat mijn Franse tegenhanger nooit iets dergelijks had kunnen klaarspelen. Ik voelde me ook meteen een stuk beter, want daardoor leek het alsof we niets anders gemeen hadden dan ons vermogen om met getallen te goochelen.

Iedere keer als ik een aantrekkelijke eerstejaars met haar neus in een boek zag zitten, maakte ik gebruik van een vrij simpele maar briljante techniek die was gebaseerd op het fantastische feit dat ik van bijna ieder onderwerp wel iets afwist.

'Neem me niet kwalijk,' zei ik dan, 'ik zie dat je een boek over de Franse Revolutie zit te lezen.'

'Dat heb ik voor geschiedenis nodig,' legde mijn doelwit uit.

'Ik ben altijd een waanzinnige fan van Marie Antoinette geweest,' antwoordde ik op mijn beurt. 'En ik heb wel eens gehoord dat ze niet eens Frans sprak. Ze was van origine een Oostenrijkse, zie je.'

'O ja?' zei ze.

'Ja,' zei ik. 'Goh, misschien kunnen we een keer ergens een kopje koffie gaan drinken. Dan kan ik je heel wat bijzonderheden over de Franse Revolutie vertellen.'

Mijn strategie werkte bijna altijd omdat mijn slachtoffers zo verbaasd waren – dat maakte ik mezelf tenminste altijd wijs – dat een vent een afspraakje met ze wilde maken om over een studieonderwerp te praten. Ze gingen bijna altijd akkoord. Waarom ook niet? Ik was nog steeds zo onzeker, zo wanhopig onwetend over wat ik met een vrouw aan moest behalve dan pogingen te doen om haar in bed te krijgen, dat al mijn afspraakjes binnen een paar minuten nadat ik ze had opgehaald al op zoek waren naar een smoes om weer af te nokken.

'Het lijkt me beter dat je me nu weer naar huis brengt,' zei een van die vrouwen beleefd tegen me nadat ze had geluisterd hoe ik op gewichtige toon al mijn prestaties op een rijtje zette en haar uitlegde waarom ik veel beter was dan al die andere kerels op de universiteit.

'O,' zei ik, verrast – alleen niet echt – dat ze geen zin had om nog langer naar mijn ijdeltuiterij te luisteren. 'O, goed hoor.'

We liepen zwijgend terug naar het studentenhuis waar ze woonde. Toen ze de voordeur in het oog kreeg, liep ze haastig voor me uit. Maar vlak voordat ze naar binnen ging, zei ze iets waar ik helemaal ondersteboven van was. 'Ik begrijp nog steeds best waarom ik het gevoel had dat ik je aardig zou vinden,' zei ze tegen me. 'Maar je moet eerst een stuk volwassener worden.' Ze glimlachte tegen me, een glimlach die heel echt en eerlijk aanvoelde, maar die mij tegelijkertijd het gevoel gaf dat ik een idioot was, omdat ik op dat moment allesbehalve echt en eerlijk was. Ondanks het feit dat ze geen minuut langer in mijn gezelschap wenste door te brengen, leek ze toch echt genegenheid voor me te koesteren. En haar laatste opmerking raakte me midscheeps.

'En waarom kijk je nooit iemand recht aan?' vroeg ze.

Ik stond daar en keek omhoog naar de plek waar ze op het bordes van haar huis stond, maar ik kon geen woord uitbrengen. Ik was het liefst hard weggelopen. Voor het eerst die avond was ik met stomheid geslagen. Ik moest op mijn lippen bijten om niet in tranen uit te barsten. Tot op dat moment had ik mezelf op de een of andere manier wijs kunnen maken dat niemand in de gaten had dat ik niet in staat was om mensen in de ogen te kijken, omdat ik inmiddels geraffineerd genoeg was om dat te verbergen. Als ik met iemand sprak, richtte ik mijn blik op een punt rechts naast hun gezicht of precies midden op hun voorhoofd. Om het risico te nemen ze recht in de ogen te kijken, of dat zelfs maar te overwegen, zou betekenen dat er zo veel dingen door mijn hoofd zouden gaan malen, dat ik mijn zorgvuldig voorbereide monoloog vergat. De ogen van andere mensen bezorgden me alleen maar problemen. Maar ik deed geen enkele poging om dat aan het meisje te vertellen dat zo boordevol zat met goede bedoelingen. Ik haalde mijn schouders op en liep terug naar mijn studentenhuis.

Vrouwen waren een volslagen mysterie voor me. Wat hen zo raadselachtig maakte, was dat ze me altijd zover kregen dat ik me op mijn slechtst en volstrekt onzeker gedroeg. Zelfs als ik erin slaagde om een tweede afspraakje te versieren zat ik vaak nog zo vol zelfverachting dat mijn onzekerheid al snel een schaduw over de avond wierp. Als ik bijvoorbeeld het meisje ophaalde met wie ik afgesproken had en ze liet me wachten, dan ging ik er onmiddellijk van uit dat ze van plan was om me te laten zitten. Na vijf minuten was ik niets meer dan een nerveus, verward en zwetend wrak. En als ze dan toch kwam opdagen, zou ze me ijsberend aantreffen, letterlijk met mijn handen in mijn haar en diep in de put.

In de zomer van 1968 verloor ik tijdens een lsd-trip mijn maagdelijkheid aan een hoer in een vervallen, oud hotel in San Francisco. Op een zaterdagavond, vlak nadat ik weer terug was op de universiteit, ging ik naar bed met een meisje dat ik tijdens een bierfeestje had ontmoet. Toen ik na afloop naast haar lag, begon ik mijn hart uit te storten... over een ander meisje met wie ik een paar keer uit was geweest. Ik vroeg haar of ze me kon vertellen hoe ik dat andere meisje over kon halen om wat meer tijd aan me te besteden. Het drong absoluut niet tot me door dat ik me als een volslagen ongevoelige boerenhufter gedroeg. Niet meteen, tenminste. Dat gedeelte van mijn hersens was uitgeschakeld. Het ene moment lag ik een beetje stuntelig te vrijen met een vrouw en een moment later waren mijn gedachten alweer bij een andere vrouw. In plaats van die gedachten voor me te houden, zoals een normaal iemand zou doen, flapte ik gewoon uit wat me door het hoofd speelde.

Pas jaren later besefte ik dat het aan mijn Asperger lag. Dat was aan het woord, niet ik. Maar op die trieste avond bleven de kwetsende woorden achter elkaar van mijn lippen rollen. Toen het eindelijk tot me doordrong dat ik misschien beter mijn mond kon houden was het al te laat. Mijn woorden hadden zo'n verpletterende indruk gemaakt, dat ik die niet meer terug kon draaien. Mijn vriendinnetje deed haar ogen dicht en trok zo'n gezicht waaruit je duidelijk kon opmaken dat ze wenste dat ze op een andere planeet was. Ze zei niets meer. Na een poosje wist ik ook niet meer wat ik moest zeggen en lag daar naast haar naar mijn smerige kamer vol rotzooi te staren met het gevoel dat ik een volslagen idioot was. Ik vroeg me af of ze wist hoe verloren ik me voelde.

'Breng me nu maar naar huis,' zei ze.

'Oké,' antwoordde ik en hoopte dat ze me een schop in mijn kruis zou geven, want ik had zo'n vaag vermoeden dat het mijn verdiende loon zou zijn. Maar ze kleedde zich gewoon aan en liep zonder iets te zeggen de gang in, waar ze op me bleef staan wachten.

In de zomer voorafgaand aan mijn laatste jaar begon ik af en toe een glimp op te vangen van mijn toekomst. Voor zover ik kon zien zou het een zielige bedoening worden. Ik had geen enkel houvast en voor het eerst in vier jaar kon ik dat niet meer verbergen. Iedereen in mijn omgeving leek te weten wat ze zouden gaan doen – verder studeren, in dienst, solliciteren. Maar als ik probeerde te bedenken wat ik wilde doen nadat ik afgestudeerd was, sloeg ik helemaal dicht. Wat ik kon zien van wat me te wachten stond, beviel me totaal niet.

Ondanks het feit dat ik in een studentenhuis vol studiefreaks terecht was gekomen, was ik de afgelopen paar jaar voornamelijk op zoek geweest naar populaire mensen met wie ik kon optrekken zodat ik zelf een goede indruk zou maken. En trouwens, het was een stuk gemakkelijker om me druk te maken over anderen, omdat ik nog steeds in de vaste overtuiging verkeerde dat iedereen meer waard was dan ik. Nadat ik lid was geworden van mijn studentenhuis, gingen mijn cijfers met een sneltreinvaartje omlaag, omdat de oudere leden niet meer controleerden of ik wel studeerde. Ik slaagde er absoluut niet in om een zinvolle verhouding aan te brengen tussen de tijd die ik aan mijn studie besteedde en mijn uitgaansleven. En zodra duidelijk werd dat ons huis zou blijven bestaan besloot ik dat stappen belangrijker was dan het volgen van colleges. Ik had de afgelopen paar jaar zo min mogelijk gedaan. Ik probeerde niet langer indruk te maken op mensen – of het nu om mijn ouders ging of om mijn huisgenoten – dus volgde ik nog maar hooguit twintig procent van mijn colleges. De enige dingen waar ik me nog druk over maakte, waren het weekend, de volgende bierfuif, een leuke meid om te versieren of een nieuwe lsd-trip. Net als voor veel van mijn vrienden was het gebruik van psychedelische drugs ook voor mij een favoriet tijdverdrijf geworden. Het gaf mij vreemd genoeg het gevoel dat ik normaler werd, vooral toen ik me realiseerde dat mijn vrienden zich na een beetje acid net zo gingen gedragen als ik deed als ik nuchter was. Dan vonden ze het ineens helemaal niet vreemd meer om een halfuur lang naar een met hout betimmerde muur te staren, zonder zelfs maar met je ogen te knipperen.

Op tweede kerstdag in 1969 stierf mijn vader in zijn slaap aan een hartaanval. Mijn ouders, die inmiddels allebei gestopt waren met lesgeven, woonden destijds in Santa Monica. Toen hij stierf was ik toevallig net in Los Angeles. Niet om hen op te zoeken, maar om met een stel van mijn huisgenoten te gaan stappen en een concert bij te wonen in de Rose Bowl. Omdat ik niet de moeite had genomen mijn familie te vertellen waar ik uithing, kwam ik er pas twee dagen later achter dat hij dood was. Ik kreeg het over de telefoon te horen van mijn broer Jim die daar ook in de buurt woonde en die ik had gebeld om te vragen of hij me een lift kon geven naar het appartement van onze ouders. Ik huilde niet. Eigenlijk deed het me nauwelijks iets.

Ik had al een paar jaar lang steeds minder contact gehad met mijn vader. Dat was begonnen toen ik nog op de middelbare school zat en ik ontzettend nijdig op hem was geworden omdat hij mijn broer John zo schandalig behandelde toen die hem om hulp vroeg nadat zijn huwelijk schipbreuk had geleden. Het enige wat mijn vader deed, was schreeuwen dat hij alles maar weer voor elkaar moest zien te krijgen. De wrevel die dat bij mij opriep, had niets te maken met sympathie voor mijn oudere broer. Die rare, keiharde reactie van mijn vader overtuigde me er eens en voor altijd van dat mijn ouders alleen geïnteresseerd waren in modelkinderen. Zodra een van ons het lef had om iets van menselijke zwakheden te vertonen, wilden ze niets meer met ons te maken hebben. Daarna spraken we elkaar nauwelijks meer. En als dat wel zo was, dan waren we het nergens over eens. Ik was vijftien toen hij zijn eerste hartaanval kreeg. En volgens mij was het een opluchting voor hem dat ik besloot om zo ver weg te gaan studeren. Op mijn twintigste kreeg hij opnieuw een hartaanval, ongeveer rond de tijd dat mijn cijfers een dieptepunt bereikten. Maar in plaats van te ontploffen, besloot hij om het advies van zijn dokter te volgen en zijn bloeddruk niet over de rooie te jagen omdat ik de zaak versjteerde. Nu besef ik pas dat hij in zijn hart hoopte dat ik de puinhoop wel weer op zou kunnen ruimen zonder dat hij zich ermee bemoeide.

Na zijn dood kwam een presbyteriaanse dominee naar het appartement van mijn moeder en sprak een paar gebeden uit terwijl wij met ons allen rond de bank in de voorkamer zaten. Ik had helemaal geen zin om deze simpele herdenkingsdienst voor mijn vader bij te wonen. Het enige wat mij door het hoofd ging, was dat als de dominee niet snel klaar was met zijn babbel, ik me niet aan het afspraakje kon houden dat ik met zoveel moeite had losgeklopt bij een Oekraïens meisje met reeënogen dat ik in de Rose Bowl had ontmoet.

Het moment dat ik met angsten en beven tegemoet had gezien, kwam op een middag in de lente van het jaar daarop. Het drong plotseling tot me door dat ik echt een diploma van het college op zak had en nu toch werkelijk mijn toekomst onder ogen moest zien. Geweldig hoor, dacht ik, nu wordt er dus van me verwacht dat ik opstap en aan het echte leven begin. Ik woonde in een vervallen huis vlak bij het universiteitsterrein met zes vrienden die ik had leren kennen toen ik nog iets aan mijn studie deed. Het was eind april en de huur was opgezegd. Mijn huisgenoten hadden hun spullen al gepakt en waren vertrokken. Het hele huis was leeg en doods, behalve mijn smerige kamer. Ik zat op mijn bed met de deur dicht en probeerde niet te denken aan wat ik moest doen en alles gewoon van me af te zetten. Ik was er op het nippertje in geslaagd om af te studeren in wiskunde en economie. Alleen had ik het diploma nooit ontvangen, omdat ik niet eens de moeite had genomen om naar de uitreiking toe te gaan. Ik was viereneenhalf jaar geleden in Ann Arbor aangekomen, met een hoofd dat zo vol zat met grote plannen en idealen dat ik bang was dat het uit elkaar zou spatten. Iedereen hier zal weten wie Jerry Newport is – dat had ik mezelf ingeprent op die eerste ochtend dat ik uit de Greyhound-bus was gestapt, terwijl al die watersprinklers om me heen stonden te spuiten.

Plotseling vloog de deur van mijn kamer open en een vreemde vent keek me aan. Ik begreep meteen dat hij een van de nieuwe bewoners was en zich zonder twijfel afvroeg waarom ik daar nog steeds zat. Dat was me zelf ook een raadsel. Ik sprong op van het bed alsof ik wakker schrok uit een diepe slaap. Vanaf beneden hoorde ik het geluid van voetstappen en van dozen die over de vloer werden gesleept.

'O,' zei hij met een verbaasde en bezorgde blik. 'Ik wou hier nu intrekken. Heb je nog lang nodig?'

In een opwelling keek ik rond in mijn kamer en probeerde uit te rekenen hoe vaak ik de trap op en af zou moeten lopen om al mijn troep naar buiten te brengen.

'O ja,' antwoordde ik en deed net alsof ik het allemaal best vond, 'Ik vroeg me al af hoe laat je zou komen... Ik ben binnen de kortste keren weg.'

Twintig minuten later had ik al mijn bezittingen op de achterbank gegooid van de oude Chevrolet Impala die van mijn familie was geweest en reed weg. Ik had geen flauw idee waar ik naartoe ging. Maar als de benzinemeter de juiste stand aangaf, had ik een kwart tank om er te komen.

Tucson, Arizona
September 1977

Het zag er niet naar uit dat dit een doorsnee middag zou worden. Ik zat verscholen in een kleine grot, met mijn zoontje in mijn armen. Charlie, een van mijn oude minnaars die niet zo lang geleden iets te veel lijm had gesnoven, stond de ingang van de grot met grote stenen te bekogelen. Het lawaai dat de stenen maakten als ze tegen de buitenmuur van de grot terechtkwamen, was oorverdovend. Het was zo'n opdringerig geluid waarvan mensen zoals

Jerry en ik helemaal knettergek kunnen worden. Ik vind het gewoon beangstigend om te denken aan zijn reactie op zo'n chaotische geluidsstorm. Hij heeft het vaak moeilijk met dat soort scherpe, kletterende geluiden, terwijl ik niet tegen lage, rommelende tonen kan.

Ik had Charlie een paar weken eerder ontmoet, toen ik hem oppikte op een snelweg in de buurt waar hij stond te liften. Die middag zat een andere, slonzig uitziende lifter, die Running Bear heette, angstig naast me in de grot. We kenden elkaar drie dagen. Vanaf het moment dat ik terug was uit Italië was ik lifters op gaan pikken omdat ik nieuwe mensen wilde leren kennen in de hoop dat een van hen me kon vertellen welke richting ik in moest slaan. Ik woonde weer bij mijn ouders. Omdat ze zich een beetje schuldig voelden over alles wat er gebeurd was terwijl ik bij de Kinderen van God zat, probeerden ze zich van hun beste kant te laten zien. Maar mijn vader stak zijn mening over Running Bear niet onder stoelen of banken. Hij leek naar zijn smaak iets te veel op Charles Manson om zich bij hem op zijn gemak te voelen 'Ik vind juist dat hij er sexy uitziet,' zei ik tegen mijn vader. 'Vooral zijn ogen.' Hij had de politie gebeld toen hij ons samen in de keuken aantrof waar we fruitsmoothies stonden te maken.

Toen de smerissen eindelijk weer hun biezen pakten, sprongen we in de auto van mijn ouders, reden naar een ravijn aan de grens van Tucson en besloten om in een van de grotten daar te gaan wonen. Het was een heerlijk leventje. Er was niemand die me vertelde wat ik moest doen. De enige bezittingen die ik had meegebracht waren een slaapzak, wat luiers, een gitaar en een paar artilleriehandboeken van Running Bear, die volgens hem goed van pas zouden komen als het tijd werd om de regering van de Verenigde Staten omver te werpen. We hadden daar ongeveer een maand gezeten, toen Charlie ineens zo stoned als een garnaal in ons ravijn opdook en onze grot begon te bekogelen. Ik had Charlie een paar dagen daarvoor ontmoet en hij had me zo betoverd met zijn hippiebabbels over vrije liefde, dat ik echt dacht dat hij zelf ook zo leefde. En nu zat ik me af te vragen waarom Charlie, nadat ik één keer de liefde met hem had bedreven, zo boos was dat ik mijn gunsten vrijelijk verdeelde. Hoe kon iemand zo bezitterig zijn?

Charlie stond voor onze grot en bleef stenen ter grootte van een voetbal in ons onderkomen smijten, ongetwijfeld in de hoop dat een daarvan mij zou verpletteren. Omdat de ingang zo nauw werd, brak alles wat hij naar ons hoofd smeet in stukken die vervolgens op de vloer terechtkwamen. Running Bear zat op zijn hurken naast me. Zijn meestal zo gereserveerde gezicht stond nu doodsbang.

'Rustig maar,' fluisterde ik. 'Je moet niet bang zijn. Dat maakt het alleen maar erger. En daardoor kan alles fout lopen.'

Ik probeerde uit te leggen waarom ik had geleerd om te genieten van dit soort angstaanjagende momenten waarin de adrenaline door mijn aderen gierde. Er gebeurden magische dingen in het leven, precies op het moment dat alles uit de hand leek te lopen. Running Bear leek niet in de stemming te zijn voor mijn visioenen. Hij staarde uitdrukkingsloos naar een beduimeld boek vol foto's van legertanks dat op de grond lag. Dus bleef ik uiteindelijk maar in het zand zitten, met Steve in mijn armen, en probeerde mijn mentale krachten aan te wenden om Charlie telepathisch zover te krijgen dat hij zich beheerste en ons met rust liet. Een halfuur later had ik dat voor elkaar. Maar het zou ook kunnen dat Charlie geen stenen meer had. Het laatste wat ik van hem zag, was dat hij door het ravijn wankelde op zoek naar een grot die hij zou kunnen betrekken.

Het duurde niet lang voordat Running Bear en ik samen over de vloer kronkelden en uitbundig lagen te vrijen. Een opwindende bezigheid, die niet te vergelijken was met de saaie seks die tijdens mijn huwelijk met Ace alleen volgens vaste patronen was verlopen. Steve deed ergens in een hoek een tukje op mijn slaapzak. Het kon me niet schelen wat anderen van me dachten. Ik vond het heerlijk om daar te wonen. Mijn ouders hadden gedreigd dat ze Steve van me af zouden pakken onder het mom dat ik een slechte moeder was. Normale moeders, moeders die echt om hun kinderen gaven, woonden in huizen met een keurig dak en een gazonnetje voor de deur. Zelfs mijn oudere broer, Ed, die helemaal niet had opgekeken toen ik besloot om in een grot te gaan wonen, beweerde de laatste tijd dat ik bezeten was door kwade geesten.

Ik had het gevoel dat ik afgesloten was van een wereld die ik nooit had gekend, maar die volgens mij absoluut moest bestaan.

Net als andere autistische mensen maakte ik mezelf wijs dat ik opgesloten zat in een kastensysteem waaraan niet te ontkomen was en dat vol zat met net zulke sociaal onaantastbare mensen als ik. Ik bleef maar op zoek naar een soort veiligheidsnet, maar het enige wat ik onder me zag, was koude, hard aangestampte aarde. Vandaar mijn verlangen om in de natuur op te gaan en zo ver mogelijk van de beschaafde wereld te leven. Ik wilde net zo zijn als die vrouw in vers 12 van Openbaringen, die de wildernis invlucht om te ontsnappen aan het kwaad dat zich over de wereld verspreidt. Running Bear en ik gingen uiteindelijk weer uit elkaar en ik trok naar Oregon bij wijze van gunst voor een van de hippies met wie we een paar maanden lang in een commune hadden gezeten. Zij zocht iemand om haar zesjarige zoontje naar haar broer te brengen, die op een vervallen ranch woonde.

Op het moment dat ik Michael zag, had ik het gevoel dat er een zoeklicht in mijn hart ontstoken werd. Ik was op slag verliefd, voor het eerst sinds ik volwassen was. Michael, die al sinds zijn zestiende op zichzelf had gewoond, kon gitaarspelen en zingen als Bob Dylan. Hij was mager, met een grote neus en een bos dreadlocks die als strengen goor touw van zijn hoofd omlaag bungelden. Ik had nog nooit zo iemand ontmoet. Het eerste dat ik voor hem deed, was zijn haar wassen en zijn dreads uitkammen. Omdat ik van hem hield, wilde ik dat de mensen meer respect voor hem zouden tonen. Ik dacht dat het een stap in de goede richting zou zijn als ik hem hielp er wat netter uit te zien.

Het eerste dat we gezamenlijk deden, was een nest bouwen. Letterlijk. Met behulp van twijgjes, takken, bladeren, varens en mos bouwden we een enorm nest in de bossen bij Vida, Oregon. We leefden als een stel verlichte Neanderthalers tussen de enorme ponderosadennen en een incidentele poema. De volgende paar maanden waren zaliger dan ik ooit voor mogelijk had gehouden. Overdag dwaalde ik door het bos met Steve, die inmiddels bijna twee jaar was, en gedroeg me in mijn verbeelding als een moderne Eva terwijl ik alles wat ik van de natuur wist aan hem uitlegde. We zaten uren naar slakken te staren, terwijl we hun broze met slijm bedekte voelsprieten bestudeerden, hun mysterieuze strepen en vlekken en de slijmsporen met de opaalachtige glans die ze overal achterlieten. We zaten vaak naast beekjes en luisterden naar het geklok en gegorgel van het stromende water, waarin we allerlei melodietjes hoorden. De wind die door de bladeren boven ons hoofd blies, klonk als muziek.

Soms lagen Michael en ik naast elkaar in ons varennest en bestudeerden elkaars gezicht. Af en toe durfde ik zelfs in zijn ogen te kijken, iets wat ik mijn leven lang had proberen te vermijden. Ik deed het alleen als ik iets van iemand nodig had. Hoe vreemd het ook klinkt, het feit dat ik het zo naar vond om mensen in de ogen te kijken maakte dat ik ze sneller doorhad. Als ik met iemand praatte, was mijn blik meestal op hun mond gevestigd en omdat ik ze niet aankeek, waren mensen sneller geneigd te denken dat ze me voor de mal konden houden omdat ik dat toch niet zou zien. Maar ik kwam erachter dat de vorm van iemands mond vaak net zo veel zei als hun woorden. Op elk willekeurig moment flitsten er micro-uitdrukkingen over hun gezicht waarmee ze zich verraadden. Ik speurde altijd naar glimlachjes, boze trekjes, fronsjes of andere onbewuste aanwijzingen waardoor ik in staat was om de gedachten achter hun woorden te doorgronden.

Mijn relatie met Michael gaf het startsein tot een nieuw hoofdstuk in mijn leven. Ik had voor het eerst het gevoel dat ik een man had gevonden die dwars door mijn rare gedrag recht in mijn ziel kon kijken. Michael was net als ik zo teleurgesteld in de samenleving dat hij er zo ver mogelijk vandaan wilde blijven. Hij deed ook zijn uiterste best om onze planeet geen schade toe te brengen. Maar het allerbelangrijkste was dat Michael me het gevoel gaf dat ik mooi was. Natuurlijk duurden de wittebroodsweken niet eindeloos. Na verloop van tijd trokken we naar New Mexico waar we in een enorme indianentent woonden, die ik zelf in elkaar had gezet uit nieuwe stukken plastic autobekleding. Samen met Michaels zus kampeerden we in een rivierbedding waar we de aarde zeefden op zoek naar goud en geen steen onberoerd lieten in onze speurtocht naar kostbare mineralen. Dankzij onze voedselbonnen aten we alle graansoorten waar we de hand op konden leggen. ’s Nachts werden we in slaap gewiegd door het geluid van prairiehonden die in de verte zaten te lachen en te zingen. Vanaf de allereerste dag was ik degene die voor de maaltijden zorgde. Het duurde niet lang tot ik de enige was die in ons kamp nog de handen uit de mouwen wilde steken. Michael en zijn zus rookten hasj, lagen grappen te maken over het maffe bladerpatroon dat op de binnenkant van onze tent geborduurd was en hingen stonede hippieverhalen tegen elkaar op terwijl ik brandhout verzamelde, emmers water haalde en me suf piekerde over nieuwe manieren om ons graan klaar te maken. Maar ik vond het niet erg om al die karweitjes op te knappen en probeerde uit te leggen dat ze echt leuk werden als je er een spelletje van maakte, hoewel niemand naar me luisterde.

Ik was geobsedeerd door de dood. Als het 's nachts begon te regenen, lag ik me zorgen te maken over wat er zou gebeuren als een vloedgolf door de omgeving zou slaan terwijl wij lagen te slapen. Na een poosje realiseerde ik me dat het een genadig snelle manier was om dood te gaan wanneer je longen zich met water vulden. Op een middag ging er een warmtefront door ons gebied waardoor de sneeuw die hoog in de bergen lag begon te smelten. Het water kwam, maar dat ging zo langzaam dat we genoeg tijd hadden om ons kamp te ontruimen voordat het meegesleurd zou worden. We pakten alles in en kwamen uiteindelijk terecht in Blue River, Oregon, een hippie-enclave waar we een primitieve blokhut huurden van een boer die nooit de moeite nam om de huur te innen die hij kennelijk niet nodig had. Gedurende die lente in Oregon hadden we constant regen en natte sneeuw. Omdat ons brandhout vaak te nat was om aan te steken, was de temperatuur in onze kleine blokhut meestal maar een paar graden boven nul.

Maar onze lichamen pasten zich aan die kou aan. Het duurde niet lang tot ik zo gewend was aan de omstandigheden dat ik op blote voeten door de sneeuw kon lopen. Inmiddels was ik zes maanden in verwachting van Michaels kind. Maar toch liet Michael me weken achter elkaar alleen zitten, omdat hij liever zat te feesten bij een stel hippiekerels die aan de andere kant van de berg woonden. Zijn egoïstische houding deed me verdriet, maar ik vond het ook een teken van zwakte om iemand zijn plezier te ontzeggen omdat ik toevallig iets anders wilde. Dus hield ik mijn mond. Ik vond het niet erg om alleen te zijn. Daardoor had ik de tijd voor mijn eigen gedachten. Ik wachtte tot ze in mijn hoofd opkwamen en vervolgens pluisde ik ze uit en bestudeerde ze even grondig als ik altijd deed met een mot of een lieveheersbeestje. Als die op mijn hand landden, bekeek ik ze tot in de kleinste details. Mijn kleine jongen was precies zo. Omdat hij nooit televisie had gekeken, kon hij om vrijwel alles plezier hebben. We zaten vaak stijf tegen elkaar in onze blokhut om warm te blijven en dan vertelden we elkaar verhaaltjes of zongen liedjes.

Op een middag bakte ik wat falafels van fijngestampte bonen en concludeerde vervolgens rustig dat we daarna niets meer te eten hadden. In plaats van in paniek te raken besloot ik weloverwogen om dit ogenschijnlijk vervelende moment als een ervaring te gebruiken waarvan ik wijzer zou worden. Ik kon niet door de sneeuw naar de stad, dus hadden Steve en ik geen andere keus dan een paar dagen te vasten. Het was een intense ervaring, vooral toen me opviel dat het vasten op de een of andere manier de stofwisseling van mijn zwangere lichaam vertraagde. De pijn en het ongemak maakten plaats voor een onbeschrijflijk gevoel van verrukking.

Nadat mijn tweede kind, Peter, als een gezonde baby ter wereld was gekomen, gingen we in een vervallen huisje in Bend wonen. De vorige bewoner had marihuana verkocht en de vloer in de kelder lag vol hennepzaadjes. In de zomer veranderde de achtertuin in een soort marihuanajungle. Ik was altijd doodsbang dat we van het ene op het andere moment gearresteerd zouden worden. Michael was inmiddels helemaal verslaafd aan drank en aan het roken van marihuana.

Op een dag, ongeveer een week nadat ik mijn ouders had gebeld om te vragen of ze me wat geld konden lenen, bracht de postbode een brief met een cheque van $600, een deel van een inmiddels afgekochte levensverzekering die in mijn jeugd was afgesloten. Ik gebruikte het geld om een oude vrachtwagen met een platte laadbak te kopen. Michael zette er een nieuwe motor in en achterop bouwden we een houten hut, compleet met een houtkachel en een met goudkleurig fluweel beklede bank. Vervolgens gingen we rondtrekken om allerlei leren spulletjes die we zelf hadden gemaakt op beurzen, braderieën en kermissen te verkopen. We leerden hoe we van een stukje leer ter waarde van een dubbeltje een polsbandje konden maken met een naam erin gestanst en een sluitinkje, dat we voor een dollar doorverkochten. We verdienden goed geld, maar Michael kon het uiteindelijk niet uitstaan dat de dingen die ik uit de losse hand maakte – zoals de twee verstrengelde slangen die elkaar opaten (een symbool van het eeuwige leven) die ik op baretten naaide – beter verkochten dan zijn zorgvuldig met de hand versierde handtassen, portefeuilles en riemen. Op een dag verbood hij me om nog iets van leer te maken.

'Van nu af aan ben ik de enige die dit spul aanraakt,' zei hij terwijl hij wees naar de voorraad leer die op een werkbank lag. 'Ik wil jou er niet meer bij in de buurt zien.'

Die idiote eis ergerde me. Voor het eerst in jaren had ik iets gevonden waar ik goed in was en ik had echt plezier gekregen in het maken van allerlei dingen. Bovendien verdienden we eindelijk geld genoeg om eten te kopen en lappen stof waarvan ik kleren voor de kinderen maakte. Maar ik was vastbesloten om een zilveren randje aan iedere donkere wolk te zien. Zo was ik gewoon. En zo ben ik ook altijd geweest. Hoe somber en ellendig mijn leven vaak ook was, ik bleef altijd het gevoel houden dat ik gezegend was en dat er momenten waren – die misschien wel ontzettend donker en troosteloos leken – waarop mijn geloof op de proef werd gesteld. Dus toen Michael tegen me zei dat ik niet langer mocht doen wat ik nou juist zo leuk vond, hield ik mezelf voor dat hij in ieder geval paal en perk had gesteld aan zijn drankmisbruik. Hij was geen luie hippie meer en wilde zelfs in zijn eentje de kost voor zijn gezin verdienen. Hij probeerde echt zijn leven te beteren. Al die andere dingen telden niet mee.

'Als je dat echt graag wilt,' antwoordde ik, 'dan hou ik er gewoon mee op.'

We begonnen weer gebrek aan geld te krijgen. Maar ik had in ieder geval tijd genoeg om met mijn jongens te spelen en door te gaan met mijn pogingen om te begrijpen wat zich allemaal in mijn hoofd afspeelde. Een bepaald verlangen begon aan me te knagen. Ik hunkerde ernaar om mijn eigen wereld in te richten en begon mijn levensweg door de jaren heen te vergelijken met het pad dat een stuiterballetje volgt als je het uit alle macht tegen een muur gooit. Ik wilde niet alleen kunnen voorspellen waar dat balletje terecht zou komen maar ook invloed uitoefenen op de baan die het nam en het te dwingen om de patronen te volgen die ik het in gedachten oplegde.

We bleven rondzwerven, want dat was voor ons de normaalste zaak ter wereld. Uiteindelijk, toen we helemaal geen geld meer hadden, nam ik een baantje aan in de keuken van een sjofel verpleegtehuis in Santa Cruz. Tegen de tijd dat we onze intrek namen in een verlaten paddenstoelenfarm aan de kust ten noorden van de stad, had Michael een verhouding met een andere vrouw. Ik werkte de hele dag en als ik dan thuis kwam, zat hij te drinken, marihuana te roken of lag in bed met zijn nieuwe vlam. Op een avond raakte ik zo overstuur van alles wat er gebeurde, dat ik hem erop aansprak.

'Michael, we moeten met elkaar praten,' zei ik dringend.

'Er valt niets te praten,' zei hij met dubbelslaande tong. 'Ik hou van haar... Weet je waarom? Omdat ze totaal niet op jou lijkt... ze is hartstikke leuk.' Hij strompelde weer terug naar bed en viel meteen in een diepe, dronken slaap. Meteen daarna pakte ik hem bij zijn schouder en probeerde hem wakker te schudden. Ik wilde echt verschrikkelijk graag met hem praten. Toen Michaels ogen opengingen, had hij een uitdrukking op zijn gezicht die maakte dat hij stapelgek leek. Zijn handen schoten omhoog, grepen mijn hoofd vast en voor ik wist wat er gebeurde, ramde hij mijn voorhoofd tegen de grond. Hoewel dat eigenlijk niet kon, voelde ik geen pijn. Ik zag alleen maar sterretjes, schitterende sterretjes die op een kometenregen leken. Ik zag dat mijn beide jongens met grote ogen toekeken hoe mammies hoofd als een van die stuiterballetjes waar ze zo vaak peinzend naar zat te kijken tegen de houten vloer sloeg. Toen Michael besefte wat hij had gedaan, greep hij Peter op, wikkelde hem in een oud flanellen overhemd, rende onze camper uit en verdween in de kille, zilte nacht. Ik wist diep in mijn hart dat hij wel terug zou komen op het moment dat hij zijn geduld verloor en tot de conclusie kwam dat hij iemand nodig had om voor Peter te zorgen, die toen net een jaar was geweest.

De volgende dag liep ik naar mijn werk en liet Steve achter in de capabele handen van een andere moeder die ook in ons geïmproviseerde kamp was komen wonen. Het duurde niet lang voordat een paar van mijn collega's begonnen over mijn beurse gezicht en mijn dichtgeslagen blauwe oog. 'Je moet stapelgek zijn om dat soort dingen van die vent van je te pikken,' zei een van de verpleegsters, een zekere Rita, tegen me.

'Maar ik hou van hem en hij houdt van mij,' stamelde ik terwijl Rita ongelovig haar ogen ten hemel sloeg. 'Het zal echt nooit meer gebeuren. Dat weet ik gewoon zeker.'

Die dag dwaalde ik na mijn werk door de zalen met de verstarde bejaarde mannen en vrouwen die in het verpleegtehuis gestopt waren. Vanaf het moment dat ik daar ging werken, probeerde ik altijd snel klaar te zijn in de keuken, zodat ik nog even kon gaan zitten bij iemand die eruitzag alsof hij of zij behoefte had aan een praatje of aan gezelschap. Zelfs als ik er geen woord van verstond, luisterde ik naar de tonen die ze uitstootten en slaagde er dan toch in hun gevoelens en hun energie op te vangen. En ik deed mijn best om een gesprekje te beginnen, ook al bleven de zinnetjes onbehaaglijk in de naar ontsmettingsmiddelen ruikende lucht hangen.

Maar de meeste patiënten zaten zo stijf onder de medicijnen dat ze alleen nog maar in bed konden liggen en lusteloos naar de plafondtegels boven hun hoofd staarden. Soms zette ik een van de knokige, uitgemergelde lijfjes overeind en dan bleven we gewoon stil naast elkaar zitten, luisterend naar hun schurende, moeizame ademhaling. Ondanks het feit dat hun leven angstaanjagend leeg was geworden, kon ik af en toe toch jaloers zijn op die aan hun lot overgelaten tachtigjarigen. Er was niemand meer over wie zij zich druk moesten maken.

Van alle inwoners van het verpleegtehuis was Homer mijn favoriet. En op die middag nadat ik dat pak slaag had gekregen, trof ik hem zoals gewoonlijk vastgebonden op een van die krakkemikkige houten bureaustoeltjes die ik me nog van de lagere school herinnerde. 'Ik zit op mijn paard,' riep hij uit, terwijl hij heen en weer wiegde met een glimlach van zijn ene gerimpelde oor naar het andere. 'Die ouwe merrie van mij zit vandaag vol venijn, ik kan haar nauwelijks in bedwang houden.'

Niemand leek ooit tijd te hebben voor Homer. En zijn hoofd was misschien wel volgepompt met genoeg kalmerende middelen om een van die denkbeeldige beesten waarop hij de hele dag zat te galopperen om zeep te brengen, maar hij had zo'n twinkeltje in zijn ogen dat me ervan overtuigde dat hij waarschijnlijk meer bij de tijd was dan iemand anders in het tehuis... inclusief het personeel.

Ik trok een stoel bij en ging naast hem zitten. 'Hoe gaat het er vandaag mee, Homer?' vroeg ik. Hij knikte en glimlachte. 'Ik zit liever op een paard dan vastgebonden op een stoel,' zei hij, voordat hij vertrok voor een snelle denkbeeldige galop door de zaal, de voordeur uit en het land op. Zonder erover na te denken, deed ik mijn ogen dicht en besloot met hem mee te gaan. Een moment later was ik mijn leven ontstegen en genoot van mijn vrijheid terwijl ik me vastklemde aan de nek van een schimmel, met de zoele zeewind in mijn haar. Paardrijden bleek een fantastische therapie te zijn. Na een paar minuten voelde ik me herboren.

'Bedankt dat ik even met je mee mocht, Homer,' zei ik. 'Rij maar lekker verder. Ik zie je morgen wel weer.' Hij schonk me een cowboygrijns en vervolgde zijn weg.

Een week later kwam Michael weer thuis met Peter. Niet lang daarna gaf ik mijn baan in het verpleeghuis op en trokken we in noordelijke richting naar Washington, omdat we op de radio hadden gehoord dat ze daar appelplukkers nodig hadden. Het geld dat we daarmee verdienden, ging meestal op aan drank of marihuana voor Michael. Op een avond werd hij dronken en dreigde me in elkaar te slaan en er met Peter vandoor te gaan. Tot op dat moment had ik, als hij weer zo'n woedeaanval kreeg, mezelf ingebeeld dat ik surfte op de golven van zijn boosheid en altijd goed opgelet dat ik niet kopje onder ging als de aanval weer voorbij was. Maar die avond kon dat me niets meer schelen. Ik wilde hem geen kans geven om Peter mee te nemen. Niet opnieuw. Ik belde de sheriff. Toen die kwam opdagen, kwam de eigenaar van de boomgaard me te hulp en vertelde de sheriff dat ik nooit high of dronken was en dat ik harder werkte dan alle anderen, terwijl ik ook nog kookte en voor mijn kinderen zorgde.

'Die daar, dat is gewoon zo'n eeuwig stonede hippieniksnut,' zei hij terwijl hij naar Michael wees.

De sheriff knikte nadenkend en velde zijn oordeel. 'Als ik jou was, zou ik maar gauw mijn biezen pakken, kerel,' zei hij tegen Michael. 'En de kinderen blijven bij hun moeder.'

Een paar dagen later zaten Peter, Steve en ik in een DC-10 die ploegend door de wolken op weg was naar Tucson. Ik had ermee ingestemd dat Michael onze vrachtwagen hield en had opnieuw mijn ouders gebeld, die als een soort vangnet fungeerden wanneer mijn leven weer eens in een vrije val was geraakt. Mijn moeder bleek bereid te zijn om me een stel vliegtickets te sturen.

Ik was tweeëntwintig jaar. Ik had een lagereschoolopleiding en twee kinderen. Onze kleren slobberden als lompen om ons lijf. Al onze bezittingen pasten in één tas. En toch was ik dolgelukkig. Ik wist voor het eerst in mijn leven dat ik geen domme, dromerige imbeciel was, wat andere mensen ook mochten zeggen of denken. Ik wist diep in mijn hart dat ik in staat was om diep na te denken en mooie dingen te maken.

Ik was van plan om, als ik weer terug was in Arizona, aan de universiteit muzieklessen te nemen en zoveel mogelijk te leren over componeren, muziektheorie en het spelen van muziek. Mijn moeder was bereid om op de jongens te passen als ik les had. Ik dacht aan de afgelopen zeven jaar, haalde diep adem, en begon een zwart doosje in mijn hoofd te maken om alles op te slaan wat ik had meegemaakt sinds ik naar de Kinderen van God was gestuurd. Naast me zaten Peter en Steve met hun neuzen tegen de raampjes van het vliegtuig die op patrijspoorten leken. De verschroeide bruine aarde van Arizona werd onder ons als een smerige loper uitgerold. Niet lang daarna voelde ik hoe het landingsgestel uit de buik van het vliegtuig tevoorschijn kwam. Ik sloot het deksel, verzegelde het doosje, pakte mijn jongens op en stapte uit het vliegveld in de zinderende hitte van Arizona de eerste pagina's in van wat hopelijk een nieuw hoofdstuk van mijn leven zou worden.

ZES

SANTA MONICA, CALIFORNIË
SEPTEMBER 1993

Ik was niet bepaald in een gezellig humeur op die avond dat mijn telefoon ging. Ik had weer een lange, frustrerende dag achter de rug waarin ik door het verkeer in L.A. was gesjeesd om voor mijn laatste zinloze baantje als koerier blauwdrukken af te leveren bij architectenbureaus. Op dat moment probeerde ik een Willy-de-Walviskostuum in elkaar te knutselen uit gaas en papier-maché. Ik had besloten dat Willy de ideale vermomming zou zijn voor het komende gekostumeerde Halloween-feest dat ik had georganiseerd voor mijn autisme-steungroep. Inmiddels had ik *Free Willy* zes keer gezien, en de manier waarop Willy in de film vriendschap sloot met dat jongetje beviel me wel. En die scène waarin het jongetje Willy voor het eerst aanraakt vond ik prachtig, omdat Willy vreselijk graag aangeraakt wilde worden maar net zo bang was voor lichamelijk contact als ik in mijn jeugd was geweest. (En hoewel ik het niet graag toegaf, voelde ik me af en toe ook wel een beetje als Willy omdat ik sinds mijn studietijd zoveel zwaarder was geworden.)

Vanaf het moment dat ik mijn opleiding afrondde, vijfentwintig jaar eerder, was ik niet alleen veel zwaarder geworden, maar ik had ook twaalf ambachten en dertien ongelukken achter de rug. Ik was hasjdealer geweest, een fanatiek gokker op paardenrennen, taxichauffeur, een professionele collectant, kassier bij een boekwinkel, bibliothecaris op een lagere school en dan zal ik ook nog wel een stuk of vijf andere baantjes hebben gehad die ik opzettelijk ben vergeten. Eigenlijk dobberde ik maar een beetje rond, ik had totaal geen houvast. En toch waren er af en toe momenten dat ik in de verte, aan de horizon, meende land te zien. Twee keer had ik een dergelijk moment gehad na het zien van een film. Hoe vreemd het ook mag klinken, Hollywood heeft me geholpen meer begrip te krijgen voor de persoon die ik was.

De tweede keer dat me dat overkwam, was toen ik *Free Willy* had gezien, wat wellicht verklaart waarom ik al die moeite deed om een walviskostuum te maken. Maar de eerste keer dat een film me raakte op een plek waarvan ik het bestaan niet eens kende, was toen ik een kaartje had gekocht voor *Rain Man*. Honderddrieëndertig minuten later was ik een ander mens geworden. Dat gebeurde op een koele zondag in de herfst van 1989. Ik kwam vlak voordat de matineevoorstelling zou beginnen de bioscoop binnen, kocht haastig een blikje fris en een hotdog en viel toen neer in een stoel op de tweede rij zonder precies te weten wat ik te zien zou krijgen. Maar vanaf het moment dat ik Raymond Babbitt over het bioscoopscherm zag schuifelen, kon ik mijn ogen niet van hem afhouden. Ik had nog nooit eerder zoveel verwantschap gevoeld met een personage uit een film. Waarom zou ik ook? Per slot van rekening had ik nooit iemand in een film gezien die ook maar in de verste verte op mij leek. En hoewel ik wist dat Raymond een verzonnen personage was, had ik toch het gevoel dat ik naar een soort vage schaduw van mezelf keek. Alle rare streken die Raymond uithaalde, kwamen me bekend voor. Maar de echte dreun kwam toen een dokter aan Raymonds broer Charlie, een rol van Tom Cruise, vroeg: 'Kan hij vermenigvuldigen?'

Ik kon mijn oren niet geloven, dus ik zat echt met open mond naar het scherm te staren, vechtend tegen de neiging om te schreeuwen: 'Zo ben ik ook! Dat is precies zoals ik ben!' Plotseling was ik vergeten dat ik een bioscoop zat. Zodra Raymond werd gevraagd om twee getallen van zes cijfers met elkaar te vermenigvuldigen riep ik het antwoord al, een onderdeel van een seconde voordat Raymond zijn mond opendeed.

'Sssttt,' hoorde ik iemand achter me fluisteren.

'Hé, hou je bek!' riep iemand anders.

Ik zakte onderuit in mijn stoel met het gevoel alsof ik net een broer teruggevonden had die jaren geleden was verdwenen. Op de een of andere manier deed hij me ineens denken aan die idiot savant met wie mijn huisgenoten op college mij vergeleken hadden. Na al die jaren drong het ineens tot me door dat er misschien wel een spoor van waarheid school in wat ze hadden gezegd. En toen de film eindelijk afgelopen was, huppelde ik bijna uit de donkere bioscoop naar buiten, waar het zonnetje scheen. Toen ik de filmposter in de lobby zag, rende ik ernaartoe en voelde ineens om onverklaarbare redenen de aandrang om mijn vingertoppen op Raymonds kruin te leggen. Ik heb het gevoel dat ik daar urenlang heb gestaan.

'Wat jammer dat ze je weer naar die inrichting moesten sturen, Raymond,' hoorde ik mezelf fluisteren. 'Eigenlijk hadden ze toch een manier moeten vinden om je eruit te houden.'

De twee verkopers in de snackbar keken me met grote ogen aan toen ik me eindelijk omdraaide en op weg ging naar huis. Ik was nog niet eens de straat uit, toen er een gedachte bij me opkwam, waarvan ik instinctief begreep dat mijn hele leven er wel eens door zou kunnen veranderen. Als ik nou eens probeer om meer over Raymond te weten te komen, dacht ik, dan kom ik misschien ook wel meer over mezelf te weten. Ik wist dat Raymond Babbitt een autistische savant was. In dat opzicht kon ik me met hem identificeren. Maar afgaande op mijn geringe kennis van het syndroom had ik niet het idee dat ik autistisch was. Ik maakte mezelf wijs dat ik daarvoor veel te zelfstandig was. Maar het viel niet te ontkennen dat we erg veel met elkaar gemeen hadden. Zijn naïeve sociale gedrag gaf me het gevoel dat ik een spiegel keek: zoals hij daar midden op dat zebrapad blijft staan als het voetgangerslicht op rood springt, het feit dat hij alle herkenningsmelodieën en de reclamekreten voor mijn drie favoriete tv-programma's – *The People's Court, Jeopardy* en *Wheel of Fortune* – kende, de manier waarop hij gek wordt van die jengelende rookmelder, dat hij het heerlijk vond om in de wasserette te kijken naar zijn sokken die door de droger tuimelden, zijn voorkeur voor wiskunde.

Na de film belde ik mijn middelste broer Jim, die in Hollywood een baan als artdirector heeft. Hij raadde me aan om naar de bibliotheek te gaan om uit te zoeken wie de wetenschappelijke adviseurs voor de film waren geweest. Het duurde niet lang voordat ik de naam had gevonden van de wereldberoemde psycholoog uit San Diego, Dr. Bernard Rimland, die met zijn klassieke boek uit 1964, *Infantile Autism,* meehielp met het ontzenuwen van de theorie dat autisme veroorzaakt werd door kille moeders die hun kinderen te weinig liefde gaven. Ik schreef dr. Rimland een brief van ettelijke velletjes waarin ik die volkomen vreemde alles vertelde over mijn frustrerende, lege leven. Een paar weken later schreef hij me terug met de mededeling dat het erop leek dat ik alle symptomen vertoonde van iemand met autisme of iets dat er erg veel op leek. Hij drong erop aan dat ik zoveel mogelijk informatie over het syndroom zou verzamelen, maar waarschuwde dat ik niet te veel autobiografieën van autisten moest lezen, vooral niet als ik nog niet zeker wist of ik wel autistisch was.

'Het kan zijn dat je dan een verkeerd idee krijgt over je eigen leven,' schreef hij en legde uit dat iedere autistische persoon zo uniek is dat één verhaal zeker niet de ervaringen van iemand anders kan beschrijven. Destijds wist ik dat nog niet, maar *Rain Man* was ook de inspiratie voor een heleboel zogenaamde autisten, mensen die zochten naar een buitenissig excuus voor vreemd gedrag wat dan ook nog gesubsidieerd zou kunnen worden door de overheid. Het zou best kunnen dat ik ook een van die poseurs was. Desondanks kampeerde ik de volgende paar maanden zo'n beetje in de openbare bibliotheek van Santa Monica en las alles wat ik over het onderwerp te pakken kon krijgen. Maar hoe meer ik las, hoe minder autistisch ik me voelde. Na verloop van tijd begon ik mezelf te beschouwen als een man zonder diagnose.

Maar toen kreeg ik op een dag een exemplaar in handen van *Emergence: Labeled Autistic,* het boek van Temple Grandin en toen viel het kwartje. Dit was een echte savant, iemand die erin was geslaagd haar unieke gaven in de hand te krijgen en niet alleen professor te worden, maar ook de grootste deskundige ter wereld op het gebied van slachthuizen. Ik kwam er al snel achter dat zij een vorm van autisme had die bekend stond als het syndroom van Asperger, dat ik al gauw begon te beschouwen als een 'autisme-light'. Mensen met Asperger onderscheidden zich voornamelijk door hun chronische onvermogen om met mensen om te gaan. Tegen de tijd dat ik Temples boek uit had, was het tot me doorgedrongen dat er meer mensen waren zoals ik. Ik had een verwante ziel gevonden. God mocht weten hoeveel anderen net zo waren als zij. Net zoals ik?

Het heeft me jaren gekost om genoeg moed te verzamelen om die vraag te beantwoorden. In de herfst van 1989 had ik me aangesloten bij een plaatselijke clubje lopers om te trainen voor de marathon van Los Angeles. Hardlopen was het enige geweest dat me op de middelbare school altijd had geholpen om kalm en geconcentreerd te blijven. Twee decennia later, toen ik hoorde dat er zo'n duurloop in de stad zou worden gehouden, raakte ik opnieuw verslaafd aan lopen en begon me te verheugen op de wekelijkse trainingen. Iedere zaterdagochtend kwam de club na de trainingsloop bij elkaar in het schoolrestaurant van een plaatselijke lagere school en luisterde naar medeleden die ons een hart onder de riem probeerden te steken. Ik had de vergissing begaan om de oprichter van de club, Bob Scott, te vertellen over mijn speurtocht naar autisme en dat hardlopen had geholpen om me het gevoel te geven dat ik baas was over mijn eigen leven. Toen de geplande spreker op een zaterdag niet kwam opdagen, vroeg Bob of ik mijn verhaal aan de groep zou willen vertellen.

'Waarom niet?' zei ik schouderophalend. En gedurende een halfuur daarna stond ik helemaal in mijn eentje op de rand van het podium voor tweehonderd mensen en vertelde hun over de reis die ik het afgelopen jaar in het geheim had ondernomen. Ondanks mijn vaak hakkelende en warrig monotone verhaal liep niemand weg. Omdat ik al zo'n eind gelopen had voordat ik mijn spreekbeurt hield, had ik geen last meer van zenuwen. Dus ik deed alleen maar mijn mond open en meteen daarna kreeg ik het gevoel alsof er een lopende band van mijn hart naar mijn lippen liep. De woorden vielen er gewoon op en werden moeiteloos vanuit mijn borst naar de wachtende oren van mijn collega-amateurmarathonlopers getransporteerd. Dat moment bleek later een keerpunt in mijn leven te zijn.

'Vanaf het moment dat ik *Rain Man* zag, heb ik me afgevraagd of autisme en ik iets met elkaar gemeen hadden,' begon ik stamelend. 'Maar daar wou ik het eigenlijk niet over hebben. Ik wou jullie gewoon vertellen dat ik door te gaan hardlopen en me bij deze groep aan te sluiten me ineens weer iets herinnerde dat ik vergeten was. Dat de paar dingen die me hebben geholpen om contact te krijgen met de buitenwereld dezelfde dingen zijn waar mensen zich niet als individu maar juist in groepsverband beter van gaan voelen. Wat jullie allemaal samen mij de afgelopen twee jaar hebben geleerd is veel belangrijker dan het antwoord op de vraag of ik al dan niet autistisch ben. Jullie herinnerden me eraan dat je leven alleen betekenis kan hebben als je je best doet om anderen naar een hoger plan te tillen, want alleen op die manier kunnen we dat ook voor onszelf doen. Voor ons zoals we hier zitten zal dat gebeuren als we beseffen dat de individuele tijd waarin we de marathon lopen niet van belang is. Het enige dat telt, is dat we allemaal samen de eindstreep halen, als een eensgezinde familie van hardlopers.'

Tot die dag besefte ik meestal pas veel later welke indruk de dingen die ik zei op mezelf of op anderen maakten. Het was een neurologisch gebrek dat al onvoorstelbaar veel schade in mijn leven had aangericht. Maar dat was niet het geval toen ik daar op dat podium stond en zei wat mijn hart me ingaf. De mensen die daar naar me zaten te luisteren hadden me niet alleen stuk voor stuk geholpen bij de voorbereiding voor een hardloopwedstrijd van tweeënveertig kilometer en honderdvijfennegentig meter, maar ze hadden ook een steentje bijgedragen aan mijn persoonlijke speurtocht naar de ware Jerry Newport. En ik had geprobeerd hetzelfde te doen. En hoe afgezaagd het ook mag klinken, het was me gelukt. Ik was eindelijk veranderd van een eeuwig onzekere, alleen in zichzelf geïnteresseerde dolende ziel in iemand die blij was met de dingen die hij mocht doen om de mensen in zijn omgeving gelukkiger te maken. Nu begreep ik voor het eerst in mijn leven dat mijn rijkdom nooit uit geld zou bestaan, maar uit iets dat veel belangrijker en duurzamer was: mijn relaties met de mensen om me heen.

Toen ik klaar was met mijn toespraak begonnen de mensen te

klappen. Het werd een soort staande ovatie en een paar mensen floten zelfs. De oprichter van de club liep het podium op en sloeg zijn armen om me heen.

'Wat jij hebt gedaan zou andere mensen ook wel eens kunnen helpen,' zei een jonge vrouw in een gele trainingsbroek tegen me toen iedereen het restaurant uit liep. 'Maar je zult er nooit achter komen hoeveel invloed je wellicht kunt hebben als je niet naar een of andere autistische organisatie toegaat. Die zijn er vast wel in Los Angeles.'

Ze had uiteraard gelijk. Ondanks al mijn onderzoek had ik eigenlijk nooit de moed kunnen opbrengen om contact op te nemen met de Autism Society of Los Angeles. Daar was een simpele maar pathetische reden voor: ik was als de dood dat ze me zouden afwijzen. Nadat ik mezelf er eindelijk van had overtuigd dat ik bij toeval een manier had gevonden om mezelf te definiëren, beefde ik als een rietje bij het idee dat ik misschien teruggestuurd zou worden naar een wereld waarin ik nooit mijn draai zou kunnen vinden. Maar omdat zoveel van mijn collega-hardlopers zo vriendelijk waren geweest om een halfuurtje van hun tijd op te offeren en naar mijn verhaal te luisteren, voelde ik me verplicht om de koe bij de hoorns te vatten en de eerstvolgende bijeenkomst van de organisatie bij te wonen.

Tot mijn grote opluchting werd ik met open armen ontvangen. En toen de lente van 1992 aanbrak, gebruikte ik alle ervaring die ik midden jaren tachtig had opgedaan bij de vakbond van taxichauffeurs in San Diego om gekozen te worden als lid van de raad van bestuur. Als ik bedacht dat ik daarin nauw samenwerkte met een paar van de meest gerespecteerde namen in de wereld van het autisme schoot ik altijd weer in de lach. Het moedigde me ook aan om na te denken over andere manieren waarop ik mijn levenservaring beter kon benutten.

Samen met mijn eerste autistische vriend en hardloopkameraad Jonathan Mitchell begon ik allerlei ideeën te overwegen. Uiteindelijk kwamen we op iets dat een schitterende nieuwe vondst zou blijken te zijn: waarom zouden we geen steungroep uitsluitend voor en door volwassen autisten oprichten? Ik begreep niet waarom dat nog nooit eerder was geprobeerd. Het leek erop alsof volwassenen die met elkaar over autisme praatten dat tot dan toe altijd hadden gedaan onder het toeziend oog van goedbedoelende ouders of verzorgers. Dat was niet alleen onbedoeld denigrerend, het werkte ook remmend. Hoe langer ik erover nadacht, hoe beter ik begon te beseffen dat onze gemeenschap veel meer over de eerste twintig jaar van het leven van een autistische persoon wist dan over de rest van dat leven. En dat vond ik ronduit onacceptabel.

'Het zou gewoon heel fijn zijn om een plek te hebben waar we ons niet voor ons gedrag hoeven te verontschuldigen,' zei Jonathan, bij wie de diagnose als kind al was gesteld en die vervolgens afgestudeerd was in de psychologie aan de UCLA. Ik was het roerend met hem eens en vond het een opwindend idee om te helpen bij het scheppen van een soort virtuele veiligheidszone voor die volwassenen onder ons die zich erbij hadden neergelegd dat we te oud waren om genezen te worden en die wanhopig verlangden naar een ontsnapping uit een leven waarbij ze maar al te vaak onder toezicht stonden.

Drie maanden later, tijdens de laatste uurtjes van een conferentie over de consequenties van volwassen autisme die in Long Beach, Californië was gehouden, kwamen we in een hoekje van de zaal met ons veertienen bij elkaar. De presentator van het evenement, een parttime stand-up comedian die toevallig een jongere volwassen broer had die autistisch was, zat de bijeenkomst voor. We vormden een divers gezelschap, met onder andere een grootmoeder, iemand die nooit de deur uitging, een moeder met twee kinderen en een langeafstandsloper uit de atletiekploeg van het Long Beach City College. In het uur daarna praatten we over wat ieder van ons van een dergelijke steungroep verwachtte. Ik had een schoolbord geconfisqueerd en noteerde alles wat op de verlanglijstjes stond. Dingen als informatie over autisme, hulp bij sollicitaties, sociale mogelijkheden, bemoediging en mogelijkheden tot vrijetijdsbesteding. Toen het duidelijk werd dat we opnieuw bij elkaar zouden komen, tekende ik een geïmproviseerde kaart van L.A. op het bord en zette een kruisje op de plekken waar we woonden. Aangezien een meerderheid in de buurt van Culver City woonde, spraken we af om een maand later een bijeenkomst te houden in het huis van een vrouw daar in de buurt. En toen de eerste bijeenkomst er kennelijk opzat, was ik de laatste die was achtergebleven. Op weg naar buiten gooide iemand de lijst met deelnemers op mijn schoot.

'Gefeliciteerd,' grinnikte onze presentator. 'Kennelijk ben je tot leider benoemd.'

'Bij ontstentenis van een leider,' zei ik lachend.

Aan het eind van de zomer van 1993 hadden we een naam bedacht voor onze bijzonder onorthodoxe groep: AGUA, oftewel Adults Gathering United Autistic, de groepering van samenwerkende volwassen autisten. De afkorting van onze organisatie – AGUA – betekent water in het Spaans. Veel van ons zeiden bij wijze van grap dat autisme in feite onze moedertaal en Engels onze tweede taal was. Het leek toepasselijk dat iedereen die iets meer over onze groep wilde weten in ieder geval één woord in een andere taal zou leren. Inmiddels was ons ledental al aangegroeid tot het adembenemende aantal van vierentwintig mensen. Bij iedere bijeenkomst voelden de leden zich meer op hun gemak bij elkaar. Een van de beste voorbeelden daarvan was Dean. De eerste keer dat hij kwam opdagen, dwaalde hij door het vertrek terwijl hij in zichzelf liep te praten over de dingen die hem interesseerden, zoals het ruimtevaartprogramma en tuinieren. Maar na verloop van tijd begon hij zich zo op zijn gemak te voelen dat hij met iedereen die bereid was een praatje met hem te maken over zijn hobby's kon praten.

Het duurde niet lang voordat de groep aanzienlijk meer mannen dan vrouwen telde en dat bleek een teleurstelling voor een aantal kerels die één bijeenkomst bijwoonden omdat ze driftig op zoek waren naar een partner en vervolgens nooit meer terugkwamen. Ik vond het altijd een verdrietig idee dat ze niet gewoon bleven komen om vrienden te maken. Die zouden ze zonder problemen gevonden hebben. We hadden zoveel verschillende types in ons midden dat je je geen seconde hoefde te vervelen. Glenn bijvoorbeeld. Hij was accountant, een ongelooflijk harde werker die verslaafd was aan vaste patronen. Hij had iedere dag opnieuw een streng schema waar hij geen millimeter vanaf wenste te wijken, vol uiteenlopende bezigheden die varieerden van klarinetlessen tot een cursus zelfverdediging. Glenn reed auto, maar het kostte hem de grootste moeite om af te wijken van de vaste routes over wegen die hij kende. AGUA leerde hem iets soepeler om te springen met gebeurtenissen en omstandigheden die niet van te voren gepland waren.

Naarmate onze groep vaker bij elkaar kwam, kreeg ik steeds meer het idee dat ik eindelijk iets goeds voor elkaar had gekregen zonder alleen maar aan mezelf te denken en aan de indruk die ik daarmee op anderen zou maken. Ik had me ook nog nooit zo fijn gevoeld, nu ik al die anderen leerde kennen die dezelfde moeilijkheden hadden gekend als ik. Binnen de kortste keren werden we een groep broers en zussen die helemaal aan elkaar verknocht waren.

Maar het was niet continu rozengeur en maneschijn. Na verloop van tijd moesten we een van onze eerste leden vragen om op te stappen. We vonden het allemaal een verdrietige en frustrerende gedachte dat wij niet in staat waren om hem de juiste steun en hulp te bieden. Ik zal nooit de vergadering vergeten waarin ons bestuur dat besluit nam. We zaten allemaal in de put, dat wil zeggen tot een van ons volkomen serieus zei: 'Nou ja, zelfs wij hebben onze grenzen.'

Niet lang daarna, op een vochtige middag in september 1993, hoorde ik de telefoon in mijn appartement overgaan. Ik was net onhandig bezig om mijn walviskostuum voor onze Halloweenparty in elkaar te zetten. Toen ik opnam, hoorde ik een vrouwenstem aan de andere kant van de lijn.

'Hallo,' zei ze met ingehouden adem. 'Ik ben Mary Meinel...'

Ze klonk nerveus, alsof ze omgeven was door verwarring en verdriet. Haar stem klonk een tikje zeurderig en nasaal en voordat ik wist wat er gebeurde, begon ze al aan een lange monoloog over haar leven dat één grote puinhoop was geworden. Ze had iemand over AGUA horen praten en nu wilde ze graag een bijeenkomst bijwonen. Toch klonk ze tegelijkertijd boeiend en wulps, iets dat ik zelden bij andere autistische vrouwen tegenkwam. Maar, en dat was iets dat mij ook vaak overkwam, er zat ook een zekere spanning in haar stem, alsof een deel van haar genoeg had van het leven en er alleen nog maar aan een dun, bijna versleten draadje bijbungelde. Daar kon ik alle begrip voor opbrengen... dat wil zeggen, als ik dat had gewild. Het probleem was, dat ik daar geen zin in had. Eigenlijk wilde ik de telefoon het liefst neerleggen en weer verdergaan met mijn belachelijk uitziende walviskostuum.

'We houden een Halloween-party in Long Beach,' zei ik. 'Waarom probeer je daar niet naartoe te komen?'

Ze zei dat ze dat zou doen. Ik vertelde haar hoe ze er kon komen, legde de telefoon neer en was Mary Meinel binnen de kortste keren weer vergeten.

Nog geen maand later kwam Mary tijdens de Halloween-party van AGUA een toilet uit lopen in een zachtblauwe kanten japon en een gepoederde witte pruik op haar kaalgeschoren hoofd. Ik had geen flauw idee wie ze was, maar ze zag er verrukkelijk uit, zinderend en een tikje geïrriteerd. Ik vroeg me af of dat zou komen omdat ik constant op de deur had staan bonzen, want mijn blaas stond echt op springen.

'Hoi, ik ben Jerry Newport,' zei ik.

'Hallo, Jerry Newport,' antwoordde ze. 'Ik ben Mary Meinel.'

Ze maakte een sympathieke indruk, vooral haar ogen. Niet dat ik echt vaak naar de ogen van andere mensen had gekeken, maar die van haar waren zo sprankelend dat ze me wel op moesten vallen. Hoewel het nog zeker een uur duurde voordat ik Mary opnieuw zag, kon ik haar wel horen. Haar opgewonden stem knetterde als een salvo uit een houwitser boven het feestgedruis uit. Sommigen van onze bedeesdere leden die nogal gevoelig waren voor geluiden raakten zo overstuur van haar harde stem dat ze de keuken in vluchtten. Ik zag ze verward in een hoekje wegkruipen. Een paar voelden zich verplicht om naar me toe te komen en een beetje schaapachtig hun beklag over haar te doen. Maar ik kon alleen maar vol meegevoel knikken.

'Nou ja, ze amuseert zich in ieder geval kostelijk,' antwoordde ik, blij dat we eindelijk iemand hadden met een overdosis energie. Per slot van rekening kostte het intomen daarvan minder moeite dan al die pogingen om mensen in beweging te krijgen. En dat was iets wat ik maar al te vaak moest doen tijdens onze bijeenkomsten met een aantal leden die rustig twee uur lang bij een vergadering konden zitten zonder zelfs maar hun mond open te doen.

Natuurlijk sloeg Mary in als een bom bij de brutaalste kerels van de groep. Tegen de tijd dat ik weer een kans kreeg om een paar woorden met haar te wisselen stond ze in een hoek van de kamer en werd bedolven onder de aandacht. In plaats dat ze zich dat met genoegen liet aanleunen – zoals een paar van de dames van AGUA waarschijnlijk wel zouden hebben gedaan – lachte ze het weg en bestookte haar bewonderaars met vragen. Hadden ze hobby's? Voelden ze zich wel eens eenzaam? Wat vonden ze het allerfijnst in het leven? Ik had nog nooit zoiets meegemaakt. Ze was echt geïnteresseerd in hen. Als ze begonnen te praten begonnen haar ogen te sprankelen en leken in vuur en vlam te staan.

Vandaar dat ik ook naar haar toe liep in mijn half afgemaakte walviskostuum dat als een slaperige Siamese tweelingbroer achter me aan bungelde. Jonathan Mitchell zag me aankomen en begon opgewekt op te snijden over mijn rekenkundige kwaliteiten. Daar kon ik alleen maar met een diepe zucht op reageren. Daar gaan we weer. Maar de afgelopen paar jaar had ik eindelijk leren leven met het feit dat ik een savant was. In plaats van me ervoor te schamen, kon ik... nou ja, ik kon er gewoon beter mee omgaan.

'Dus jij bent een savant,' lachte ze. 'Dat ben ik ook. Ik schilder en maak muziek.'

'Dat geldt voor bijna twintig procent van de mensen die net als wij Aspies zijn,' antwoordde ik. 'Dat heb ik tenminste gehoord.' Mary klapte in haar handen en lachte. Ik keek om me heen, omdat ik niet wist wat ik verder moest zeggen. Dat gebeurde nou altijd.

'Nou, laat maar eens horen,' beval ze en giechelde.

Ik keek even naar Jonathan. Hij stond kennelijk te wachten tot ik mijn kunstje zou doen. Ik haalde opnieuw diep adem en vroeg aan Mary: 'Wanneer ben je geboren?'

Dat vertelde ze me en mijn verstand schakelde over op de automatische piloot en zette alle variabelen die ze me net had gegeven op een rijtje. Ze leek geamuseerd toen ik haar vertelde op welke dag van de week ze geboren was.

Daarna stonden we nog even met elkaar te praten. Ik complimenteerde haar omdat ze zo'n leuke Mozart was. En zij zei tegen me dat ze mijn Willy echt grappig vond. 'Het geeft niet dat je het niet hebt afgemaakt,' zei ze geruststellend. 'Ik kan toch zien wat je bedoeling was. Je bent een echte kunstenaar.'

Ik was in mijn leven al van veel dingen beschuldigd, maar er was nog nooit iemand geweest die me een kunstenaar had genoemd. Ik kon er alleen maar om lachen, met mijn blik strak op de vloer gericht. Op dat moment wilde ik haar niet aankijken. Ik wilde het beeld dat ik in mijn geest van haar had vasthouden. Ze leek heel aardig. Dat dacht ik toen. Ze leek iemand die we bij AGUA heel goed konden gebruiken, iemand met wie ik graag bevriend zou willen zijn.

'Nou, tot ziens dan maar,' stamelde ik. Daarna zwom ik in mijn sjofele walviskostuum naar de keuken om een glas frisdrank te pakken.

Hollywood, Californië
September 1993

De avond dat ik eindelijk de telefoon oppakte om Jerry Newport te bellen, de vent over wie ik zoveel had gehoord, was ik absoluut niet op mijn best. Ik had een paar moeilijke decennia achter de rug. Ik was zo vaak geestelijk ingestort dat ik de tel kwijt was. Maar tussen al het verdriet en de waanzin door, was ik er in geslaagd om mijn absolute gehoor aan banden te leggen en pianostemmer te worden. Ik werkte voornamelijk met concertvleugels in Los Angeles en New York. Natuurlijk ging die veelbelovende carrière een paar jaar geleden in rook op, mede omdat zo veel piano's door synthesizers werden vervangen, en sindsdien had ik geleefd van een uitkering, douceurtjes van mijn familie en het geld dat ik met tijdelijke baantjes verdiende.

Een paar maanden voordat ik Jerry's nummer voor het eerst belde, had ik mijn hoofd kaalgeschoren met een veiligheidsscheermesje en besloten om eindelijk iets te gaan doen waar ik altijd van gedroomd had: ik zou als figurant bij de film gaan werken. Niet lang daarna gaf ik acte de présence bij een massa-auditie voor een nieuwe tv-serie: *Star Trek: Deep Space Nine.* Ze hadden figuranten nodig en hetzelfde moment dat een van de mensen die de rollen verdeelden mij in de gaten kreeg, begon hij te grinniken. 'Jij bent vast van plan om een buitenaards wezen te spelen.'

Ik kon alleen maar lachen om die opmerking. 'Ik ben mijn leven lang al een buitenaards wezen,' antwoordde ik.

Een week later zat ik tot mijn eigen verbazing op een stoel in de Paramount Studios in Hollywood, waar een make-upspecialist me met blauwe verf bedekte. Ik moest een kaal, donkerblauw wezen van de planeet Bole voorstellen. Ze hadden geen betere voor die rol kunnen vinden. In psychologisch opzicht hadden we tweelingen kunnen zijn. Ze was geniepig, gereserveerd, rustig en ze zoog alles dat om haar heen gebeurde op als een spons. Je kon het nauwelijks een vaste baan noemen, ik verdiende maar net genoeg om in leven te blijven. Maar ik vond het heerlijk om naar de set te gaan en vier uur lang door het personeel van de make-upafdeling als een ster behandeld te worden. Ik mag dan niet meer dan een figurant zijn geweest, maar het duurde niet lang voordat mijn vreemde blauwe smoel ook op *Star Trek*-ruilkaartjes verscheen.

Dat was allemaal echter niet genoeg om te voorkomen dat ik opnieuw begon aan de beklimming van Mount Psycho met het voornemen me in de diepte te storten. Op een middag nadat ik een dag op de set van Star Trek had doorgebracht, begon ik serieus te overwegen om een voormalige minnaar die me voor een andere vrouw aan de kant had gezet dood te schieten. Weliswaar was onze relatie inmiddels op de klippen gelopen, maar hij stond nog vaak onder mijn slaapkamerraam beledigingen te schreeuwen. En dat was een van de redenen waarom ik een paar dagen geleden een oud Beretta-pistool had gekocht bij een lommerd in de buurt. Maar in plaats van de trekker over te halen kreeg ik ineens een onbedwingbare neiging om mijn broer David te bellen. Hij was inmiddels dominee in Dallas en ik had hem al bijna twintig jaar niet meer gesproken. Nadat ik zijn nummer had opgevraagd, hoorde ik een paar minuten later zijn stem uit de telefoon komen.

'David,' zei ik, terwijl ik naar de Beretta zat te staren, 'ik ben het, Mary. Je zus.'

'Hallo, Mary,' zei hij geduldig. Hij klonk alsof het hem speet dat hij de telefoon had opgepakt. Ongetwijfeld hadden mijn ouders hem in de loop der jaren op de hoogte gehouden van alles wat ik had uitgespookt.

'Hoe gaat het met je?' vroeg hij.

'Niet zo goed,' zei ik. 'Ik... ik heb het gevoel dat ik ieder moment kan instorten.'

Hoewel ik ettelijke duizenden kilometers bij hem vandaan zat, kon ik horen hoe David diep ademhaalde en daarna een vermoeide zucht slaakte. Hij klonk niet alsof hij zin had om uitgebreid met me te praten. En dat kon ik hem ook niet kwalijk nemen. Waarom zou hij in vredesnaam met me willen praten? Hij had zijn geduld met mij al jaren geleden verloren, nog voordat ik van de middelbare school vloog.

'Mary,' zei hij na een lange stilte, 'volgens mij moet je de National Autism Society bellen. Volgens mij kunnen die je wel helpen.'

'Je zoon is ook autistisch, hè?' zei ik in een poging het gesprek op gang te helpen. 'Dat heb ik tenminste van mam gehoord.'

'Ik denk dat je hen moet bellen, Mary,' zei hij. Vervolgens gaf hij me het nummer, wenste me succes en verbrak haastig de verbinding.

Autistisch, dacht ik. Zou hij echt denken dat ik autistisch was? Terwijl ik daar in de keuken stond, probeerde ik het idee tot me door te laten dringen. Het was een mogelijkheid die ik al eerder had overwogen. Maanden geleden, toen ik weer zo'n moeilijke periode had waarin ik met niemand kon communiceren en waarin het bijna onmogelijk was om de juiste woorden op te diepen om mijn gedachten te vertolken, had ik in een bibliotheek wat research gedaan en toen ontdekte ik iets waarvan ik helemaal ondersteboven raakte: dat autistische mensen vaak geplaagd worden door hetzelfde onvermogen om zich te uiten. De volgende morgen belde ik het nummer dat ik van mijn broer had gekregen en kwam uiteindelijk terecht bij een vrouw die mijn verhaal geduldig aanhoorde.

'Weet je wie je moet bellen?' zei ze ten slotte. 'Een man die Jerry Newport heet. Hij is pas geleden begonnen met een groep die eens per maand bij elkaar komt, ergens bij jou in de buurt. Ik denk dat je hem wel interessant zult vinden.'

'Jerry Newport,' zei ik. 'Waarom niet? Heb je zijn nummer?'

Op het tafeltje lag naast mijn pistool een roze potlood. Ik pakte het op en draaide mijn onbetaalde gasrekening om.

'Ben je zover?' vroeg ze.

'Ja hoor,' zei ik tegen haar. 'Ik ben zover.'

Die Jerry Newport klonk absoluut een beetje getikt toen ik hem eindelijk aan de telefoon kreeg. De afgelopen paar weken had ik een heel stel berichten voor hem achtergelaten, maar hij nam nooit de moeite om terug te bellen. Dat overkwam me nu altijd: zat ik helemaal in de put en stak ik mijn hand uit om hulp te krijgen, draaiden ze me de rug toe. Maar toch raakte ik iedere keer dat ik belde weer geboeid door de malle, lieve boodschap die hij op zijn antwoordapparaat had ingesproken: 'Je bent verbonden met het Huis van Jerry Newport en het Fantastische Viertal: Pagliacci, Isadora Duncan, Caruso en Cockatiel Dundee. Er is niemand thuis. Spreek maar een berichtje in.'

Op een avond in september zei ik bij mezelf dat ik zijn nummer nog één keer zou intoetsen. De telefoon ging een paar keer over, toen nam hij op.

'Hallo!' brulde hij in de microfoon. Hij klonk als een kribbige boef uit Brooklyn. Zijn stem was vlak, monotoon, luid en onmiskenbaar licht geïrriteerd. Maar ergens onder al die herrie hoorden mijn fijnbesnaarde oren nog iets anders, een vage mengeling van medeleven, pure eerlijkheid en verdriet die ik maar zelden was tegengekomen. Het leek alsof ik toevallig op een vreemd nieuw instrument was gestuit, maar met de noten die het produceerde niets kon beginnen. Maar goed, op het moment dat Jerry de telefoon oppakte, greep ik meteen mijn kans en begon haastig en hijgerig te vertellen wie ik was en waarom ik belde. Helaas leek hij niet echt geïnteresseerd in wat ik te vertellen had.

'Heb je het druk?' vroeg ik. 'Wil je dat ik terugbel?'

'Nee,' stamelde hij en legde uit dat hij bezig was om een walviskostuum in elkaar te knutselen voor de Halloween-party die zijn organisatie over drie weken zou geven. 'Het lukt voor geen meter,' zeurde hij. 'Het wordt een soort walvis die ik nog nooit heb gezien.'

We bleven nog een paar minuten doorpraten en ik probeerde zoveel mogelijk informatie los te peuteren over zijn autismegroep.

Af en toe werd ons gesprek onderbroken omdat mijn aftandse, ouderwetse telefoon kuren vertoonde. Maar ik kon me geen nieuwe veroorloven.

'Wat is er met die telefoon van je aan de hand?' wilde Jerry op luide toon weten als ik de draadbreuk weer hersteld had. 'Waarom laat je dat niet maken?' Het feit dat iemand zich aan me ergerde, maakte nauwelijks indruk op me. Nadat ik een leven lang mensen tegen me in het harnas had gejaagd was ik daar allang aan gewend. Bovendien was ik veel te opgewonden van het besef dat ik misschien eindelijk een groep paria's had gevonden met wie ik mezelf kon identificeren. En naarmate ik langer met die humeurige vreemdeling praatte, begon ik me steeds meer af te vragen waarom ik nooit dieper was ingegaan op de vraag of ik misschien bepaalde dingen met autisten gemeen had. Ik moest ineens weer denken aan mijn onderwijzeres uit de tweede klas, die zo verbaasd was geweest dat ik om de een of andere reden niet in staat was om te horen wat er in de klas werd gezegd. Op een ouderavond had ze zelfs gesuggereerd dat ik misschien autistisch was, maar dat werd door mijn moeder meteen van de hand gewezen. Overigens had mijn moeder niets tegen autisten. Een van de dochters van onze buren, die zich vooral bezighield met het uit haar hoofd leren van kookboeken, bleek ook autistisch te zijn.

'Ze is intelligent op een verborgen manier die niet veel mensen kunnen begrijpen,' had mijn moeder tegen me gezegd. 'Ze kan het alleen niet op de gebruikelijke manier tonen.'

Het gekwetter van Jerry's vogels dat ik door de telefoon hoorde, bracht me met een schok terug in het heden. Het klonk alsof hij in een dierenwinkel woonde. 'Ik heb twee valkparkieten... Ricky en Lucy,' vertelde ik hem opgewonden.

'Ik heb er vier,' antwoordde hij, terwijl hij kennelijk meer dan genoeg van het gesprek begon te krijgen. 'Hoor eens, ik moet echt weer verder met mijn kostuum.'

Ik vond weliswaar dat hij zich erg onbeschoft gedroeg, maar toch was ik gecharmeerd van het idee dat deze man die ik nooit had ontmoet in zijn eentje door zijn appartement scharrelde en omringd door zijn vogels zijn best deed om een enorm walviskostuum te maken. Het leek de ultieme creatieve uitdaging.

'Nou, tot ziens dan maar,' zei ik.
'Ja hoor, tot ziens,' zei hij en verbrak de verbinding.

Voor het gekostumeerde feestje van Jerry liep ik een paar winkels in tweedehands spulletjes af in Hollywood om het volmaakte kostuum bij elkaar te krijgen. Ik had besloten om de identiteit aan te nemen van Nannerl Mozart, het briljante maar vergeten oudere zusje van Wolfgang. Ze was een muzikaal wonderkind geweest dat oorspronkelijk nog beter piano kon spelen dan haar broertje en de twee kinderen waren jarenlang op tournee geweest langs alle hoofdsteden van Europa om voor de regerende vorstenhuizen op te treden. Maar toen Nannerl zestien werd, besteedde haar vader meer aandacht aan zijn pogingen om haar uit te huwelijken dan aan haar briljante composities. Nadat haar moeder stierf, hield ze zich voornamelijk bezig met het huishouden. Ondanks het aandringen van Wolfgang raakte zij vrijwel geen piano of klavecimbel meer aan. Uiteindelijk huwelijkte haar vader haar uit aan een rechter, een weduwnaar met drie kinderen. Na zijn overlijden, hield ze zich in Salzburg in leven met het geven van pianoles. Als ik aan Nannerl dacht, voelde ik altijd onwillekeurig iets van verwantschap en dan vroeg ik me treurig af welke muzikale geschenken ze ons zou hebben nagelaten als ze de kans had gekregen om haar creatieve gaven te ontplooien.

Vier weken na mijn nauwelijks interessante gesprek met Jerry Newport propte ik mijn gepoederde witte pruik en de zachtblauwe kanten japon die me vijf dollar had gekost in een rugzak, trok mijn wielrennerbroek aan en stapte op mijn racefiets. De volgende paar uur peddelde ik bijna zestig kilometer door het verkeer van Los Angeles, helemaal naar Long Beach waar het gekostumeerde feest van AGUA zou worden gehouden in het huis van de moeder van een autistische man. Na aankomst dook ik een toilet in, waste het zweet van me af en trok mijn kostuum aan. Ik weet niet precies wanneer het geram op de deur begon, maar het klonk zo dringend dat iemand kennelijk heel nodig moest.
'Een momentje alsjeblieft!' riep ik, terwijl ik mijn pruik iets beter op mijn hoofd zette. 'Ik kom eraan!'

Nog geen minuut later begon het gebons opnieuw. 'Schiet op!' schreeuwde een stem. 'Er staan hier mensen te wachten!'

Toen ik ten slotte de deur opendeed, zag ik een beer van een vent, die met de hand op zijn kruis stond te huppelen. 'Ik was bang dat ik in mijn broek zou plassen,' legde hij uit, nog steeds een tikje kribbig. Ik stond net op het punt om hem te vertellen dat een mens spieren in de schaamstreek heeft die gebruikt kunnen worden om incontinentie te voorkomen, maar besloot dat ik mezelf maar beter kon voorstellen.

'Hallo, ik ben Mary Meinel,' zei ik. 'Jij bent vast Jerry Newport.'

'Hoi,' antwoordde hij, nog steeds met dat ik-wil-niet-in-mijn-broek-piesengehuppel. 'Ik moet echt heel nodig.' Hij verdween in het toilet en sloeg de deur achter zich dicht. Ik dacht niet lang na over het voorval. In plaats daarvan keek ik naar de kleine groep mensen die voor het feestje was komen opdagen. Ik zag het al bij de eerste oogopslag. Vrijwel iedereen stond rond te kijken met dat onbehaaglijke gevoel dat ik herkende omdat ik me zelf duizenden keren zo had gevoeld. Tegelijkertijd leken ze toch blij dat ze waren gekomen, al wisten ze niet precies waarom.

Een warm gevoel welde op in mijn borst. Ik wist dat ik eindelijk terecht was gekomen bij een groep net zulke hopeloze mislukkelingen als ik zelf was. Ik was zo opgewonden dat ik het liefst naar het midden van de kamer was gerend om te dansen van blijdschap. Daarna stelde ik me aan iedereen voor en voordat ik wist wat er gebeurde was ik al in gesprek met een bijzonder intelligente figuur van midden dertig, een zekere Robert Green. Hij droeg een zwart-wit gevangenispak. Een verzameling oude, gedeukte kentekenplaten bungelde aan het hemd en de broek. Robert bleek al snel een verschrikkelijke kwezel te zijn, maar hij was zo ontwapenend eerlijk dat ik hem onwillekeurig toch best aardig vond.

'Ik ben nog nooit in mijn eentje met iemand uit geweest,' bekende hij. 'Vrouwen mogen me niet. Ze willen nooit met me praten.'

'Nou, ik vind je wel aardig,' antwoordde ik. 'En ik praat toch ook met je. We zijn echt met elkaar in gesprek.'

De tranen sprongen Robert in de ogen. 'Ik heb me altijd zo lelijk gevoeld,' riep hij uit. 'Mijn hele leven al.'

'Je bent absoluut niet lelijk,' verzekerde ik hem. Hij zag eruit alsof hij op het punt stond me te geloven. En vervolgens begonnen we, omdat we allebei geïnteresseerd waren in natuurkunde, te praten over hoe een lichtstraal afgebogen en geremd wordt door diverse doorzichtige materialen. Ineens drong het tot me door dat ik in een gesprek was verwikkeld dat ik nooit zou kunnen hebben met een doorsnee menselijk wezen. Ik keek om me heen. Ik was omringd door een heel stel mensen die allemaal opgesloten zaten in dezelfde gevangenis waar ik mijn leven lang in had gezeten. Ze waren allemaal veroordeeld tot een privé-universum dat zo buitenissig en zo complex was dat elke poging om het te beschrijven aan buitenstaanders die zich in de normale wereld bevonden totaal zinloos was en alleen maar tot grote ergernis zou leiden. Het enige verschil tussen hun gevangenis en de mijne was dat de hoofdcipier mij wat meer keus had gegeven, wat meer interesses die ik als lokaas kon gebruiken om met mensen te communiceren. Het was alsof vrijwel iedereen op dit gekostumeerde feestje maar een paar kanalen tot zijn beschikking had, terwijl ik op de een of andere manier satelliet-tv had gekregen. Ik begreep instinctief hoe geïsoleerd ze waren en daardoor voelde ik ineens een golf van verdriet door me heen slaan.

Omdat de mannen me zo aan stonden te staren kreeg ik al snel de indruk dat vrouwen min of meer een zeldzaamheid waren bij deze AGUA-fuifjes. Het duurde niet lang tot Jonathan Mitchell en iemand die zo verlegen was dat ik nooit heb gehoord hoe hij heette, naar Robert en mij toe kwamen en zich bij ons aansloten.

'Hé, Mary,' zei Jonathan toen hij een half afgemaakt, vrij sjofel walviskostuum op ons af zag sjokken. 'Heb je Jerry al ontmoet? Hij is een van die wiskundige genieën. Waar of niet, Jerry?'

'Ja, we hebben elkaar een paar minuten geleden ontmoet,' antwoordde ik. 'Jerry had problemen met zijn blaas.'

Jerry grinnikte verlegen en staarde naar de grond. Als hij niet stond te schreeuwen of zich als een idioot gedroeg zag hij er best lief uit. Of in ieder geval een stuk minder opvliegend.

'Laat haar eens zien wat je kunt, Jerry,' zei een van de andere AGUA-leden die naast ons stond. 'Doe dat trucje met de geboortedatum maar voor Mary.'

En dat deed hij inderdaad. Ik gaf hem mijn geboortedatum en

een onderdeel van een seconde later vertelde hij me al op welke dag van de week dat was. Ik had geen flauw idee of dat klopte, omdat ik nooit de moeite heb genomen om erachter te komen op welke dag ik het levenslicht zag. Ik had immers een groot deel van mijn leven gewenst dat ik maar nooit geboren was. Wat ik wel wist, was dat Jerry een bijzonder vreemde blik op zijn gezicht had toen hij zijn kunstje voor me deed, een vreemde mengeling van uitdrukkingen die varieerden tussen droefenis, berusting en kwaadheid. Ik had nog nooit zoiets gezien.

Hij droeg inmiddels zijn walviskostuum, als je het zo kon noemen. Het was in creatief opzicht het zieligste wat ik ooit had gezien. Hoe langer ik ernaar keek, hoe meer het me deed denken aan het rottende karkas van een walvis die ergens op een strand was aangespoeld. Jerry had het niet helemaal afgemaakt, dus het bestond uit een stuk kippengaas waaraan hier en daar flarden uit papier-maché gemaakte huid bungelden. Het zag er belachelijk uit, maar toch had het iets geniaals. Jerry was erin geslaagd om de duidelijk herkenbare vorm van het enorme beest op een ronduit briljante, cartooneske manier vast te leggen.

'Dat walviskostuum van je bevalt me goed,' zei ik tegen hem terwijl ik mijn best deed om serieus te klinken. 'Het is ruw, maar toch schitterend gedaan.'

'Ja, nou ja, het is nog lang niet af,' zei Jerry. Onze ogen ontmoetten elkaar heel even voordat we allebei de andere kant op keken en probeerden te begrijpen wat we op elkaars gezicht hadden gelezen. Als ik me niet had vergist, was er heel even een spoor van een glimlach op Jerry's gezicht verschenen. En hoe dapper ik ook mijn best deed, ik kon me de laatste keer niet herinneren dat ik bij iemand, met uitzondering van mijn zoons, een dergelijke reactie had opgeroepen. Een moment later draaide Jerry zich om en sjokte weg. Ik bleef achter en liet mijn vingers over de lokken van mijn witte pruik glijden terwijl ik hem en zijn half afgemaakte walvis in de keuken zag verdwijnen.

Ik vroeg me af wat ik daar in vredesnaam van moest denken. En meer dan tien jaar later ben ik nog steeds op zoek naar het antwoord op die vraag.

Zeven

Santa Monica, Californië
November 1993

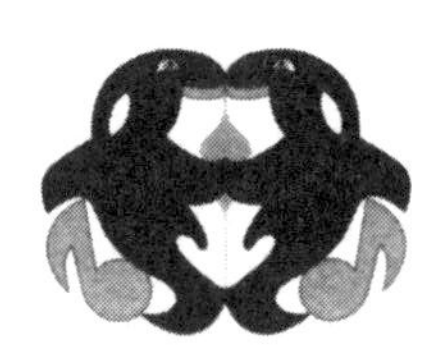

Vier weken nadat we elkaar voor het eerst onder ogen hadden gehad, kwam een veel minder prikkelbare Mary voor de volgende AGUA-bijeenkomst opdagen. In plaats van het gezelschap opnieuw te domineren met haar waanzinnige energie en haar harde stem, schonk ze dit keer al haar aandacht aan mensen die eruitzagen alsof ze zich helemaal niet op hun gemak voelden nu ze uit hun geestelijke schulp waren gekropen. Ze leek haar uiterste best te doen om iedereen duidelijk te maken dat ze hen heel bijzonder vond. Ik had nog nooit gezien dat een vrouw zich zo beminnelijk gedroeg. Alleen de gedachte eraan riep al een vloedgolf van lichamelijke emoties op.

Volgens mij was dat het moment dat ik om haar ging geven.

De volgende dag belde ze op en zei iets dat ik nog nooit had gehoord. 'Zou je het ook niet leuk vinden om wat tijd samen door te brengen?' stelde ze voor.

Een afspraakje? Een vrouw in wie ik echt was geïnteresseerd vroeg of ik met haar uit wilde. 'Wat zou je zeggen van de renbaan?' flapte ik eruit.

Aangezien we geen van beiden een auto hadden, dacht Mary dat we beter naar de dierentuin konden gaan. Een week later kwam ik naar haar appartement toe in een T-shirt waarover ik tomatenketchup had gemorst. Ik weet zeker dat ze zag hoe smerig het was, maar ze zei er niets van toen we in de stadsbus over Hollywood Boulevard tuften. Onderweg las ik reclameborden achterstevoren en deed allerlei rekentrucjes met de kentekenplaten van auto's die we passeerden. Het was geen kwestie van opscheppen, het was gewoon mijn manier om mijn zenuwen in bedwang te houden.

'Sorry dat ik me zo aanstel,' zei ik verontschuldigend toen tot me doordrong wat ik aan het doen was.

'Je hoeft je niet te verontschuldigen,' zei Mary. 'Ga maar gewoon door. Ik vind het geweldig.'

Uiteindelijk hebben we een paar uur lang door de dierentuin rondgezworven. Zoals gewoonlijk liep ik voortdurend mijn passen te tellen en te proberen de afstand tussen de ene plek en de volgende te schatten. Maar ik genoot ook echt van de dieren. En het voelde zo rustgevend, zo goed en natuurlijk aan om eindelijk vergezeld te zijn van iemand die de wereld op vrijwel dezelfde manier bekeek als ik. Ik stond vanuit mijn ooghoeken naar Mary te gluren als ze naar de dieren keek en dat bezorgde me hartkloppingen. Iedere keer als ze een van de bewoners van de dierentuin in het oog kreeg, begon haar gezicht te stralen als een met benzine overgoten neonreclame – net als het mijne. Raar, maar na al die jaren alleen, kon ik me allang niet meer voorstellen dat er echt zulke vrouwen als Mary bestonden.

Tegen de tijd dat we de dierentuin de rug toe hadden gekeerd en op de bus stonden te wachten die ons terug zou brengen naar Mary's appartement, had ik tranen in mijn ogen. Ik keek naar haar door al dat zoute water en daardoor werd het beeld zo prachtig vervormd, dat ik me gemakkelijk voor kon stellen dat ik door een gebrandschilderd raam keek. Ik had durven zweren dat ik de stem van God (die eigenlijk net zo klonk als Charlton Heston) hoorde zeggen: 'Dit is je beloning, Jerry... Dit is het geschenk dat je verdient voor het ellendige leven dat ik je bezorgd heb.'

Mary en ik probeerden het rustig aan te doen, maar op kerstavond, twee weken nadat we elkaar voor het eerst kusten, gingen we met elkaar naar bed. We waren in mijn appartement en Mary liep mijn slaapkamer weer in, deed het licht uit, kleedde zich uit en ging op mijn smerige bed liggen.

'Gelukkig kerstfeest,' fluisterde ze.

Hoewel ik geen fractie van de ervaring had die zij op dit gebied had opgedaan, was ze heel geduldig met me, waardoor ik me meer op mijn gemak voelde dan ooit het geval was geweest met een vrouw. En toen het voorbij was en we daar in mijn appartement naast elkaar lagen, drong er iets tot me door dat ik een paar jaar geleden als pure ketterij zou hebben beschouwd. Ik besefte dat ik seks voor het eerst van mijn leven niet belangrijk meer vond. Ineens begreep ik dat ik al veel te veel tijd verspild had aan het rare door testosteron gevoede verzinsel van een volmaakt seksvriendinnetje, een meisje om mee naar bed te gaan dat ik vervolgens aan de buitenwereld kon tonen om te laten zien dat ik een hele vent was geworden.

Seks kan het laplazer krijgen, zei ik bij mezelf. Het enige wat ik nu wil, is een kameraad.

Goddank kon Mary niet horen wat ik dacht, want volgens mij was ze ongelooflijk sexy. Haar mooie, wonderbaarlijk symmetrische gezicht begon te sprankelen als ze lachte en dat was vrijwel voortdurend. Omdat ze zoveel fietste, had ze ook een fantastische conditie en ik hunkerde naar de momenten waarop ze die warme, gespierde benen over de mijne zou slaan en met die sensuele stem van haar tegen me zou gaan praten. Tot het moment dat die gedachte bij me opkwam, had ik er geen flauw idee van hoe het zou zijn om een vrouw als metgezel voor het leven te hebben. Mary bracht daar verandering in. We konden over alles praten. We werden niet zenuwachtig van elkaars gezelschap. We ergerden ons in geen enkel opzicht aan elkaar.

Ik begon me al snel te verheugen bij het idee dat ik niet langer alleen hoefde te leven. We begonnen te praten over een huurhuis in Northridge, vlak bij de staatsuniversiteit. Maar het was nog lang niet in kannen en kruiken. In feite gaf Mary er op oudejaarsavond bijna de brui aan, nadat we hadden afgesproken dat we die nacht in haar appartement in Hollywood zouden slapen. Ik had mijn walviskostuum meegebracht dat ik niet lang daarvoor had afgemaakt. We waren van plan om tot middernacht over Hollywood Boulevard te lopen en alle feestjes af te gaan.

De avond begon prima, maar we waren pas een paar straten van haar appartement af toen het mij al te veel begon te worden. Het probleem was dat ik in mijn onflatteuze kostuum meer dan twee meter lang was en ook meer dan twee meter breed rond mijn middel. Wat het nog erger maakte, was dat ik door de spleet in Willy's mond nauwelijks iets kon zien, waardoor ik ook geen flauw idee had wanneer ik bij een stoeprand kwam. Zonder te vragen of Mary daar wel zin in had, benoemde ik haar tot mijn blindengeleidepersoon en klaagde vervolgens steen en been als ik weer eens over een stoeprand struikelde.

Dat ze niet besloot om mij en mijn walviskostuum linea recta terug te sturen naar Santa Monica kwam omdat steeds meer mensen nieuwsgierig werden naar die enorme orka die over straat waggelde. We werden zelfs uitgenodigd op een paar feestjes. Naarmate het later werd, begon Mary sterds harder te lachen als ik weer eens midden op een zebrapad gedesoriënteerd raakte en om mijn as begon te draaien. Na een tijdje hadden we al zo ver gelopen dat Mary wanhopig voorstelde om de bus naar haar appartement te nemen. Tijdens de rit terug had zij de gelegenheid om zich te ontspannen en na te denken over mijn wel erg onbeschofte gedrag. Haar ergernis bleek net als de mijne een voorbode te zijn van de stress die later zou komen, maar we probeerden het allebei van ons af te zetten. Mary wilde net zo graag als ik dat onze relatie zou slagen.

Zodra we uitgestapt waren, vroeg ze me om mee naar binnen te gaan. Mary ging op het bed zitten tot ik mijn Willy-kostuum uit had, maar dat was opnieuw iets waardoor ik bijna een driftaanval kreeg. Ik vernielde het geval bijna toen ik het uit probeerde te trekken. Tegen de tijd dat ik naast Mary op het bed neerviel was ik nat van het zweet. We vrijden met elkaar, vielen in slaap en op nieuwjaarsdag werd ik naast haar wakker. Toen ik mijn ogen opendeed, stond de zon al op haar slaapkamerraam waardoor haar rug in een golf gouden licht baadde. Haar beide vogels hadden zich tussen haar schouderbladen genesteld. Wat een machtig gezicht, dacht ik, terwijl ik mijn hand uitstak en die heel voorzichtig plat op haar huid legde. Ik kroop tegen haar aan en speelde in gedachten met een paar cijfers en datums. We hadden elkaar in 1993 ontmoet en Mary zou binnenkort negenendertig worden. Haar volgende verjaardag zou op een zondag vallen, net als de dag waarop ze was geboren. En mijn laatste verjaardag was toevallig een donderdag geweest en dat was ook de dag waarop ik was geboren.

Nieuwjaarsdag begon goed en zou zelfs geweldig worden, een van de fijnste dagen van mijn leven. Om te beginnen hoefde ik me niet meer druk te maken over dat verdraaide Willy-kostuum. We zaten bijna de hele dag naar football te kijken. Niemand had Mary ooit de spelregels uitgelegd, maar ze begreep het al binnen de kortste keren en vond het zelfs leuk. We deelden een paar boterhammen met pindakaas met Ricky en Lucy, haar beide valkparkieten, en gingen toen op pad voor een wandeling van vijftien kilometer met een hamburger toe. Ik had samen met Mary naar Japan kunnen lopen.

Vreemd genoeg wilde ik niet naar huis. Meestal voelde ik me een tikje onbehaaglijk als een afspraakje ten einde liep. Vaak kreeg ik het obligate 'ik moet nu naar huis' te horen. Of als ik geluk had gehad, glipte ik 's nachts stiekem het bed uit, met het gevoel dat ik een soort seksuele dief was. Maar op 1 januari 1994 was daar geen sprake van. Voor het eerst van mijn leven voelde ik me gewenst. En ik wist dat ik deze vrouw nooit meer kwijt wilde, een gevoel dat ik nog steeds heb.

In de dagen daarna werd onze relatie steeds intenser, veel intenser dan ik me ooit had kunnen voorstellen. Ik wilde constant precies weten wat zich in haar hoofd afspeelde en ik kon bijna niet wachten om haar te vertellen wat er in het mijne omging. Maar ondanks al dat geluk knaagde er nog één onzeker gevoel aan me dat ik gewoon niet van me af kon zetten. Het kon bijna niet anders of Mary zou bij haar positieven komen en beseffen dat ze een grote fout had gemaakt. En wat dan? Dan zouden we onze gezamenlijke droom kunnen vergeten. Bij ieder afspraakje had ik zoveel vlinders in de buik dat ik er bijna van moest overgeven. Ik liep altijd zo zenuwachtig als de pest naar de bushalte in de buurt van mijn appartement en dat bleef zo tot ze uitstapte. En als ze om de een of andere reden te laat was, raakte ik bijna in paniek. Ze komt niet, maakte ik mezelf dan wijs. Alles is voorbij.

Maar Mary kwam altijd opdagen, hoewel ik haar niet altijd meteen herkende, omdat ze vaak heel verschillende pruiken droeg.

In het tweede weekend in januari kwam Mary op een vrijdag naar mijn appartement. De volgende twee dagen rommelden we maar een beetje aan, gingen naar de bioscoop, keken tv en wandelden langs het strand. Op zondag bezochten we de maandelijkse AGUA-bijeenkomst en daarna besloten we om er een lang weekend van te maken, dus Mary ging weer met mij mee naar huis. Ik ging ervan uit dat ik maandagochtend samen met haar in de bus zou kunnen stappen, want die zou me binnen loopafstand brengen van de koeriersdienst waarvoor ik werkte. En dan kon zij gewoon doorrijden naar haar flat in Hollywood.

Maar op de ochtend van maandag 17 januari, 1994, hoefde ik niet naar mijn werk om de simpele reden dat een enorme aardbeving Los Angeles volledig op zijn kop had gezet. Net 93 dagen nadat ik Mary in 1993 had ontmoet, werden we ruw wakker geschud door een lange, misselijkmakende aardbeving. We klemden ons aan elkaar vast terwijl we op en neer stuiterden op het bed en zagen hoe onze duif, New Dovenant, uit haar smeedijzeren kooi fladderde en op een gordijnroe ging zitten. Een paar seconden later hobbelde de kooi over mijn ladekast en viel op de grond. Het leek uren te duren voordat de aardbeving voorbij was. Daarna moesten we nog wachten tot mijn krijsende valkparkieten hun panische gefladder staakten en weer op de niet al te vaste grond landden.

'Als het nou eens een zeebeving is geweest?' vroeg Mary. 'Het lijkt me beter om hier niet te blijven.'

Aangezien we maar een paar straten verwijderd waren van de Grote Oceaan moest ik haar gelijk geven. Tien minuten later sjokten we door de straat naar de dichtstbijzijnde bushalte, met een paar vogelkooien en alle kleren die we hadden kunnen vinden in een paar plastic tassen. Het was het soort nacht waarin het de buschauffeurs ijskoud liet of hun passagiers vleugels, schubben of staarten hadden. Het enige wat iedereen voor ogen stond, was om zo snel mogelijk naar hoger gelegen land te komen.

De Northridge-aardbeving had zo'n puinhoop gemaakt van Mary's appartement dat we tot de conclusie kwamen dat ze net zo goed bij mij kon intrekken. Ik merkte wel dat haar beide zoons, die allebei in de twintig waren, het helemaal niet zo'n goed idee vonden dat hun moeder opnieuw begon aan wat in hun ogen waarschijnlijk het zoveelste noodlottige liefdesavontuurtje zou worden. Maar ze zagen dat wij het allebei ontzettend opwindend vonden, dus legden ze zich erbij neer. Mary noemde mijn flat altijd liefkozend een vuilnisbelt, niet bij wijze van grapje, maar omdat er geen betere omschrijving voor was.

De ochtend nadat ze bij me was ingetrokken ging ik naar mijn werk en zij stroopte haar mouwen op. Stapels kranten, tijdschriften en opschrijfboekjes vol aantekeningen sproten als paddestoelen omhoog van de vloer van mijn appartement. Een groot deel ervan ging schuil onder een dikke zwarte laag stof of stinkende hopen vogelpoep. Ik had al jarenlang niet meer de moed kunnen opbrengen om iets weg te gooien en de flat had inderdaad veel weg van de plaatselijke vuilstortplaats. Maar ondanks de enorme rotzooi wist ik toch precies waar alles lag. Het was mijn wereld – chaotisch, ongeordend, slonzig – maar tegelijkertijd toch ook met een vreemd soort regelmaat. Ik nam het Mary niet kwalijk dat ze de boel schoon wilde maken – per slot van rekening lag er zelfs een half ontbonden valkparkiet in mijn kast.

Mary zag er uitgeput uit toen ik die avond van mijn werk kwam. Op het moment dat ik de deur opendeed en rondkeek in de voorkamer rook ik onraad.

'Wat is hier gebeurd?' stamelde ik, terwijl ik naar een paar sterk gedecimeerde stapels kranten keek. 'Waar zijn al mijn spullen?'

Ik werd duizelig en voelde me volkomen gedesoriënteerd. De spieren in mijn nek spanden zich. Als ik een kurk in mijn kruin had gehad, zou die er met een knal uitgesprongen zijn en zich in het plafond hebben geboord.

'Jerry,' zei ze lachend, terwijl ze mijn hand pakte. 'Laat me je even voorstellen aan je badkamer.'

Ik vond het helemaal niet grappig, maar ik liet me meetrekken door de gang naar de badkamer, waar ze me trots liet zien hoe ze het vertrek van een dikke laag vuil ontdaan had.

'Dit is je badkuip,' zei ze tegen me en wees naar het glanzend witte porseleinen bad.' Ik staarde er in stomme verbazing naar.

'En dit is je toilet,' lachte ze. 'Zoals je ziet, is het niet langer bedekt is met een dikke laag bruine poepresten.'

'Waarom heb je dat gedaan?' schreeuwde ik. 'Wie heeft gezegd dat je alles moest veranderen?'

De woede raasde als een wervelstorm door me heen. Ik was des duivels, zo woest dat ik bang was dat ik flauw zou vallen. Toen ik tegen haar begon te schreeuwen, liep ze boos het appartement uit. Nog steeds kwaad, maar met het gevoel dat ik een volslagen idioot was, holde ik naar het raam en keek haar na toen ze met grote passen over het trottoir liep. Ik wist waar ze naartoe ging – naar de rotsen met uitzicht op de oceaan, waar we elkaar voor het eerst gekust hadden. Tegen de tijd dat ze terugkwam, was ik inmiddels gekalmeerd.

'Je hebt me helemaal niet verteld dat je dit zou gaan doen,' mopperde ik terwijl ik een stapel kranten doorspitte op zoek naar een of ander obscuur artikel waarvan ik vreesde dat het in de vuilnisbak terecht was gekomen. 'Je moet het eerst tegen me zeggen als je dit soort dingen gaat doen... Als je iets gaat doen.' Ik wreef zenuwachtig met mijn handen door mijn haar en staarde naar de smerige vloerbedekking.

'Ik hou niet van verrassingen,' voegde ik er waarschijnlijk overbodig aan toe.

'Oké,' antwoordde ze. 'Dat beloof ik. Geen verrassingen meer... Maar Jerry, ik zweer bij god dat als je morgen van je werk terugkomt de helft van alles in dit appartement buiten in de container ligt. Tenzij je daar natuurlijk bezwaar tegen hebt.' Ze schonk me haar gemeenste vrouwelijke glimlach.

Wat kon ik daar nou op zeggen? Mary haalde mijn hele wereld overhoop en ik was niet bij machte haar tegen te houden. Ik had vaak genoeg gehoord dat liefde alles overwint, maar ik had me nooit kunnen voorstellen dat het zo machtig zou zijn dat ik er mijn afkeer van veranderingen voor opzij zette.

Omdat ik behalve met mijn moeder nooit met een vrouw had samengewoond moest ik ontzettend aan mijn nieuwe leven wennen.

Maar één ding waar ik al heel snel aan gewend raakte, was aan het feit dat ik iedere avond als ik thuiskwam een vrouw aantrof met een ontelbare hoeveelheid pruiken die altijd een warme maaltijd klaar had staan. We vertelden elkaar de meest belachelijke verhalen, blij dat we elkaar uiteindelijk toch hadden gevonden nadat we naar ons gevoel een leven lang op zoek waren geweest. Haar beide zoons wachtten nog steeds af welke rol ik in Mary's leven zou gaan spelen. Ze hadden al zo vaak meegemaakt dat mannen hun moeder verdriet deden. Maar terwijl onze relatie steeds meer inhoud kreeg, raakten onze valkparkieten ook aan elkaar gewend en begonnen één familie te worden. Letterlijk.

Op een middag liep ik de slaapkamer in en zag dat Mary's vogels, Ricky en Lucy samen met Pagliacci, die ik al jaren had, op mijn ladekast in de spiegel stonden te staren. Zonder een moment te aarzelen strooide ik een kopje vogelzaad over de kast. Mary kwam nog net op tijd binnen om te zien hoe ze gulzig het voer begonnen op te pikken.

'Kijk,' zei ik, 'ze zijn samen aan het lunchen.'

We begonnen allebei te lachen en voelden ons de twee gelukkigste mensen in het hele universum – alleen maar niet langer eenzaam. Hoe onwaarschijnlijk het ook had geleken en ondanks al onze aangeboren afwijkingen en de afzondering die we gedwongen hadden ondergaan, hadden we toch eindelijk een kameraad gevonden, iemand die begrip voor ons had en die een halfuur kon zitten kijken hoe drie vogeltjes bovenop een kast zonnebloempitten zaten te eten.

Het was bijna te mooi om waar te zijn. Maar toch bleef er te midden van al dit verse geluk ook nog steeds een sterk gevoel van onbehaaglijkheid. In veel opzichten moesten we net als andere nieuwe paartjes de passen instuderen van die frustrerende dans genaamd samenleven met je lief. Wat echter vooral voor veel spanning zorgde, was mijn lichtgeraaktheid. Hoe ik ook mijn best deed, ik kon die driftbuien niet onder controle krijgen. En hoe langer we samenwoonden, des te meer ik in een soort wandelende landmijn veranderde. Mary hoefde maar één verkeerde beweging te maken en ik ontplofte.

Wat was nou precies de oorzaak van die oorverdovende uitbarstingen? Een deel van het probleem werd gevormd door het feit dat ik er nog steeds op stond dat mijn leven tot in de kleinste details langs vooraf geplande wegen verliep. Ik haatte verrassingen, ik had een intense hekel aan alles wat onbekend was. Mary was precies het tegenovergestelde. Ze had zich haar hele leven door het lot en het toeval laten leiden, ze genoot van spanning.

En mijn baan zorgde ook voor woede-uitbarstingen. Ik had het gevoel dat ik gevangen zat. Jaren eerder had ik mezelf wijsgemaakt dat een baan als koerier een hele verbetering was ten opzichte van het werken als taxichauffeur. Maar na een paar jaar was ik opgebrand, bitter en gedeprimeerd. Ik wilde niet dat Mary voor altijd voor haar levensonderhoud aangewezen zou zijn op een veredelde vrachtrijder. En het was nog frustrerender omdat ik dankzij AGUA het gevoel had dat ik meer dan ooit de kans had om iets van mijn leven te maken. Desondanks zat ik muurvast in het zoveelste uitzichtloze baantje dat me geen stap verder zou brengen.

Mijn frustratie bereikte het kookpunt op een avond dat Mary en ik in een stadsbus zaten en ik me plotseling realiseerde dat ik een map met aantekeningen van een recente autismebijeenkomst had laten liggen in de bus waaruit we net waren overgestapt. Ik raakte in paniek, sprong uit de bus waarin we zaten, vond een telefooncel, toetste zenuwachtig het nummer van de busmaatschappij in en eiste op hoge toon dat ze via hun meldkamer contact zouden opnemen met de chauffeur van die bus om te vragen of hij mijn aantekeningen kon vinden. Nadat ik een halfuur in de telefoon had staan schreeuwen gaf ik het op. Mary bleef van een afstandje toekijken. Ze was te verstandig om bij me in de buurt te komen als ik een van mijn onbeheerste driftaanvallen had. Ik gooide de telefoon op de haak, liep naar de stoeprand, liet me op het beton vallen en begon zacht te snikken. Mary kwam voetje voor voetje dichterbij en ging toen naast me op de stoeprand zitten.

'Is dit alles wat het leven me te bieden heeft?' jammerde ik. 'Ik zou zo graag willen dat we er veel meer van konden verwachten, maar kennelijk ben ik niet in staat om daar verandering in te brengen. Ik kan mezelf niet eens helpen, laat staan andere mensen.'

Ik voelde dat Mary haar arm om me heen sloeg en de zijkant van haar hoofd tegen het mijne drukte. Ze droeg geen pruik, dus ik voelde de stoppeltjes op haar kortgeschoren hoofdhuid. Ze zei niets. Geen woord. En toch had ze een manier van luisteren die boekdelen sprak. Ik heb altijd gewenst dat ik net zo zou kunnen luisteren als Mary met haar problemen bij mij kwam, dat ik ook in staat zou zijn om zonder woorden zoveel steun te bieden. Maar dat was niet zo. Ik kon haar alleen maar mijn oren aanbieden en daar had ze niet genoeg aan. Ze had precies hetzelfde nodig wat ik van haar kreeg op die vreselijke avond dat ik het gevoel had dat de hele wereld het op mij voorzien had. Met Mary's sterke arm om me heen duurde het niet lang tot ik merkte dat mijn ademhaling rustiger werd en dat de blinde woede in mijn hoofd was verdwenen. Ik had niet langer het gevoel dat ik verscheurd werd door woede en werd bekropen door een eigenaardig vredig gevoel. Misschien liet Mary daarom haar hoofd op mijn schouder liggen en bleven we daarom samen zitten op die stoeprand waar het verkeer van de avondspits langs ons heen denderde en bijna over onze tenen reed, terwijl we de heerlijkste uitlaatgassen opsnoven die we ooit in onze longen hadden gehad.

In de lente van 1994 was Mary erin geslaagd om een baan te krijgen bij de medische bibliotheek van de universiteit van Los Angeles. Niet lang nadat ze in dienst was gekomen en dankzij het feit dat ze niets anders deed dan lobbyen bij haar baas bij de UCLA, dr. Linda Deemer, (wat ze me overigens pas een paar jaar later vertelde) werd ik uitgenodigd voor een sollicitatiegesprek bij de financiële afdeling van het academisch medisch centrum. Dr. Deemer, die in Tucson was opgegroeid, vlakbij de plek waar Mary haar jeugd had doorgebracht, had een autistische zoon. Ze hielp me door een afspraak te regelen met mijn toekomstige baas, Gail Chorna, wat me uiteindelijk opnieuw een blik gunde op de manier waarop het brein van iemand met Asperger informatie verwerkt. Toen ik een paar minuten met Gail had zitten praten, vertelde ze me dat ze ervan opkeek dat ik haar niet herkende.

'Weet je het dan niet meer?' zei ze lachend. 'We hebben elkaar ontmoet op het kerstfeestje van mijn tante. Daar was ik samen met mijn neef Byron. Hij is autistisch.'

'Toen had je heel andere kleren aan,' zei ik verontschuldigend.

'Je was heel feestelijk aangekleed... Dat heeft me in verwarring gebracht. Ik raak altijd in de war als ik mensen onder heel andere omstandigheden ontmoet en ze hebben zich heel anders uitgedost dan de eerste keer dat ik ze ontmoette.'

Gail leek echt heel geboeid door de manier waarop mijn brein werkte en nam me in dienst als administratief medewerker op de financiële afdeling van de medische faculteit. Ze wilde me een kans geven omdat zij – en haar familie – hoopten dat iemand op een dag Byron een soortgelijke dienst zou bewijzen. Ze wilde dat hij een normaal leven zou kunnen leiden. Ik bedankte Gail omdat ik die baan kreeg, maar achteraf wenste ik dat ik tegen haar had gezegd dat zij zich met zo'n familie als de hare geen zorgen hoefde te maken over haar Byron. Hij zou altijd een normaal leven hebben.

Toen ik hoorde dat ik de baan zou krijgen voelde ik me een nieuw mens. Ik belde Mary en vertelde haar het goede nieuws. Ze deed net alsof ze verrast was en liet mij geloven dat ik dat helemaal alleen voor elkaar had gekregen. Mijn collega's waren ook blij voor me. Nu hoefden ze zich niet meer af te vragen waarom ik rondreed in een bestelwagen in plaats van bij zo'n instelling als de UCLA te werken. Maar het grootste voordeel was dat mijn nieuwe baan me toestond om te dromen en me een toekomst voor de geest te halen die altijd buiten bereik leek in een baan waaraan ik al lang geleden een verschrikkelijke hekel had gekregen. Het bleek het laatste zetje dat ik nodig had om de grote sprong te wagen en mezelf ervan te overtuigen dat het helemaal niet zo'n vergezocht idee was om iemands echtgenoot te worden.

Op de laatste dag van april ging ik naar ons appartement toe en zei tegen Mary dat ik haar iets wilde vertellen. Ze glimlachte en probeerde net te doen alsof ze geen flauw idee had waar ik op doelde. We sprongen op een bus en reden naar een kerk in de buurt met een enorme vijgenboom voor de deur. Altijd als ik daar in mijn tijd als koerier langs was gereden, bracht die boom me in een goed humeur. De grootte ervan ging mijn verstand te boven en de leeftijd was getalsmatig aangenaam. Het leek in ieder geval een wonderbaarlijk plekje om iemand ten huwelijk te vragen, dus besloot ik om dat te doen.

'Volgens mij hebben wij samen iets heel bijzonders,' zei ik tegen Mary terwijl ik haar hand vastpakte. 'En ik zou dat graag zo lang mogelijk zo willen houden.'

'Ja, ik wil!' riep Mary uit.

Drie maanden later, in augustus, trouwden we in een kerk vlak bij de plek waar Nicole Brown Simpson eerder die zomer dood was gestoken. Terwijl ik daar naast Mary in de bijna lege kerk stond, had ik mezelf het liefst willen knijpen. Als ik nu naar dat moment terugkijk, wou ik maar dat ik dat ook gedaan had. Misschien was ik dan wakker geworden.

HOLLYWOOD, CALIFORNIË
DECEMBER 1993

Het gebeurde zes weken na de dag waarop Jerry zich verkleed had als het grootste zoogdier ter wereld en ik net deed alsof ik een van de beroemdste musici uit de geschiedenis was. We gingen voor het eerst met elkaar uit. Jerry wilde me meenemen naar de paardenrennen, maar dat vond ik helemaal geen goed idee, want we hadden geen van beiden een auto en om daar te komen was een soort logistieke nachtmerrie. Vandaar dat we in plaats daarvan naar de dierentuin gingen. Jerry kwam in mijn appartement opdagen in een slecht zittend T-shirt dat onder de ketchup zat. Ik probeerde er niet op te letten, maar in het uur daarna toen we van de ene stadsbus op de andere moesten overstappen, raakte ik gefascineerd door die bloedrode vlekken. Ik vond dat ze op moderne kunst leken.

Tijdens de busrit praatten we over van alles – dat probeerden we althans. Op een gegeven moment probeerde ik de laatste soapachtige verwikkelingen in mijn familie te beschrijven en hoe ik daar tegenover stond. Maar Jerry keek me aan alsof hij geen flauw idee had waarom ik hem dat soort dingen vertelde. Ik voelde dat ik boos werd, maar ik hield me in omdat hij zo'n eerlijke indruk maakte. Jerry draaide nooit ergens omheen, hij zei gewoon ronduit dat ik waanzin uitsloeg. (Dat soort belachelijk eerlijke opmerkingen had ik daarvoor alleen gehoord als ik zelf mijn mond opendeed.) En naarmate we langer in die bus zaten, begon Jerry langzaam maar zeker zijn hart uit te storten. Terwijl de gebouwen en de reclameborden achter de smerige ramen voorbijgleden, vertelde hij me hoe bitter hij was dat hij nooit in staat was geweest om gebruik te maken van zijn mathematische gave.

'Ik heb het gevoel dat ik een talent heb verspild waarom ik nooit heb gevraagd,' jammerde hij. 'En nu is het te laat.'

'Ik weet precies wat je bedoelt,' zei ik tegen hem, met het gevoel dat we echt twee handen op één buik waren. Dat leek me trouwens een heerlijk idee.

De schaduwen waren scherp en kort op die zonnige middag in november. Op die manier herinnerde ik me altijd de tijd van het jaar wanneer iets in mijn leven plaatsvond... door terug te denken aan de lengte van de schaduwen op een bepaalde tijd van een speciale dag. De dierentuin was vrijwel uitgestorven toen wij van het ene verblijf naar het andere dwaalden. We brachten de meeste tijd door bij de vogels en de apen. Ik was gefascineerd door Jerry's vermogen om naar een dier te kijken en er meteen een stripfiguur van te maken. Hij leek de malle opmerkingen zo uit zijn mouw te schudden en dat was een compleet contrast met de zwaarwichtige en objectieve kijk die ik meestal op de wereld heb, een erfenis van mijn wetenschappelijk georiënteerde ouders.

Twee uur na onze aankomst stapten we op een andere bus en begonnen aan de lange rit terug naar mijn appartement. Helaas had ik de verkeerde bus gepakt, wat betekende dat we een paar kilometer om moesten lopen voordat we op de juiste weg waren. Dat veroorzaakte een lichte driftaanval bij Jerry, die mopperend en brommend achter me liep, zeurend over mijn onhandigheid. Ik deed net alsof ik niets hoorde en probeerde zijn humeurigheid af te doen als een gevolg van zijn autisme. Ik probeerde mezelf dapper wijs te maken dat zijn woede werd veroorzaakt door iets waar hij geen invloed op had, iets van buitenaf. Ik wilde absoluut niet dat deze zalige dag met zo'n nare wanklank zou eindigen.

Naarmate de tijd verstreek, werd al snel duidelijk dat Jerry in vergelijking met mij geen greintje ervaring had op het gebied van relaties. Hij vertelde me dat hij al tien jaar lang geen vriendin meer had gehad – of iets dat er in de verte op leek – en dat hij ook al vijf jaar lang niet meer met iemand uit was geweest. Maar die naïviteit vond ik helemaal niet erg. Ik vond het juist lief, in het begin tenminste. Ik begreep al vanaf het begin dat het idee om met mij naar bed te gaan constant door Jerry's hoofd speelde. Maar ondanks al die geestelijke energie was hij ontzettend onzeker in bed. En dat had veel met zijn bouw te maken.

Toen God de penissen uitdeelde, stond Jerry waarschijnlijk achteraan in de rij wagons te tellen of met getallen te stoeien. Zijn jongeheer had hem in zijn jeugd al veel ellende bezorgd en ik wist dat hij zich daar nog steeds druk over maakte. Veel meer dan ik in zijn geval zou hebben gedaan. Maar ja, wie ben ik? Ik was een meisje met het syndroom van Asperger en wij hebben het veel gemakkelijker dan knullen. Wij hoeven alleen maar ons haar op te maken en wat leuke kleren aan te trekken en voilà! Ineens zijn we sexy. Wij hoeven niet aan dezelfde strenge regels te voldoen als knullen. Wij zijn gewoon malle meiden met fantastisch haar, kasten vol kleren en een lekker lichaam.

Jerry wist echt van toeten noch blazen als het om intimiteit ging. Zijn idee van seks was hop hop d'rop en wel zo snel mogelijk. Hij had geen flauw idee wat er ondertussen met mij gebeurde. Ik snapte niet dat iemand die zo intelligent was nooit op het idee was gekomen om een boek over vergelijkende anatomie in te kijken. Ik was naïef genoeg om te denken dat daar verandering in zou komen. En ik was zeker bereid om hem de tijd te geven als onze relatie in andere opzichten daar tegenwicht aan bood.

En dat was zeker het geval, in het begin tenminste.

Destijds had ik iedere dag in het gezelschap van Jerry het gevoel dat ik op de kermis was. We vertelden elkaar letterlijk alle maffe dingen die in ons hoofd opkwamen. Thuis was het constant één grote puinhoop. Maar met al onze vogels die vrij rondfladderden was het een heerlijke plek. We hadden een gevoel voor humor dat ons in staat stelde om luchthartig te doen over dingen waar dat de meeste mensen niet lukt. We konden urenlang naar onze vogels zitten kijken en lachen als ze een raar smoeltje trokken of hun veren op een malle manier zaten op te poetsen. We hadden geen dure dingen en chique uitjes nodig om in elkaar geïnteresseerd te blijven. Alleen al het feit dat ik iemand had die net zo'n kijk had op de wereld als ik, was meer dan genoeg.

Nadat ik bij Jerry was ingetrokken, regen de dagen zich aaneen tot een raar soort hutspot. En net als elk ander stel bouwden we een soort regelmaat op. Iedere ochtend ging Jerry naar zijn werk en dan bleef ik thuis waar ik het huis schoonmaakte en af en toe de gedichten, overpeinzingen en losse gedachten las die hij in al die opschrijfboekjes had geschreven. Soms ging ik zitten tekenen of schilderen. Maar het duurde niet lang voordat het geluk plaatsmaakte voor mijn grootste vrees. Zodra hij eraan gewend raakte om met me naar bed te gaan, werd Jerry weer dezelfde hypersensitieve persoon die hij waarschijnlijk ook was geweest voordat we elkaar leerden kennen. Hij veranderde in een zintuiglijk stekelvarken, waardoor het een doffe ellende werd om met hem samen te wonen. Meestal liep ik op mijn tenen om hem heen. Op het moment dat hij de telefoon oppakte of zijn e-mail begon te lezen werd hij een soort maniak die door niets gestoord wenste te worden. Het leukste van onze relatie, het feit dat onze ommuurde werelden één waren geworden, begon ervan af te gaan en werd al snel vervangen door een soort lauwe koude oorlog.

Dat het nooit bij me opkwam om ermee te kappen en ervandoor te gaan was niet zo vreemd. Per slot van rekening had ik het ook uitgehouden in relaties die heel wat erger waren. Maar die andere kerels hadden zich als machozwijnen gedragen omdat... Nou, gewoon, omdat ze machozwijnen wáren. Met Jerry was het een heel ander geval. Zijn schofterige gedrag werd eigenlijk veroorzaakt door zijn autisme, precies zoals het geval was met zijn denkpatronen. Daar kon ik mee proberen te leven, zoals hij deed met al mijn tekortkomingen, of ik kon mijn koffers pakken en de benen nemen.

Op een middag in april pakten Jerry en ik een stadbus en reden via National Boulevard naar een kerk die ik nooit eerder had gezien. Ik deed net alsof ik niet wist wat hij van plan was, maar het lag er duimendik bovenop. Hij nam me mee naar een eeuwenoude vijgenboom die – vanwege zijn leeftijd – getalsmatig een bepaalde betekenis voor hem had. Hij zag er ook echt eeuwenoud uit, met die gracieuze oude stam die kronkelend omhoog reikte naar de hemel. Maar in plaats dat de boom indruk op me maakte, kreeg ik een onbehaaglijk gevoel toen ik zag hoe verschrompeld en onaantrekkelijk de paarsblauwe vijgen waren. Dat deed me denken aan een soortgelijke boom die Jezus ooit vervloekt had omdat die geen gezonde vruchten droeg. Desondanks genoot ik van de manier waarop Jerry in staat was in alle getallen die betrekking hadden op deze boom parallellen te vinden met ons leven. Waar hij ook keek, overal zag hij getallen. En op die dag was het net alsof hij daarmee een portret schilderde.

De week na onze verloving bleek ook voor onze vogels een magische tijd te zijn. Wolfgang, het eerste jong van mijn beide valkparkieten – Ricky en Lucy – kwam onder ons slonzige bed uit het ei. Ik zal nooit vergeten hoe het was om dat kleine roze kereltje op mijn hand te zetten en te voelen hoe zijn sterke pootjes tegen mijn handpalm trappelden. Zo flinterdun en zo vol leven. Wolfgang groeide als kool, na vijf weken vloog hij al rond en zong aan één stuk door. Jerry en ik vonden het altijd prachtig om te zien hoe Wolfgang samen met de anderen gezellig op de kast, op de gordijnroe of op de deur van de slaapkamer zat. Zijn incidentele uitstapjes naar de keuken en de zitkamer waren voor ons vaak het hoogtepunt van de week. Wie heeft er nou tv nodig met een huis vol valkparkieten? Vanwege het overdreven sterke libido van zijn vader moesten we Wolfgang en Ricky een paar maanden gescheiden houden en dat vonden we heel erg. Ricky had de neiging om iedere valkparkiet die hij onder ogen kreeg onmiddellijk te bestijgen, of het nu een mannetje of een vrouwtje was, en hij gebruikte de maaltijden als excuus om een poging te doen op zijn pasgeboren zoon te klimmen.

Toen ik Lucy voor het eerst mee naar huis bracht, besteeg Ricky haar onmiddellijk, zonder zich zelfs maar voor te stellen. Ik had al een paar van dat soort kerels ontmoet, dus ik legde Lucy uit dat ze zich dat niet hoefde te laten welgevallen. Ze had kennelijk goed naar me geluisterd, want ze moest niets hebben van Ricky's onbeschofte toenaderingen en het duurde heel lang voordat ze hem vergiffenis schonk. Maar Ricky was ontzettend vriendelijk, met schele oogjes die iedereen aan een piraat deden denken. Naast al dat gerij vond hij het ook heel leuk om op Jerry's schouder te zitten en hem te vlooien, dat wil zeggen dat hij aan zijn baardstoppeltjes plukte.

Je hoefde geen psychiater te zijn om te beseffen dat Jerry en ik van onze vogels hielden alsof het onze kinderen waren. Ricky was acht, Lucy – een lieve geel met witte lutino – was zes. Jerry's oudste mannetje, Pagliacci van tien, was op het eerste gezicht verliefd op haar geworden. Maar omdat Pagliacci en Ricky vriendjes waren, viel hij Lucy nooit lastig. Daarnaast was er nog Isadora Duncan, die bijna vijf was. Zij was het eerste kuikentje dat bij Jerry thuis uit het ei was gekropen, een gezegende gebeurtenis die een paar jaar voordat wij elkaar leerden kennen had plaatsgevonden. En ten slotte was er nog de vierjarige Cockatiel Dundee. Hij was het sprekend evenbeeld van zijn vader, maar met een iets grotere kuif, waar hij kennelijk heel trots op was, als we afgingen op de manier waarop hij door het appartement paradeerde om zich door iedereen te laten bewonderen.

Op een dag bracht een dame een jong vrouwtje met een wit kopje naar de dierenwinkel in Santa Monica waar mijn zoon Peter werkte. Ze heette Sylvia en wij adopteerden haar meteen, zodat Cockatiel Dundee zich ineens op een vrij vrouwtje dat geen familie was, kon concentreren. Maar Sylvia was helemaal niet gewend aan de omgang met vogels en ik noemde haar mijn 'schoudermus' omdat ze de hele dag alleen maar op mijn schouder wilde zitten.

'Misschien is ze wel autistisch,' opperde Jerry.

'Ze zal heus wel aan ze wennen,' antwoordde ik, omdat ik mijn nieuwste dochter in bescherming wilde nemen.

Maar omdat onze valkparkieten allemaal zo gelukkig waren, begonnen we een paar maanden later echt medelijden te krijgen met onze enige duif, New Dovenant. Ze deed zo eenzaam aan, dat Jerry er uiteindelijk in slaagde om 'per postorder' een echtgenoot voor haar te vinden die we Eternal Dovenant noemden. Maar ons nieuwe mannetje scheen maar niet te begrijpen wat er van hem, als ingehuurde fokhengst, verwacht werd. New Dovenant liet zich door dat technische minpuntje echter niet uit het veld slaan. Ze liep haar nieuwe man overal in het huis achterna en steeds als ze de kans kreeg, duwde ze hem haar kont onder de snavel. Een paar dagen later begreep hij eindelijk wat er van hem verwacht werd. Hij begon op en neer te springen als Chubby Checker bij *American Bandstand* en ging daarna met zijn partner aan de slag.

En dus hadden al onze vogelfamilies gezinsuitbreiding gehad vlak nadat Jerry en ik ons verloofden. Met of zonder vleugels, de toekomst zag er voor iedereen zonnig uit.

Niet lang nadat we samen gingen wonen, slaagde ik erin een baan te vinden in de biomedische bibliotheek van de UCLA, waar ik werkte voor dr. Linda Deemer, een professor cardiologie uit mijn geboortestad Tucson die een autistische zoon had. Voor researchdoeleinden moest ik de hele dag artikelen voor haar opzoeken over allerlei onderwerpen, van trombose via littekenweefsel tot cellulair intellect en hartritmestoornissen. Af en toe las ik de artikelen ook, om zoveel mogelijk informatie in me op te nemen voordat ik het onderzoeksmateriaal bij diverse artsen afleverde. Ik had nooit geweten dat er banen bestonden die geestelijk zo stimulerend waren. Maar ik bleef me tegelijk afvragen hoe ik me zou voelen als ik niet zo onder de medicijnen zou zitten. Er was niet zo lang geleden epilepsie bij me geconstateerd, dus vanaf dat moment moest ik krachtige medicijnen slikken om eventuele toevallen te voorkomen. Bovendien had ik na het schoonmaken van Jerry's appartement ineens last gekregen van afschuwelijke migraineaanvallen. Het enige wat ik daartegen kon doen, was het slikken van een combinatie van sterke pijnstillers als ik zo'n aanval voelde opkomen.

Naarmate onze trouwdag dichterbij kwam, werd ik een lusteloze, wandelende zombie. En ik bleef mezelf maar voortdurend afvragen waarom ik met die man ging trouwen. Hoe kon alles zo snel zijn gegaan? Zou ik dit ook hebben doorgezet als ik niet zo'n krankzinnig leven achter de rug had gehad? Ik dacht terug aan de tijd dat Jerry en ik elkaar hadden leren kennen, toen ik nog steeds de wonden likte van mijn laatste mislukte romance en overwoog om zelfmoord te plegen. Jerry's schattige onhandige aandacht voor me en het soort afspraakjes dat hij met me maakte, waren niet alleen verfrissend, maar leidden ook mijn aandacht af van al dat verdriet en die ellende. En het aantrekkelijkste van alles was het feit dat hij me op een voetstuk plaatste en me behandelde alsof ik heel bijzonder was. Dat had nog nooit een man gedaan.

Dus waarom zei ik ja toen Jerry me ten huwelijk vroeg? Dacht ik echt dat het zou slagen? Nee, helemaal niet. Maar ik vond het een eer dat Jerry, die dit risico nooit eerder had genomen, daar met mij wel toe bereid was. Ik zei ja omdat ik hoopte dat het allemaal in orde zou komen, maar ook omdat ik vond dat Jerry de kans op een huwelijk verdiende. Op zijn eigen onhandige maar oprechte manier wilde hij dolgraag mijn held zijn. Vandaar dat ik vond dat ik hem die kans moest geven.

En trouwens, wat zou het me kunnen kosten, afgezien van tijd?

Op de middag dat wij naast elkaar in die kerk in Westwood stonden, stond de zon aan de hemel te branden, hadden de schaduwen een middelmatige lengte en droeg ik een in Thailand gemaakt zwartfluwelen vest met allemaal olifanten. Terwijl de dominee een korte verhandeling hield over de metamorfoses die liefde kon veroorzaken, klemde ik Jerry's arm stijf vast en vroeg me af of het allemaal een rare droom was. Ergens in mijn achterhoofd had ik het gevoel dat ik diep onder water zat, ver onder de zeespiegel. Peter en Steve zaten in de bank achter ons en vroegen zich ongetwijfeld af wat die maffe moeder van hen nu weer van plan was. Ik deed mijn best om te glimlachen, maar mijn gezichtsspieren waren verlamd door al die medicijnen.

Toen alles voorbij was en Jerry en ik man en vrouw waren, stapten we op een stadsbus en reden naar de pier van Santa Monica, waar we onze in een supermarkt gekochte bruidstaart opaten. Op de verpakking stond dat het een worteltaart was en daar was ik al van jongs af aan dol op geweest. Jerry bleef het maar een 'morteltaart' noemen, maar ik hoorde het verschil niet eens. En aangezien al die medicijnen die ik de laatste maanden had geslikt ook mijn smaakpapillen hadden aangetast, bleef me niets anders over dan de zachte hap in mijn mond weg te kauwen en te proberen alles in mijn geheugen op te slaan.

ACHT

SANTA MONICA, CALIFORNIË
AUGUSTUS 1994

Hoewel onze relatie zichzelf al een maand na onze trouwdag te gronde begon te richten waren de echte problemen begonnen op de ochtend dat Mary als een bulldozer door mijn appartement ging in een poging om op te ruimen wat ik in ettelijke jaren aan troep had verzameld. Niet lang daarna begon ze te klagen over vreselijke hoofdpijn en een gebrek aan energie. Uiteindelijk kreeg ze symptomen die op een longontsteking wezen en moest ze opgenomen worden. Haar longen werkten nauwelijks. Een week lang lag ze alleen maar in bed naar de avocadogetinte muur te staren. Ik zag de zinderende, sprankelende uitstraling waarop ik verliefd was geworden voor mijn ogen verdwijnen. De artsen gaven haar uiteindelijk toestemming om weer naar huis te gaan, maar ze was hooguit een paar uur in ons appartement toen de symptomen weer terugkwamen en ze weer met spoed naar het ziekenhuis moest worden gebracht. Ik voelde me vreselijk omdat ik dacht dat mijn troep haar ziekte veroorzaakt had en uiteindelijk vonden we een paar kilometer verderop een ander appartement.

Inmiddels doemden er echter grote problemen op die niet te vermijden leken. Het ging wel iets beter met Mary's gezondheid, maar ze bleef lusteloos. Het duurde niet lang voordat ze ontslag nam, onder het mom dat het felle licht van de fotokopieermachine toevallen veroorzaakte. Vervolgens leken we een muur tussen ons in te metselen die met de dag hoger werd. (Maar het kan ook best dat het gewoon dezelfde muur was die we gedurende de heerlijke eerste maanden van onze relatie met de grond gelijk hadden gemaakt.) Al gauw voerden we nauwelijks zinnige gesprekken meer. Als ik er nu op terugkijk, had ik dan wel mogen verwachten dat het heel anders zou gaan? Omdat ik geen enkele ervaring had met intimiteit wist ik ook niet hoe belangrijk het was. In plaats van mijn gevoelens te delen bleef ik alles vanbinnen opkroppen en verstoppen. En daar zat het maar te kolken en te broeien. Soms was er iets onbenulligs, bijvoorbeeld als Mary de tv te hard aanzette of als ze besloot om een stapel van mijn kranten op een andere plek te leggen, waardoor al die emoties die ik had opgekropt er ineens uitkwamen, meestal in de vorm van een driftbui.

Destijds vond ik mijn gedrag volkomen normaal. Ik had mezelf wijsgemaakt dat ik kon doen wat ik wilde, want ik was per slot van rekening getrouwd met iemand die net zo was als ik. We waren dan ook nog geen jaar bij elkaar toen ik alweer helemaal de oude was, lichtgeraakt en opvliegend. Ik was alléén maar mezelf, alléén maar de oude Jerry. Dus als Mary me per ongeluk voor de voeten liep, leek het volkomen normaal om haar een grote bek te geven. En als ik mijn teen tegen een stoel stootte, begon ik meteen zo hard ik kon te blèren.

Uiteraard had Mary haar eigen omschrijving voor mijn driftaanvallen. 'Je blaft weer tegen me,' zei ze dan.

Waarop ik haar toebrulde: 'Maar ik sla je in ieder geval niet.'

Als ik een dergelijke opmerking maakte, trok Mary altijd een gezicht waarop maar één gedachte te lezen stond: dat een pak slaag niet zoveel erger kon zijn dan de manier waarop ik haar nu behandelde.

Niemand zal er ook van opkijken dat vrijen al gauw een nietszeggend ritueel werd dat Mary onderging maar dat haar kennelijk geen enkel plezier schonk. Wie zou haar dat kwalijk kunnen nemen? Toen we een keer samen in bed lagen, leek het haar een leuk idee om haar lippen tegen mijn bost te drukken en te blazen, waardoor het net leek alsof ze een wind liet. Ik ontplofte zoals gewoonlijk.

'Niet doen!' schreeuwde ik. 'Ik wil niet dat je me zo aanraakt!'
Mary schreeuwde niet terug. Dat deed ze destijds vrijwel nooit. Ze sloot zich gewoon af, ongeveer op dezelfde manier als die robot in *Lost in Space* als iemand de batterijen uit zijn nek rukt. Ze draaide zich om en trok haar knieën op tegen haar borst.

'Ik wil alleen zijn, Jerry,' fluisterde ze dan.

Maar uiteraard gaf ik haar die kans nooit. In plaats van haar wat leefruimte te gunnen schakelde ik over in de hoogste versnelling om te proberen de toestand onmiddellijk weer recht te zetten door te gaan fulmineren en haar op die manier te dwingen begrip op te brengen voor mijn kant van de zaak. En dat maakte het alleen nog maar erger.

Ik snapte er gewoon niets van. Ik leed aan ongeneeslijke onnozelheid.

In de zomer van 1995 werd duidelijk dat Mary een eind wilde maken aan onze relatie. Iedere keer als ik de moed kon opbrengen om haar in de ogen te kijken kon ik dat verlangen daarin lezen. Maar toen gebeurde het. Op een dag in juli, toen ik naar mijn werk was, ging de telefoon in ons appartement. Een verslaggeefster van de *Los Angeles Times*, een zekere Kim Kowsky, vertelde ons dat ze een verhaal over autisme wilde schrijven. Ze had het verhaal over Mary en mij gehoord en wilde ons interviewen voor het artikel waar ze mee bezig was. Ach, waarom ook niet, dachten wij. Het zou hoe dan ook best leuk zijn om wat publiciteit te krijgen voor onze groep. Dus we ontmoetten Kim een paar keer. Ze woonde zelfs een bijeenkomst van AGUA bij.

Een paar maanden later, op 23 oktober, de 296ste dag van het jaar, verscheen haar verhaal eindelijk. Alleen stond het niet ergens verstopt achter in de krant, maar op de voorpagina. De kop luidde: Tegen Beter Weten In, Een Verhaal Over Liefde. In plaats van zich op AGUA te concentreren ging het artikel helemaal over ons beiden. Voordat we wisten wat er gebeurde, begon de telefoon in ons appartement te rinkelen. Mensen die ik in geen jaren had gesproken belden nu ineens op. Het leek alsof de hele wereld dat artikel had gelezen. Binnen een paar dagen kregen de bobo's in Hollywood het idee dat er misschien wel een bioscoopfilm in onze rare romance zat. Plotseling waren we het populairste stel in de wijde omgeving. We kregen het gevoel dat iedere producer en iedere regisseur in de stad vriendjes met ons wilden worden. Mijn telefoon op het werk en thuis bleef maar overgaan. Het duurde niet lang voordat ik door al die heisa en attentie het idee kreeg dat ik veel belangrijker was dan in werkelijkheid het geval was en dat de wereld stond te springen om mijn verhaal te horen.

Uiteindelijk sloten we een overeenkomst met een van de belangrijkste agenten in Hollywood, die bij het grootste impresariaat in de stad een kantoor met uitzicht naar twee kanten had veroverd. Het gerucht ging dat Robin Williams in de film de rol van mijn persoontje wilde spelen. En ineens werden alle torenhoge problemen waarmee Mary en ik in onze relatie werden geconfronteerd een beetje draaglijker. Een film betekende geld... waarschijnlijk veel geld. Binnen de kortste keren had ik mezelf wijsgemaakt dat als we een leuk bedrag op de bank hadden staan de akelige scherpe randjes van onze relatie af zouden slijten.

Dus speelden we het spelletje mee.

Hollywood leek op een onverklaarbaar parallel universum, zo'n vreemde dimensie waarin het Boliaanse personage dat Mary in *Star Trek* had gespeeld zich helemaal thuis zou hebben gevoeld. Het ene moment verliepen de onderhandelingen van een leien dakje, het volgende schoten we geen millimeter op. Tijdens een van die chaotische periodes belde onze agent om te zeggen dat Steven Spielberg 'een overleg' met ons wilde hebben. Een paar weken daarvoor had Spielberg een grof uitgewerkt scenario van ons verhaal voor het ongekende bedrag van tweeëneenhalf miljoen dollar gekocht en had met dat bod een paar andere studio's afgetroefd.

'En Robin Williams komt ook,' voegde onze agent eraantoe. 'Hij wil jullie graag ontmoeten.'

Dus ik meldde me ziek en we werden door de assistent van Rob Bass, de scenarioschrijver van *Rain Man* die was ingehuurd om ons scenario te schrijven, naar het kantoor van Steven Spielbergs Dream Works gereden. We waren allebei opgewonden. Mary had zelfs Shayna, onze geliefde Goffini-kaketoe, meegenomen. Meteen na aankomst werden we door de secretaresse van Spielberg naar een wachtkamertje gebracht dat wel iets weghad van een hondenhok.

'Ik voel me alsof ik melaats ben,' zei ik.

'Ik weet precies wat je bedoelt,' zei ze.

Nadat we een halfuur hadden zitten wachten, kon ik mezelf wel schoppen. Hoe had ik mezelf zo mee kunnen laten slepen door al die Hollywood-onzin? Ik begon te betwijfelen of we zelfs maar een gratis lunch aan die overeenkomst over zouden houden. Ik werd steeds somberder. Uiteindelijk kwamen Steven en Robin opdagen. Ze waren ontzettend aardig.

'Ha, Jerry... Mary,' zei Steven. 'Ik wil jullie graag even voorstellen aan Robin Williams. Hij is bijzonder geïnteresseerd in dit project.'

Alsof het de normaalste zaak ter wereld was, vroeg ik Robin wanneer hij was geboren. Dat vertelde hij me en ik begon onmiddellijk met getallen rond zijn geboortedag te goochelen. Shayna, die een soort gevleugelde incarnatie van Bart Simpson was, stortte zich op Steven en slaagde erin een knoop van zijn overhemd te plukken. Terwijl Mary probeerde de knoop uit haar snavel te wurmen drong het ineens tot me door dat Robin 1066 dagen voor mij was geboren.

'1066 was een topjaar voor Willem de Veroveraar,' deelde ik mee. 'Misschien kun jij deze rol veroveren.' De beide mannen lachten, schudden ons de hand en liepen de gang weer op. Ons grote overleg was voorbij. En voordat ik het wist, gold hetzelfde voor mijn flirt met Hollywood. Ik moet tot mijn schande toegeven dat ik mijn buik vol had van al dat hollen-en-stilstaangedoe. Ik kon me niet meer druk maken over de vraag wie mij nou eigenlijk op het witte doek gestalte zou geven. En na alles wat ik had gezien van het Hollywoodse klatergoud had ik het idee dat wij ons eigen verhaal niet eens meer zouden herkennen als die film ooit gemaakt zou worden.

Een paar weken later regelde onze agent dat we onze opwachting konden maken in *60 Minutes*. Maar inmiddels waren alle opwinding en zenuwachtigheid rond onze kortstondige roem alweer verdwenen. Mary en ik hadden onze oude gewoonten weer opgepakt. Ik ontplofte, Mary trok zich terug en vervolgens bleef ik achter haar aanlopen om te proberen alles weer goed te maken. De meeste dagen nam Mary niet eens de moeite om het appartement uit te gaan als ik naar mijn werk was. Als ze de energie op kon brengen, ging ze zitten schilderen. Maar het grootste deel van de tijd bleef ze gewoon in bed liggen. En toch liep ze nog steeds over van seksualiteit. Bovendien had haar lichaam het griezelige vermogen om naar gelang haar humeur van gedaante te veranderen. Het ene moment was ze strak en slank, het volgende leek ze mollig. Ze deed me denken aan onze valkparkieten. Die konden ook hun veren opzetten om groter te lijken of ze zo strak tegen hun lijfjes aanleggen dat ze glimmend en glad leken.

Vlak voordat de opnameploegen van de tv met hun camera's op ons neer zouden strijken, wist Mary me ervan te overtuigen dat we een mooier huis moesten zoeken. In een aanval van ijdelheid die eigenlijk niets voor haar was, geneerde ze zich dat iedereen in het land zou kunnen zien hoe klein ons appartement was. Ik stemde toe, gedeeltelijk omdat ik me schuldig voelde met betrekking tot de schade die mijn driftbuien aan onze relatie hadden toegebracht en ook omdat ik dacht dat we er in een huis op de een of andere manier wel in zouden slagen de brokstukken te lijmen. Dus in juni 1996 verhuisden we compleet met onze hele menagerie naar het grootste huis waarin ik ooit had gewoond. Het was ook het duurste. In plaats van de kleine meevaller die we aan het Hollywood-avontuur overhielden vast te zetten, hadden we het geld bijna al uitgegeven voordat de cheques in de brievenbus zaten.

Alsof Mary en ik nog niet genoeg problemen hadden begon mijn internetverslaving rond die tijd het beetje rust dat we in ons leven nog hadden aan te tasten. Vanaf het moment dat ik cyberspace ontdekte, had ik de grootste moeite om me in te houden als ik online was. Als ik nu terugdenk aan de hele toestand en zie hoe geobsedeerd en opgewonden ik werd van de domste dingen, dan vind ik mijn gedrag ongelooflijk autistisch. Maar natuurlijk zag ik dat destijds niet in. Het begon allemaal toen Mary en ik een paar clubs begonnen te bezoeken die gewijd waren aan autisme en op die manier andere mensen 'ontmoetten'. Gedurende een tijdje amuseerden we ons daar kostelijk mee.

Maar ik moest natuurlijk weer roet in het eten gooien. Niet lang nadat ik het worldwide web ontdekt had, kreeg ik ruzie met iemand van een andere club en dat nam me volkomen in beslag. Soms werd ik midden in de nacht wakker, zette de computer aan en begon e-mails te versturen om mijn kant van onze oneindige woordenwisseling kracht bij te zetten. Ik had het gewoon van me af moeten zetten, maar dat kon ik niet – zeker toen niet. Onze strijd draaide om iets wat iemand van mijn steungroep had gezegd, waardoor een aantal mensen aan de oostkust kennelijk het idee hadden gekregen dat AGUA een elitegroepering was, waarvan alleen savants lid mochten worden. Natuurlijk was dat niet waar, maar ik voelde me ook gekwetst bij het idee dat er echt mensen waren die geloofden dat ik me zou inlaten met zo'n belachelijke groep waarvan een groot deel van de huidige AGUA-leden niet eens lid zou kunnen worden. Waarom bleef ik hardnekkig argumenten aandragen, terwijl iedereen die ooit een AGUA-bijeenkomst had bijgewoond meteen kon zien dat de persoon in kwestie niet de waarheid had gesproken?

Op een conferentie waar we allebei aanwezig waren, vroeg Mary aan de vrouw die de minicontroverse had veroorzaakt waarom ze dat had gezegd. 'Ik wil dat mensen dat geloven, want dan kan ik er een boek over schrijven,' zei ze meteen.

Mary klopte haar even op de rug en schudde lachend haar hoofd terwijl ze mij aankeek. 'Niemand zal ooit een boek van haar publiceren, Jerry,' fluisterde ze een paar minuten later. 'Je moet het echt uit je hoofd zetten.'

Natuurlijk, dacht ik bij mezelf. Maar dat kan ik niet.

In plaats daarvan bleef ik achter mijn toetsenbord zitten razen en tieren. Het was gewoon verschrikkelijk belangrijk voor me dat ik gelijk zou krijgen, dat ik gehoord en geloofd zou worden. En dus bleef ik volharden en zette 's nachts samen met mijn opponent de hele cyberspace in vuur in vlam. Het enige probleem was dat ik Mary wakker maakte zodra ik achter de computer ging zitten. Dan lag ze daar in bed te luisteren hoe ik tekeerging op het toetsenbord en in mezelf zat te vloeken over de laatste belediging die ik naar mijn hoofd geslingerd had gekregen, voordat ze fluisterde: 'Waarom doe je jezelf dit toch aan, Jerry? Waarom doe je ons dit aan?'

Het duurde veel te lang voordat ik die vraag van haar zelfs maar kon beantwoorden. Maar door het geduld dat Mary met me had, kreeg ik wel het idee dat me dat op een dag wel zou gelukken. Een paar maanden later kon ik eindelijk een stapje terug doen en mezelf in ogenschouw nemen, waardoor ik besefte dat ik me als een idioot gedroeg en de hele zaak op een ongelooflijke manier had opgeblazen. Ik geneerde me niet alleen over de ronduit stompzinnige dingen die ik had geschreven, ik voelde me ook schuldig omdat al die waanzin zo'n invloed had gehad op ons huiselijk leven.

Het is inmiddels tien jaar geleden dat al die onzin plaatsvond. In die tijd heb ik veel van mijn voormalige tegenstanders leren kennen en ben vrienden met ze geworden. Ik heb ook een paar regels ingesteld waaraan ik me probeer te houden:

1. Laat geen e-mail naar je huisadres sturen.
2. Wacht vierentwintig uur voordat je reageert op beledigende berichten, wat die ook inhouden.
3. Voordat je een bericht verstuurt dat een hele groep mensen kan beledigen moet je het eerst laten lezen door iemand die de context kent waarin de groep het bericht zal zien.

Het zijn geen volmaakte regels, maar ze zorgen er in ieder geval voor dat ik veel meer plezier beleef aan het beantwoorden van mijn e-mail en het ook sneller doe. Om nog maar te zwijgen van het feit dat ik er geen puinhoop meer van maak. Maar het allerbelangrijkste is dat ik iedere keer als ik achter een computer ga zitten weer moet denken aan Mary en het geduld dat ze met me had toen ik verteerd werd door cyberrazernij. Diep in haar hart begreep ze wat ik doormaakte en ze had voldoende vertrouwen in me om te geloven dat ik uiteindelijk mijn gezond verstand wel weer terug zou krijgen.

De meeste dingen die in het leven gebeuren, hebben wel een reden. Mensen die hun ogen wijd open houden, zullen zelden verrast worden. Als je goed oplet, zul je zien dat het een voortvloeit uit het ander. De dingen die in je leven gebeuren zijn allemaal het gevolg van iets wat daarvoor is gebeurd, het is een pure dominoreactie. Een van die domino's was mijn aanbod om Mary's beide zoons bij ons te laten wonen en hun de slaapkamers te geven op de begane grond van het nieuwe huis dat we hadden gehuurd. Peter en Steve, allebei begin twintig, waren fantastische knullen die van hun moeder hielden op een manier die veel dieper ging dan ik ooit bij een moeder en haar zoons had gezien. Ze waren met hun drieën door de hel gegaan en hadden dat op de een of andere manier ongedeerd overleefd. Maar Peter en Steve waren ook twee jonge honden vol wilde energie. Ik vond het al moeilijk genoeg om met Mary samen te leven. Met haar twee zoons bleek ik al snel een nieuw ingrediënt te hebben toegevoegd aan het rampenscenario.

Ik denk dat Peter en Steve aanvankelijk echt hun best deden om me aardig te vinden, ook al wisten ze niet precies wat ze van me moesten denken. Ik leek absoluut niet op al die kerels met wie hun moeder eerder een relatie had gehad. En ondanks mijn driftaanvallen was ik een stuk betrouwbaarder dan al mijn voorgangers. En wat voor de beide jongens nog belangrijker was: het leek erop dat ik af en toe zelfs in staat was om hun moeder gelukkig te maken.

Maar na verloop van tijd veranderde hun mening over mij. Uiteindelijk hadden ze totaal geen respect meer voor me. Ik denk dat ik ze dat niet echt kwalijk mag nemen. De middag dat we met ons vieren naar Santa Barbara reden om een bezoek te brengen aan Mary's ouders gaf uiteindelijk de doorslag. Peter en Steve zaten achterin. We zouden een kortere weg nemen en ik had zonder het te beseffen Mary tot mijn copiloot benoemd door haar op te zadelen met de kaart en de routebeschrijving die op een stukje papier was gekrabbeld. Het is Mary haar leven lang gelukt om met meer geluk dan wijsheid op de juiste plek terecht te komen, maar de weg die zij koos, bezorgde een obsessieve en ervaren ex-taxichauffeur als ik onvermijdelijk een halve beroerte. Nu besef ik pas dat ik ervoor had gezorgd dat Mary wel in de fout moest gaan, ook al was dat niet mijn bedoeling. En toen dat inderdaad gebeurde, duurde het niet lang voordat ik met zoveel kabaal tot ontploffing kwam dat iedereen in de buurt er doof van werd.

Die middag reden we dus in noordelijke richting L.A. uit en het duurde niet lang voordat de zaak uit de hand liep.

'Moet ik hier niet afslaan?' vroeg ik aan Mary, toen ik een straat zag die ik vaag herkende.

'Ja hoor,' zei Mary. 'Sla hier maar af.'

'Maar staat dat niet in de routebeschrijving?' riep ik, terwijl ik voelde dat mijn bloed begon te koken.

'Ja hoor, Jerry,' zei ze. 'Dat staat hier... ergens op dit papiertje.' Mary wachtte even en begon een beetje verward te klinken toen ze het papiertje dat ik haar had gegeven nog eens doorlas. 'Nou ja, dat dacht ik tenminste. Rij maar door en sla hier af, dan zien we wel wat er gebeurt.'

'Maar dat kun je niet maken!' schreeuwde ik terwijl ik langs de weg ging staan. 'Zo werkt dat niet!'

'Jerry,' zei ze met een nerveus lachje. 'Uiteindelijk komen we er toch wel. Zoals altijd.'

Meer had ik niet nodig. *Boemmm!* Ik ontplofte. Mary deinsde aanvankelijk terug voor alles wat ik haar toevoegde. Maar toen kreeg ze een glazige blik in de ogen en onderging willoos het verbale pak slaag dat ik uitdeelde. Van begin tot eind. Toen het voorbij was en mijn woede was weggeëbd voelde ik me beschaamd. Ineens herinnerde ik me dat haar beide zoons op de achterbank zaten. Een schaapachtige blik in de achteruitkijkspiegel vertelde me dat ze daar allebei vernietigend naar mijn achterhoofd zaten te staren. Het zou nog jaren duren voordat het tot me doordrong dat ik helemaal niet tegen Mary schreeuwde. Ik schreeuwde gewoon omdat Jerry Newport dat altijd deed als hij gedwarsboomd werd. Ik schreeuwde omdat ik al lang geleden gewend was geraakt aan de herrie die ik produceerde. Ik schreeuwde omdat ik niet beter wist.

Toen nog niet, tenminste.

Als ze de energie op kon brengen zat Mary te tekenen of te schilderen of ze was aan het componeren. Ik vond het prachtig dat ze iets had waar ze zich vol overgave mee bezig kon houden, iets dat haar het gevoel gaf dat ze nog meetelde. Wat me wel dwarszat, was dat ze voortdurend mijn suggesties van de hand wees om te proberen wat geld te verdienen met haar artistieke gaven. Ik had geen flauw idee hoe ze haar werk aan de man moest brengen, maar haar schilderijen waren ronduit adembenemend. Volgens mij was er geen enkele reden waarom ze die niet zelf of eventueel via iemand anders zou kunnen verkopen.

'Daar is het nu niet de juiste tijd voor,' zei ze dan altijd.

'Wat bedoel je daar nou weer mee?' riep ik dan. 'Het begint erop te lijken dat je alleen maar je tijd zit te verspillen!'

Daar bleef het meestal bij, want dan dook Mary haar slaapkamer in onder het mom dat ze zo moe werd van al haar medicijnen en trok de deur achter zich dicht in een wanhopige poging verdere discussies te ontlopen. En dan bleef ik achter met de gedachte dat een stad zoals Los Angeles echt een ramp kon zijn voor het tere gestel van iemand als Mary... en iemand als ik. Nog erger was dat ik me gedeeltelijk verantwoordelijk voelde voor haar zwakke gezondheid. Per slot van rekening was ik degene geweest die had voorgesteld om naar de dokter te gaan, die kennelijk niets beters kon bedenken dan haar vol te stoppen met medicijnen die geen van alle ook maar iets leken te helpen.

Het feit dat we zo bij de media in de smaak vielen, zette onze relatie nog meer onder druk. We hadden allebei een leven lang gehunkerd naar erkenning, maar nu leek het alsof onze bekendheid onze Asperger alleen maar nog erger maakte. Die onverzadigbare behoefte om haantje de voorste te spelen is absoluut een van de bijverschijnselen van het syndroom van Asperger. Waarom we dat feit stelselmatig negeerden, zou ik niet weten. Op een middag kwam bijvoorbeeld een verslaggeefster van *People* langs om ons te interviewen. Ze zette haar cassetterecorder aan en begon Mary wat vragen te stellen. Tegen de tijd dat ze klaar was met het vraaggesprek had ze bijna al haar cassettes verbruikt, waardoor ik in woede ontstak. Dit scenario herhaalde zich iedere keer als een verslaggever, een producer of een scenarioschrijver ons belde en degene die de telefoon opnam te lang aan de lijn bleef. Natuurlijk was mijn aanpak van het probleem heel wat vervelender dan die van Mary. Ik bleef voor haar neus heen en weer banjeren en gaf aan dat ze een eind aan het gesprek moest maken door mijn wijsvinger dwars over mijn keel te halen.

Toen het zover was dat de cameraploegen van *60 Minutes* door ons huis begonnen te sjouwen was het zelfs tot mij doorgedrongen dat er iets ernstig mis was met onze relatie. Het leek nog slechts een kwestie van tijd voordat onze wegen zich zouden scheiden.

Maar toch gebeurde dat niet.

De *60 Minutes*-special werd in september uitgezonden en toen begon de heisa weer van voren af aan. We waren het toonaangevende autistische echtpaar geworden. De special ging voornamelijk over onze opgeblazen grote en ontroerende liefde voor elkaar. Maar destijds leek het net alsof het merendeel van die liefde voornamelijk verleden tijd was. Toen het eindelijk zover was dat de special werd uitgezonden, zaten Mary en ik te kijken naar onze beelden die over het tv-scherm flitsten. We zeiden geen woord tegen elkaar, maar we wisten dat we ons diep in ons hart hetzelfde voelden: onoprecht. Alsof we net miljoenen mensen de grootste leugen van ons leven hadden verteld. En dat was geen leuk gevoel. We waren geen van beiden een goede leugenaar. Integendeel. Het was juist die waanzinnige neiging tot brute eerlijkheid die voor zoveel problemen in ons leven zorgde. Leugens maakten geen deel uit van het programma dat in ons hoofd draaide. Liegen is niet autistisch, het is juist een onderbreking van de regelmaat waaraan ons brein zo'n behoefte heeft.

Toch klampten we ons allebei vast aan het restant van onze relatie. Bleven we puur uit angst volhouden? Of was het een kwestie van luiheid? Waarschijnlijk allebei, plus een vleugje wanhoop. Per slot van rekening was ik inmiddels midden veertig. Ik hield mezelf voor dat ik niet goed wijs was als ik echt geloofde dat ik ooit een vrouw zou vinden die niet hier en daar een deukje had opgelopen.

Maar ik accepteerde de manier waarop wij leefden toch vooral omdat het in feite de bevestiging was van alles wat ik van relaties en liefde afwist. Per slot van rekening was ik opgegroeid in een huis waarin de ouders in aparte bedden sliepen. Het huwelijk had niets met intimiteit te maken, het was een langdurige vriendschap, een vreedzame coëxistentie. En al probeerde Mary me nog zo ver van zich af te duwen, ik bleef geloven dat we wel een oplossing zouden vinden.

Misschien kwam dat doordat ik af en toe het gevoel kreeg dat de hele wereld wilde dat we bij elkaar zouden blijven. Hoe idioot het ook klinkt, zelfs in onze donkerste uren begrepen we allebei instinctief dat onze relatie mensen hoop gaf en hun het geloof schonk dat het menselijk hart geen schade hoeft te ondervinden van het feit dat er in de hersenen een paar draadjes verkeerd zaten. Maar waar het in feite op neerkwam, was dat ik Mary toch niet van me af kon zetten, ook al was ik nog zo boos op haar. Ze was erin geslaagd zich bij me naar binnen te wurmen als een splinter die me met onvoorstelbare extase kon vervullen, maar die me voornamelijk – en vooral recentelijk – stapelgek maakte. Ik had nog nooit zo'n band gehad met iemand en me zo veilig en bemind gevoeld. Af en toe leek dat bijna genoeg om alle ergernis te overwinnen die we beiden voelden.

Het bleef bergafwaarts gaan met Mary's gezondheid. Ze kwam nog maar zelden haar bed uit en klaagde constant over splijtende aanvallen van migraine. De artsen begrepen maar niet wat de reden van al die klachten kon zijn. Uiteindelijk kwamen de specialisten tot de conclusie dat het verwijderen van haar baarmoeder de beste oplossing was. Niet lang na haar operatie, toen ze net weer thuis was uit het ziekenhuis, schreef ze op een avond een brief van een velletje lang en legde die op haar nachtkastje. Op het moment dat ze zeker wist dat iedereen naar bed was, slikte ze alle pillen waar ze de hand op kon leggen, letterlijk honderden, en kroop weer in bed.

Toen ik haar de volgende ochtend vond, haalde ze nauwelijks adem. Peter belde een ambulance en ze werd hals over kop naar een ziekenhuis in de buurt gebracht.

'Waarom hebben jullie me niet laten gaan?' wilde ze weten. 'Waarom niet?'

Nadat Mary eindelijk uit het ziekenhuis werd ontslagen en weer thuiskwam, bleef de sfeer tussen ons verslechteren. We praatten nauwelijks met elkaar, in ieder geval niet over belangrijke dingen. Maar zelfs op het absolute dieptepunt bleven we ons allebei vastklampen aan het idee dat als ons verhaal slechts één persoon kon helpen, als het ook maar een sprankje hoop kon geven aan iemand die net was als wij, alle ellende die wij mee moesten maken toch de moeite waard was.

Maar toen Valentijnsdag 1997 aanbrak, leek zelfs dat gezamenlijke idee belachelijk en fantastisch. Mary lag niet in bed toen ik die avond thuiskwam van mijn werk met een dozijn rozen in mijn hand en de hardnekkige hoop dat we toch een oplossing voor al onze moeilijkheden zouden vinden. Toen Mary de rozen zag, rukte ze die uit mijn handen, begroef haar gezicht in de bloedrode bloemblaadjes en smeet ze toen door de kamer.

'Ik wil scheiden,' zei ze lachend. 'Ik wil scheiden en ik wil dat jij het huis uitgaat.'

Ik kon alleen maar naar de grond staren, naar het lukrake patroon van de rozenstengels op het tapijt. Het leek erop dat de koning en de koningin van het autisme binnen afzienbare tijd hun eigen weg zouden gaan.

Santa Monica, Californië
November 1994

Ik zong niet meer voor de vogels.

Dat had eigenlijk mijn eerste aanwijzing moeten zijn dat er iets mis was. Ik had mijn hele leven geneuried, gefloten en gezongen voor elk uit koolstof opgebouwd wezen binnen gehoorsafstand. Maar op een dag hielden die kleine zelfbedachte symfonietjes van me ineens op. Ik maakte alleen nog muziek op papier. De lucht in ons appartement bestond uit niets anders dan stilte en spanning. De muren die we maanden eerder, toen we elkaar net kenden, nog zo giechelend omver gegooid hadden, hielden ons weer gescheiden. Maar misschien hadden we helemaal niets omver gegooid. Misschien hadden we ons dat alleen maar verbeeld. Dat gebeurt als er liefde in het spel is.

Wat de reden ook mocht zijn, een paar weken nadat we getrouwd waren, werd één ding duidelijk: het monster dat me mijn leven lang had opgejaagd was er op de een of andere manier in geslaagd om mijn adres te pakken te krijgen en had nu zijn tenten in onze woonkamer opgeslagen. Het waanidee dat liefde mijn leven zou veranderen in een eind-goed-al-goedsprookje begon alweer te vervagen, net als al mijn andere belachelijke, door drugs ingegeven dromen.

Voor iemand die niet eens de moed op kon brengen om ook maar één stukje papier weg te gooien scheen Jerry het helemaal niet erg te vinden om afscheid te nemen van het appartement waarin hij jarenlang met zijn moeder had gewoond. Hij deed het voor mij en dat vond ik heel lief. Zoiets had een man nog nooit voor mij gedaan. Maar wat hem wel irriteerde, was mijn verslechterende gezondheid. Hij vond het vreselijk dat de gestaalde, keiharde vrouw op wie hij verliefd was geworden, de vrouw die voor haar lol fietstochtjes van honderdvijftig kilometer door de San Gabriel Mountains maakte, een lichamelijk wrak was geworden. Maar dat was echt het geval. Als ik geen last had van migraine, van duizelingen, of van heftige braakneigingen dan waren het wel de pijnlijke, etterende abcessen die overal als paddenstoelen onder mijn huid de kop opstaken. Ik probeerde me ertegen te verzetten en er door pure wilskracht vanaf te komen, maar dat lukte me niet – althans niet voor lang. Heel af en toe kon ik de kracht opbrengen om op te staan en net te doen alsof alles weer helemaal in orde was, maar daarna stortte ik weer in en moest een week lang in bed blijven. Vanaf die tijd begon Jerry tegen me te schreeuwen. Hij was gefrustreerd, dat begreep ik best. Maar ik kon er helemaal niets aan doen. En ik vond het vreselijk dat ik zo machteloos was.

Wat ik het allerergste vond, was dat ik niet tegen die uitvallen van Jerry bestand was. Het kan me niets schelen als mensen tegen me schreeuwen. Ik heb al lang geleden geleerd hoe ik alle kwetsende woorden van me af moet laten glijden en al het kabaal in een soort onschadelijk geruis kan veranderen. Af en toe kwam het echter ook wel eens voor dat ik die andere persoon niet 'uitzette', maar echt naar al dat geraas en getier luisterde en over hun beschuldigingen nadacht. Dan schiftte ik al die kwetsende uitlatingen zorgvuldig en plukte er een paar juweeltjes uit die van toepassing waren op mijn leven en gebruikt konden worden om een beter mens van mezelf te maken. Maar waar ik absoluut niet tegen kon, waren verbale afstraffingen die helemaal niets met mij of mijn tekortkomingen te maken hadden en niets meer waren dan zinloze scheldpartijen. Ik had trouwens genoeg zelfverachting voor tien personen. Alle kleineringen die Jerry me naar mijn hoofd slingerde, waren kinderspel vergeleken bij de haat en de pijn die ik mezelf van minuut tot minuut aandeed.

Desalniettemin was Jerry met zijn woede-uitbarstingen een soort eenpersoons slopersbedrijf. Zo'n beetje alles wat ik deed kon aanleiding geven tot een driftbui. Vaak was ik er niet eens op voorbereid. Het geschreeuw begon niet lang nadat we verhuisd waren naar ons nieuwe tweekamerappartement in het westen van Los Angeles. Die woedeaanvallen werden gedeeltelijk veroorzaakt omdat hij gefrustreerd raakte door het feit dat ik niet meer regelmatig kookte en schoonmaakte. Maar de irritaties waren volgens mij ook deels het gevolg van Jerry's verlangen om de grootste autistische leider ter wereld te worden. Destijds was hij wat zijn ego betrof nog erg afhankelijk van AGUA – en waarschijnlijk niet ten onrechte. Met de oprichting van zijn steungroep had hij eindelijk iets klaargespeeld dat belangrijker bleek te zijn dan iemand – hijzelf incluis – had durven dromen. En nu had ik het gevoel dat hij er constant aan herinnerd wilde worden hoe goed dat van hem was. Hij wilde geprezen worden, want iedereen vindt het leuk om complimentjes te krijgen. Het probleem was dat ik niet echt veel zin had om voortdurend schouderklopjes uit te delen. En vaak reageerde hij zich dan af op de enige manier die hij kende – door te schreeuwen.

Als dat gebeurde en ik kon de kracht opbrengen liep ik het appartement uit en ging een eindje wandelen. Maar na een paar maanden drong er ineens iets tot me door. Eigenlijk het enige wat Jerry deed, was een grote mond opzetten. Als hij boos werd, was dat de manier waarop hij zich uitte. Lichamelijk geweld was hem vreemd, al zou je dat niet zeggen als je hem hoorde. Op een avond niet lang nadat ik het licht had gezien, knapte er iets in me. Jerry was net thuis van zijn werk en het feit dat ik de hele dag in mijn bed was blijven liggen maakte dat hij tegen me uit begon te vallen. Waarschijnlijk mag ik hem dat niet eens kwalijk nemen. Maar toen hij tegen me begon te schreeuwen, zakte ik plotseling neer op het bed. Voordat ik wist wat er gebeurde, kromp ik helemaal in elkaar en lag met mijn handen tegen mijn oren gedrukt heen en weer te wiegen. Jerry's woorden gingen volledig langs me heen. Ik hoorde hem alleen nog maar ergens in de verte blèren. Ik zal er wel heel zielig uit hebben gezien zoals ik daar lag, maar daar kon ik helemaal niets aan doen. Vanaf die dag leek het een volkomen natuurlijke reactie om als een pudding in elkaar te zakken op het moment dat Jerry tegen me begon te schreeuwen. Ik heb nooit precies geweten hoe lang ik die houding volhield, maar als Jerry zag welke uitwerking zijn woede-uitbarsting op mij had, bond hij meteen in en begon weer op een normale manier te praten.

En wat het huwelijk betrof, had ik eigenlijk nooit genoeg aandacht gehad voor de onderlinge verstandhouding van mijn ouders om echt te begrijpen wat je ervoor moest doen. Ik besefte dat vrijwel elk huwelijk problemen kende, maar na een leven vol teleurstellingen en ellende leken de strubbelingen waarmee wij werden geconfronteerd al gauw onoverkomelijk. Ondanks de huiselijke moeilijkheden waren er ook momenten dat het geluk en de sprookjesachtige aspecten van onze relatie zo tastbaar leken dat ik mezelf eigenlijk in mijn arm moest knijpen omdat ik bang was dat ik droomde. Iedere keer als ik me sterk genoeg voelde, probeerde ik om het eten op tafel te hebben als Jerry thuiskwam uit zijn werk. De uitdrukking op zijn gezicht, de manier waarop het opklaarde als hij rook dat er iets op het fornuis stond te pruttelen gaf me een fijn gevoel over mezelf, en dat was me in geen jaren meer overkomen. Ondanks alle spanningen tussen ons kon ik toch zien dat hij het heerlijk vond om de voordeur open te doen en terecht te komen in een huis dat was gevuld met muziek, kwetterende vogels en iemand anders die blij was om hem te zien.

Als ik nu terugdenk aan die begintijd van onze relatie besef ik dat een van onze problemen voortkwam uit het feit dat we onze gaven zo af probeerden te schermen. Ik kon merken dat Jerry heel gefrustreerd raakte omdat ik kon schilderen. Hij had geen flauw idee waar dat talent vandaan kwam of hoe ik het kon oproepen. Ik had het vermoeden dat ik een uitlaatklep was voor een of andere creatieve kracht die mij gebruikte zoals een computer een printer gebruikt. Dat ik een savant was, had er kennelijk niets mee te maken. Het was ronduit paranormaal. Nadat ik Jerry had leren kennen, was ik mijn doeken met getallen gaan vullen en begon mozaïeken van cijfers te creëren, iets wat ik nooit eerder had gedaan. Ik had nooit toegestaan dat iemand anders invloed uitoefende op mijn kunst. Maar iedere keer als ik hem een van mijn schilderijen liet zien, wierp hij er een korte blik op en draaide zich om. Dan probeerde ik hem erop te attenderen dat ik voor hem getallen in mijn schilderijen verwerkte, maar hij was zo bang dat hij alleen beschouwd zou worden als iemand die maar één kunstje kon, dat mijn werk hem alleen maar zenuwachtig leek te maken.

Het oude houten orgel dat ik meegenomen had naar ons nieuwe huis was ook een bron van spanningen. Jerry ging er vaak voor zijn plezier achter zitten en probeerde dan op het gehoor noot voor noot melodietjes te spelen, maar ook al luisterde ik graag naar wat hij ten gehore bracht, ik had nooit het benul om hem complimentjes te maken. Ik besef nu pas hoe hem dat gekwetst moet hebben. Per slot van rekening was het een poging van zijn kant om mijn belangstelling voor muziek te delen, ook al kon je hem nauwelijks een muzikaal talent noemen. Ik snap nog steeds niet waarom ik het niet kon opbrengen om hem een klopje op zijn schouder te geven. Misschien omdat ik zo'n verward idee had over mijn eigen artistieke gaven? Maar het kan ook best zijn dat ik gewoon niet in staat was om puur uit beleefdheid complimentjes uit te delen.

Maar Jerry scheen het wel leuk te vinden om mij te horen spelen, vooral een stuk dat ik zelf geschreven had en de titel *Horses* had gegeven. Het leek een beetje op een simpel symfonietje met constante wisselingen van tempo, stemming en ritme. Het probleem was dat ik het helemaal niet leuk vond om voor hem te spelen, omdat hij leed aan dat irritante 'cocktaillounge-syndroom'. In plaats van rustig stil te zitten en te luisteren bleef hij maar doorkletsen, waardoor ik het gevoel kreeg dat ik alleen maar een soort radio was die achtergrondmuziek produceerde.

Op een avond zei hij dat ik speelde als een autist. 'Je kunt een tijdlang zonder haperen doorspelen en dan volgt er onvermijdelijk een onderbreking die weer wordt gevolgd door een lange soepel gespeelde passage,' zei hij.

Ik hoorde Jerry's kritiek aan en stond toen op om naar de slaapkamer te gaan om erover na te denken. Zijn uitspraak leek niet echt een belediging, maar ik voelde me toch geraakt. Met betrekking tot mijn muziek wilde ik niet autistisch zijn. Ik had altijd het idee gehad dat mijn gave dat deel van mijn hersens kon omzeilen. Volgens mij kwam dat talent heel ergens anders vandaan, van een plek die ver verwijderd was van alles wat me een autist maakte.

Jerry en ik hielden allebei ontzettend veel van klassieke muziek. Zijn kennis ervan was miniem, maar hij was een spons die bereid was alles op te zuigen dat ik hem voorschotelde. Mijn lievelingsopera was *Die Zauberflöte* van Mozart, waarvan ik ooit een opvoering had gehoord door het gezelschap van Beverly Sills in het Lincoln Center. Toen ik op een avond een video ervan in onze speler stopte, begon Jerry te stralen als een kind dat wordt losgelaten in een hal met videospelletjes.

'Die heb ik altijd willen horen,' zei hij enthousiast terwijl we gezellig samen op de bank gingen zitten.

Deze uitvoering van de opera begint met een man die flauwvalt als hij een hagedis uit zijn hol in de grond ziet springen. Het was een vrij grappige hagedis, die een beetje leek op een met engelenhaar versierde leguaan. Op het moment dat hij het beest zag, begon Jerry te brullen van het lachen en hij greep meteen de afstandsbediening om die scène keer op keer terug te draaien, zodat de leguaan zijn hol maar in en uit bleef springen. Als ik hem de afstandsbediening niet had afgepakt, zouden we de opera nooit te zien hebben gekregen.

En dat ontlokte mij de opmerking: 'Jerry, jij kijkt video's als een echte autist.'

'Dat klopt als een bus,' zei hij nog steeds brullend van het lachen. 'Geef me nou die afstandsbediening maar terug.'

Omdat ik wilde dat mijn zoons ook zouden zien hoe gelukkig Jerry me kon maken, nodigde ik ze uit voor pizza met een film na in ons appartement. Steve, die net bij ons in de buurt begonnen was aan een beroepsopleiding voor computertechnicus was altijd in voor een gratis maaltijd. Maar ik ben bang dat Jerry en ik de arme jongen de stuipen op het lijf joegen met onze keus van video, die meestal neerkwam op *Free Willy.* Mijn oudste zoon is altijd een evenwichtig, serieus type geweest en voelde zich nooit echt op zijn gemak als Jerry en ik ons 'feestelijk uitdosten' voor zo'n gezellige avondje. Ik had destijds nog steeds extreem kort haar, dus ik droeg het liefst mijn grote witte Mozart-pruik, samen met een rood topje in luipaardprint en een zwarte leren broek. Jerry droeg meestal zijn orkakostuum.

Wij vonden het allebei prachtig om ons tijdens de film als een stel amateurkomieken te gedragen en de teksten van de diverse personages al luidkeels te roepen voordat ze echt langskwamen. Jerry maakte er een gewoonte van om tussen de stoelen en de bank in onze voorkamer door te 'zwemmen' en net te doen alsof hij Willy was, een rol die hij tot in de perfectie beheerste. Hij kon altijd heel gracieus en vastberaden door de kamer zweven. Het kwam maar zelden voor dat hij iets om stootte, hoewel hij soms de vogels aan het schrikken maakte. En terwijl wij ons op die manier amuseerden, zat Steve daar rustig zijn pizza weg te kanen terwijl onze vogels door de kamer fladderden met vleugels die een verrukkelijk ruisend geluid maakten.

'Hier Steve,' zei ik dan terwijl ik Shayna of een van onze andere gevederde kinderen op zijn hoofd zette, 'geef je zusje maar een stukje pizza. Daar is ze dol op.'

Steve reageerde altijd heel sportief op dat soort dingen. Per slot van rekening kende hij me lang genoeg om te weten dat ik altijd mijn eten met mijn dieren deelde. Maar hij woonde inmiddels al een tijdje op zichzelf, dus ik denk dat hij af en toe vergat hoe maaltijden bij ons thuis verliepen. Toch knikte hij dan beleefd, glimlachte onbehaaglijk en brak een stukje van de korst af voor de vogel die net op zijn hoofd was gezet.

Vanwege mijn door Asperger aangetaste brein ben ik altijd heel slecht geweest in het raden van gedachten, niet alleen bij mezelf maar ook bij anderen. Maar Steve was mijn zoon, dus ik heb altijd het gevoel gehad dat ik precies wist wat dat inwendige stemmetje van hem zei: Lieve god, laat mij alsjeblieft niet zo worden. En wie zou hem dat kwalijk kunnen nemen? Ik zeker niet. En dat gold absoluut ook voor Jerry, die op dat moment meestal voor de tv rondzwom in het walvispak dat hij met zijn eigen handen had gemaakt.

Bij Jerry en mij waren de goede tijden altijd vervuld van een soort gezelligheid en tevredenheid die alleen voor ons begrijpelijk was. Het leek een godsgeschenk. Maar de slechte tijden, vaak het gevolg van een flauwe belediging of een plagerijtje, waren ondraaglijk. Misschien hadden andere mensen daar wel mee uit de voeten gekund, maar voor ons werd iedere molshoop al snel een grote, akelige berg waarvan de top omringd was door donkere wolken. We hadden het lef niet om ze te beklimmen, we durfden er nauwelijks naar te kijken. Als Jerry 's morgens naar zijn werk was vertrokken lag ik af en toe in bed naar het kwarkachtige plafond in onze slaapkamer te staren en na te denken over de onenigheid die we net hadden gehad. De gedachte die zich maar aan me bleef opdringen, was dat alles – van mijn huwelijk met Jerry tot mijn lichamelijke problemen – niets anders was dan een akelige droom. Dat ik bijvoorbeeld in werkelijkheid ergens in een verpleeghuis in bed lag, diep in coma, en alles had gedroomd wat me de afgelopen paar jaar was overkomen. Ik kon me nog herinneren dat mijn zusje Carolyn me had verteld dat haar dat ook was overkomen toen ze maandenlang in coma had gelegen. In haar verbeelding was ze een angstige wolf geweest die ronddwaalde door een donker woud dat voortdurend veranderde en de raarste vormen aannam. Kon wat mij overkwam iets anders zijn? Een nog grotere nachtmerrie?

Er waren dagen dat ik in bed lag, omringd door onze drie jonge leguanen, vogels en goudvissen, en dacht aan hoe het was geweest toen we elkaar nog maar net kenden, toen we nog maar met ons tweeën waren geweest en ons daar wel bij bevonden omdat we niet meer nodig hadden... alleen elkaar. Maar de tijd had daar verandering in gebracht, net als mijn zwakke gezondheid. De artsen hadden me binnenste buiten gekeerd, maar ze konden de reden van mijn ziekte niet vinden. En ik wist dat Jerry het idee begon te krijgen dat ik alles simuleerde omdat er geen passende naam voor was. Maar niets was minder waar. Ik vond het ondraaglijk om mijn zelfstandigheid te verliezen en te zien hoe mijn kracht als sneeuw voor de zon wegsmolt. Ik probeerde Jerry niet te haten, maar ik had het gevoel dat ik stikte.

De afgelopen paar maanden hadden ook het gevoel versterkt dat ik niet in staat was om met een andere volwassene samen te wonen. Ik had mijn leven jarenlang met mijn kinderen gedeeld, maar die hadden kennelijk altijd genoeg gezond verstand gehad om te weten wanneer ik behoefte had aan privacy. Misschien lag het aan zijn Asperger of aan het feit dat hij nooit eerder een relatie had gehad, maar wat de reden ook mocht zijn, Jerry had dat onschatbare vermogen om iemand de ruimte te geven nog steeds niet onder de knie. Misschien zou hem dat op een dag wel lukken. En misschien ook niet. Ik wist alleen maar dat als er niet snel iets veranderde, ik al gauw door het lint zou gaan. En ik kende mezelf goed genoeg om te weten dat dan alles mogelijk was.

Gelukkig kon ik nog steeds schilderen en componeren. Destijds waren mijn acrylschilderijen bizarre, visuele puzzels geworden van mensen die ik kende en die allemaal van verschillende, bijna onmenselijke invalshoeken bekeken waren. De doeken waren verder ook bezaaid met symbolen, getallen en woorden die ik erin verwerkt had. Af en toe bleek een schilderij het vervolg te zijn op een doek dat ik weken eerder had geschilderd. Het waren woordraadsels, elkaar overlappende kaarten, die weergaven wat volgens mij de vreemde werkelijkheid was die voor me lag, visuele profetieën in een taal die zowel abstract als concreet was, een taal die alleen ik begreep. Als ik mijn penseel in de hand had, kreeg ik het gevoel alsof het werd aangetrokken door een onzichtbare magneet. Iedere penseelstreek was een verrassing, en toch puur automatisch, alsof ik met mijn handen een dans op het canvas uitvoerde.

Maar ik creëerde niet alleen, ik vernietigde ook. Er waren weken waarin ik alleen maar het appartement uit kwam om mijn schilderijen met terpentijn te begieten en er vervolgens een lucifer bij te houden als ze op een hoop op het trottoir lagen.

'Waarom doe je dat toch?' wilde Jerry weten toen hij op een avond thuiskwam en zag hoe ik de vier doeken verbrandde die ik de drie dagen daarvoor met verf had bestreken.

'Ik geef ze terug aan het universum,' lachte ik, terwijl ik als gebiologeerd toekeek hoe de vlammen mijn creaties verteerden. 'Die afbeeldingen komen op een gegeven moment wel opnieuw bij me op, maar dan in een andere vorm.' Zelfs ik begreep dat Jerry dacht dat ik stapelgek was geworden. Ik keek hem na terwijl hij de trap op rende naar ons appartement om een emmer water te halen en mijn vreugdevuur te blussen. Maar toen hij terugkwam, was er op het trottoir niets anders overgebleven dan een hoop as en verschroeid hout.

De muziek die ik schreef, onderging vaak hetzelfde lot als mijn schilderijen. Ik kon vellen vol papier vullen met composities in de stijl van Bach, allemaal opgebouwd uit de getallen twee en drie, en die bij elkaar gevoegd een ontroerend complexe modulatie van geluid vormden. Ik vond het in ieder geval ontroerend. Maar wat was mijn oordeel waard? Ik moest inmiddels zoveel medicijnen slikken dat mijn zenuwstelsel was gereduceerd tot een warboel van rauwe en dode zenuwen die volslagen onvoorspelbare reacties vertoonden. Op een middag raakte ik helemaal in de ban van een verslag op de lokale tv over een auto die volledig klem zat onder een viaduct. Voordat ik het wist, zetten die vreemde tv-beelden me aan tot het componeren van een vioolkwartet, een lome, lenige melodie die klonk alsof het een muziekstuk uit de zeventiende eeuw was. Toen ik het in gedachten hoorde, begon ik te huilen. En zo trof Jerry me bij thuiskomst aan.

Hij bleef me met grote ogen aankijken, terwijl hij af en toe een blik wierp op de papieren vol met mijn muzikale notities die om me heen op de grond lagen. Het feit dat hij zijn mond hield, maakte me zenuwachtig. Ik wist nooit hoe iemand zich voelde, maar ik kon vaak emoties distilleren uit de geluiden die iemand wel of niet maakte. En op dat moment wist ik dat hij helemaal niets van me begreep. In zijn ogen was ik alleen maar lui. Jerry steunde me in mijn behoefte om te scheppen, maar hij vond het onverteerbaar dat ik wellicht zelf kon genieten van het gevoel dat een compositie of een beeld automatisch via mijn lichaam op papier terechtkwam zonder dat ik de behoefte had om mijn werk aan de hoogste bieder te verkopen. En bovendien leek het niet juist om geld te slaan uit iets dat ik als een godsgeschenk beschouwde. Na een poosje staakte ik mijn pogingen om hem dat gevoel uit te leggen.

En hij hield op met ernaar te vragen.

Ondanks de krankzinnige toestand tussen ons, de spanning, het onbegrip en de ergernis, was de wereld waarin Jerry en ik leefden uiterst beperkt van omvang en afgezonderd. Het was een universum dat alleen door ons tweeën bevolkt werd. Maar toen ons verhaal op de voorpagina van de *Los Angeles Times* verscheen, werden we ineens de waan van de dag. Mensen konden niet genoeg krijgen van ons verhaal over hoe we een manier hadden gevonden om van elkaar te houden en op die manier een eind te maken aan de kwellende eenzaamheid van autisme.

De ene dag waren we nog paria's, de volgende dag waren we het koningskoppel geworden van die relatief vrij onbekende neurologische aandoening die bekend staat als het syndroom van Asperger.

Ze hadden eens moeten weten hoe na Jerry en ik eraan toe waren om de handdoek in de ring te gooien. We wisten geen van beiden dat liefde veel meer inhield dan samen op stap te gaan, tochtjes naar de dierentuin te maken en ons mal te gedragen. Het zou nog jaren duren voordat we begrepen dat echte, blijvende liefde – dat gevoel waardoor je een metamorfose kunt ondergaan – heel wat inspanning kost en dat je er zwaar werk voor moet verzetten.

De tijd tikte voorbij en de dagen gingen in elkaar over op een manier waar voor mij geen touw meer aan vast te knopen was. Ik verloor alle besef van tijd. Ik voelde mezelf wegzweven. Gedurende een tijdje leek het alsof ik alleen contact hield met het hier en nu via de kleine projectjes die verband hielden met de inrichting van het nieuwe huis dat we gehuurd hadden. In feite praatten Jerry en ik alleen nog maar over hoe leuk het zou zijn als we met de opbrengst van de film die op stapel stond ons huis zouden kunnen kopen. Er was maar één makke: in die verwarrende tijd was ik ervan overtuigd dat als je de moeite nam om iets van te voren te plannen dat automatisch ook echt zou gebeuren. Aangezien dat inhield dat het huis waarin we woonden nu al ons eigendom was, besloot ik dat ik in de zitkamer best een gigantische kopie van de *Irissen* van Vincent van Gogh op de muur kon schilderen. Op de complete oppervlakte van 2,5 bij 6 meter.

In een periode van drie maanden liftte ik regelmatig naar de kunstwinkel een paar kilometer verderop om net zoveel tubes acrylverf en penselen te kopen als ik kon dragen. Ik was uren bezig met het uitzoeken van de kleuren, het mengen ervan en vervolgens het schilderen van mijn enorme muurschildering op een doek dat zo groot was als een reclamebord. En ondanks het feit dat ik een kopie maakte van het werk van een andere kunstenaar, gaf me dat het gevoel dat ik leefde en dat had ik al een hele tijd niet meer gehad. Hoe meer ik schilderde, hoe intenser ik me verwant voelde met de gekwelde, onbegrepen Vincent. God, wat had ik die man graag willen ontmoeten. We hadden vast geweldig met elkaar kunnen opschieten. Volgens de overlevering heeft hij de *Irissen* in mei 1889 geschilderd na een periode van zelfmutilatie en gedwongen verpleging in psychiatrische inrichtingen. Hij had zich vrijwillig laten opnemen in een gesticht in Saint-Remy, Frankrijk, en heeft daar gedurende wat later zijn laatste levensjaar zou blijken te zijn nog bijna 130 schilderijen gemaakt. De *Irissen* was het eerste doek in die laatste opwelling van creativiteit.

Op sommige ochtenden stond ik daar gewoon naar die muur te staren met keihard op de achtergrond een of andere stompzinnige spelshow en dan deed ik net alsof ik Vincent was die in de tuin van het gesticht stond en helemaal in een roes raakte van al die bloemen die daar in een briesje stonden te wiegen. Die irissen, zoals ze zich staande hielden op hun tere stengels, terwijl de grond en de aarde in eendrachtige samenwerking probeerden hen weer omlaag te trekken, terwijl zij niets anders verlangden dan omhoog te rijzen naar de hemel... Het was een gevoel dat ik maar al te goed kende. En hoe langer ik naar dat schilderij van hem staarde, hoe vaster ik ervan overtuigd raakte dat het brein van Vincent op precies dezelfde manier had gewerkt als het mijne.

Ik kende dit specifieke schilderij ook van haver tot gort, elke millimeter ervan. Dus als Jerry en de jongens erbij waren, bond ik wel eens een sjaaltje om mijn hoofd op de manier van een Japanse kamikazepiloot, zodat ik helemaal niets kon zien. En dan schilderde ik gewoon door, langzaam over de muur tastend, aangetrokken en voortgedreven door de onverklaarbare kracht die ik altijd had gehad als ik een penseel oppakte of ging zitten om muziek te componeren. Als ik maar niet tegenwerkte, knapte die de rest van het werk op. Met een blinddoek om was alles zwart voor mijn ogen. En toch wist ik precies waar elke losse, ronde en golvende penseelstreek moest komen. Het was een zekerheid die bij elk ander aspect van mijn bestaan schitterde door afwezigheid.

Vaak stond ik ook nog te kletsen als ik zo aan het schilderen was en ging lachend door zonder ook maar een greintje aandacht aan mijn werk te besteden, volledig op de automatische piloot. Het was best een beetje griezelig voor iemand die daarbij zat toe te kijken – het idee dat iets dat zo zoveel samenhang vertoonde en zo compleet was, gemaakt kon worden door iemand die daar geen moment haar aandacht bij had. Misschien schepte ik wel een beetje op. Nou en? Als je het hebt, moet je het ook laten zien zeg ik altijd.

Mijn bezigheden binnenshuis hielden niet op na die muurschildering. Ik had mijn ode aan de bloemen van Vincent nog maar net voltooid, toen ik besloot om in een hoek van dezelfde kamer een levende sculptuur aan te brengen. Ik wist gewoon dat onze vogels, de leguanen en het konijn absoluut meer natuur in huis nodig hadden om echt gelukkig te zijn. Mijn plan was simpel, maar wel vermoeiend. Op een middag legde ik plastic zeilen over de vloerbedekking en haalde tientallen draagmandjes naar binnen die ik verbouwde tot bloembakken, gevuld met bloeiende planten en varens.

'Wat doe je nou weer?' blèrde Jerry toen hij die avond thuiskwam.

'Dat is een leefomgeving voor onze kinderen, Jerry,' vertelde ik hem tussen de tochtjes naar de tuin door, waar ik planten opgroef en een paar grote takken ophaalde, die ik mee naar binnen sleepte voor mijn project. 'Ze hebben veel te weinig groen in hun leven.'

Hoewel hij heel goed wist dat we waarschijnlijk moeilijkheden zouden krijgen door het aanleggen van een soort binnenjungle in een huurhuis (we hebben het nooit gekocht) begreep Jerry dat ik gelijk had. Onze geschubde, gevederde en behaarde huisgenoten verdienden het om dichter bij de natuur te leven.

Op dagen dat ik geen kracht had en pijnstillers en medicijnen tegen mijn epilepsie ervoor zorgden dat ik alleen maar kon vegeteren, dacht ik wel eens terug aan die vreemde, wonderbaarlijke tijd toen Jerry en ik elkaar net ontmoet hadden en we allebei dachten dat we een lot uit de loterij hadden getroffen door iemand te vinden die net zo was als wijzelf. Dan werd ik overspoeld door dat soort herinneringen, die als golven op me af kwamen.

Toen ik een keer opgekruld lag onder de smerige lakens van het geïmproviseerde bed van kussens dat ik op de vloer van de zitkamer had gemaakt, dacht ik ineens in een flits aan de middag dat Jerry en ik tijdens een van onze eerste afspraakjes waren gaan wandelen. De eerste paar minuten amuseerden we onszelf met pogingen straatnamen achterstevoren uit te spreken. Vervolgens riep ik, alleen maar omdat het me een leuk idee leek: 'Ik bepaal dat vandaag alle gebouwen een zonnebril op moeten hebben.' Dat hield in dat elk gebouw dat we onderweg zouden zien een zonnebril op zou zetten. En dan bedoel ik echt een knots van een bril.

Destijds vond ik het prachtig om te zien hoe Jerry een gezicht trok bij de zeldzame gelegenheden dat zijn visuele verbeelding het af liet weten en hij zich geen voorstelling kon maken van het belachelijke beeld dat we verzonnen hadden.

'Geef me één moment,' grinnikte Jerry dan terwijl hij een klap tegen de zijkant van zijn hoofd gaf, alsof het een kapot tv-toestel was. 'Het komt gewoon niet bovendrijven.'

Jerry had zoveel goede kanten. Maar dat drong destijds natuurlijk helemaal niet tot me door. Ik was veel te boos en te afgeleid door de pijn die ik had. Maar af en toe ving ik toch glimpjes van die goedheid op. Als hij naar zijn werk was en mijn jongens waren ook niet thuis, sloop ik af en toe naar zijn kamer en verdiepte me in zijn gedichten en de andere dingen die hij in zijn notitieboekjes had geschreven. Ondanks zijn bizarre gave voor getallen was zijn gevoel voor esthetiek verbazingwekkend. Hij was echt een kunstenaar, met intense gevoelens die veel dieper gingen dan ik meestal van hem verwachtte.

En dat was nog niet alles, want Jerry kon de malste en raarste verhalen bedenken over vrijwel alle dieren of dingen die hij tegenkwam. Of misschien moet ik zeggen dat de oude Jerry dat kon, de man op wie ik destijds verliefd was geworden. De nieuwe Jerry die voor hem in de plaats was gekomen was zo gespannen, zo zenuwachtig en kribbig dat hij vaak stampvoetend door het huis liep als mijn zoons en ik gewoon plezier hadden. Ik wist niet wat ik met die nieuwe Jerry aan moest, wat ik van hem moest denken. Misschien had hij wel hetzelfde met mij. Het enige wat ik wist, was dat ik dolgraag wilde dat Jerry wat luchthartiger zou worden, zodat hij ook kon genieten van de doldwaze tocht die we samen hadden ondernomen. Waarom zou hij dat niet kunnen? Waarom zouden wij dat niet kunnen? Na een leven vol verdriet en teleurstellingen moesten we toch zoveel mogelijk profiteren van het feit dat we eindelijk eens geluk hadden gehad?

Ik deed ontzettend mijn best om een opgewekt gezicht te tonen toen al die camera's van *60 Minutes* ons begonnen te volgen. Maar ik kan absoluut niet liegen... dat wil zeggen, tenzij ik mezelf ervan kan overtuigen dat ik helemáál niet lieg. Ik neem aan dat ik ergens diep in mijn hart nog steeds dacht dat we het wel zouden redden. Per slot van rekening had ik in mijn leven al heel wat ellende verwerkt. Dit was nog niets, maakte ik mezelf wijs. Naarmate ik ongelukkiger werd, raakte ik er steeds vaster van overtuigd dat ik daardoor een beter mens werd. Ik hield er destijds de theorie op na dat persoonlijk leed louterend werkte, dat het goed voor de ziel was omdat het alle onzuiverheid en zelfzuchtigheid verwijderde.

Dus toen we in dat *60 Minutes*-gedoe belandden en ik daar zat met mijn zoons en met Jerry voelde ik me raar genoeg onbehaaglijk door de weeë draai die aan onze relatie werd gegeven en ik wist gewoon zeker dat iedereen meteen door zou hebben dat we hen voor het lapje hielden. Toch was er één ding waarover Jerry en ik niet logen bij de opnames voor dat programma. Nu hadden we de kans om miljoenen vreemden te tonen dat we misschien wel eigenaardig waren, maar absoluut niet nutteloos of gehandicapt. In die special werd duidelijk aangetoond dat we allebei over genoeg vaardigheid en talent beschikten om de doorsnee mens jaloers te maken.

Het meest surrealistische deel van het programma was het stuk waarin een van de producers een paar studenten van de roemruchte Juilliard School of Music overhaalde om een van mijn moderne composities voor strijkers te spelen. Maar ik zat me te ergeren in plaats van helemaal uit mijn dak te gaan omdat een van mijn muzikale creaties op primetime op een grote zender werd uitgevoerd door een aantal van de beste musici van het land. Hun uitvoering klonk akelig ongeïnspireerd. Je hoefde geen muzikaal genie te zijn om te beseffen dat ze vlak voordat de camera's begonnen te lopen slechts een korte blik op mijn muziek hadden geworpen en dat ze gewoon van papier zaten te spelen. Maar goed, mijn beide jongens vonden het fantastisch om te horen hoe een muziekstuk dat door hun halfzachte moeder was geschreven op tv werd uitgevoerd. Ze hadden me vaak mijn eigen werk op de piano horen spelen, maar dat nu een handvol gerenommeerde musici het van iets abstracts tot iets concreets maakten, was bijna niet te bevatten.

'Ik snap gewoon niet hoe je dat klaarspeelt,' zei Steve hoofdschuddend. 'Je slooft je uit om onder de meest afschuwelijke condities muziek te componeren en dan wordt het toch zo... zo mooi. Het is gewoon eng, mam.'

Een maand nadat mijn baarmoeder was weggehaald, besloot ik om er een eind aan te maken. De operatie had nauwelijks geholpen om de ondraaglijke, snijdende pijn in mijn buik te onderdrukken. Uiteindelijk kwamen de artsen tot de conclusie dat ik een hopeloze hypochonder was en weigerden verder onderzoek te doen. In feite was iedereen, van Jerry tot onze agent, ervan overtuigd dat ik me alles inbeeldde. En ze kregen allebei bijna een beroerte toen ze hoorden dat ik zo brutaal was geweest om Steven Spielberg te bellen en te vragen of hij mijn artsen zover kon krijgen dat ze me radiologisch zouden onderzoeken.

'Straks heb je alles verpest!' schreeuwde Jerry.

En dat was het moment waarop mijn gekwelde brein me er op de een of andere manier van wist te overtuigen dat mijn man van plan was om me te doden en dat ik absoluut bij hem weg moest. Dus maakte ik me op kerstavond op voor mijn ultieme ontsnapping. Ik schreef een brief aan mijn jongens waarin ik zei dat ze niet om me moesten huilen, legde uit waarom ik had besloten om een eind aan mijn leven te maken en dat ik niet zeker wist of ik wel in een ander lichaam herboren zou worden. Jerry stak zijn hoofd om de deur om me welterusten te wensen en ik glimlachte hem toe. Ik deed net alsof ik in een prima humeur was om te voorkomen dat hij zou begrijpen wat ik van plan was en me de voet dwars zou zetten. Zodra hij de deur had dichtgetrokken en het stil werd in huis slikte ik elke pil die ik in mijn badkamer kon vinden – meer dan 250 pijnstillers en anti-epileptica.

Daarna ging ik op mijn bed liggen.

Toen ik de volgende ochtend mijn ogen opendeed, stond een arts over me heen gebogen op de afdeling spoedeisende hulp. Hij zag er geërgerd uit. 'Ik snap er niets van dat je nog steeds leeft,' mompelde hij en schudde ongelovig zijn hoofd. 'Maar je zult er op z'n minst een leverbeschadiging aan overhouden.'

De tranen biggelden over mijn wangen. Mijn zoons wilden niet eens met me praten, zo kwaad waren ze op me. Jerry keek me aan en glimlachte, hoewel ik geen flauw idee had wat er te lachen viel. Wat moet je in vredesnaam doen om uit dit leven te stappen, dacht ik.

Zes weken later vertelde ik Jerry dat ik wilde scheiden. Hollywood en mijn voorbeeldfunctie als kroonprinses van het autisme konden me gestolen worden, ik had genoeg van die heisa. Niet lang daarna propten Peter en ik al onze bezittingen in een gehuurde aanhangwagen en reden naar het oosten, dwars door de woestijn terug naar de enige plek waar ik me ooit echt thuis had gevoeld – Tucson. Ik wilde geestelijk alles op een rijtje zetten en mijn lichaam weer gezond laten worden. Ik wilde vrijheid. Het enige probleem was, dat ik niet wist waarvan ik mezelf nu precies wilde bevrijden.

NEGEN

VENICE BEACH, CALIFORNIË
SEPTEMBER 1997

Degene die heeft gezegd dat de tijd alle wonden heelt, heeft niet goed in mijn hoofd gekeken in de weken en maanden nadat Mary was vertrokken. Ondanks alle narigheid van de laatste tijd miste ik toch de kameraad die op dezelfde manier naar de wereld keek als ik.

En dan was er natuurlijk die andere reden. Mijn hoofd was op hol gebracht door het feit dat wij inmiddels zo'n beetje meneer en mevrouw Autisme waren geworden. Ik had mijn hele leven gehunkerd naar aandacht, ik wilde in het middelpunt van de belangstelling staan. En nu vochten de bobo's in Hollywood ineens om mij. Het was een raar gevoel, maar het was ook heerlijk om te weten dat de mensen eindelijk aandacht hadden voor Jerry Newport. Dat gevoel wilde ik vasthouden. Vandaar dat ik mijn hersens pijnigde om te begrijpen waarom het universum me dit fantastische geschenk had gegeven, om me het vervolgens weer af te pakken voordat ik er gebruik van had kunnen maken. Het was niet eerlijk. Wekenlang heb ik Mary gesmeekt om er nog eens over na te denken, om me weer terug te nemen, om ons huwelijk intact te houden.

Ondertussen deed ik echt mijn best om de toestand onder ogen te zien, maar ik kon Mary gewoon niet uit mijn hoofd en hart zetten. Wat ik het meest miste, was het mondelinge contact dat we hadden. Met Mary kon je echt fantastisch praten. Ze was intelligent, maar dan wel op een heel onorthodoxe manier. Na een paar maanden vol verdriet dwong ik mezelf om niet meer terug te denken aan de fijne tijd die we samen hadden gehad, ook al miste ik daardoor af en toe een paar prettige uurtjes. Maar op een middag, toen ik echt dacht dat ik niet verder zou kunnen, zag ik in Long Beach ineens een poster voor tochten waarbij in groepsverband walvissen werden bestudeerd. Ik meldde me meteen aan en dat werd al gauw het enige lichtpuntje in mijn trieste bestaan. Door die tochten laaide mijn liefde voor die grote beesten weer op en herinnerde ik me weer waarom ik ze in mijn jeugd zo boeiend had gevonden. Hoe meer ik over ze te weten kwam, des te beter ik begreep wat we met elkaar gemeen hadden. Net als ik leidt een walvis een voornamelijk eenzaam, geïsoleerd bestaan. Maar wat ik het mooist aan ze vond was dat ze zo gigantisch groot leken en toch zo gracieus waren. Dat was een eigenschap die ik zelf ook graag had willen hebben. In plaats daarvan voelde ik mezelf alleen maar te groot.

Toen er een jaar was verstreken begon ik weer af en toe een afspraakje te maken. En toen merkte ik ineens dat er vanbinnen bij me een opmerkelijke verandering had plaatsgevonden. Iets dat me het idee gaf dat ik toch nog iets goeds had overgehouden aan mijn verdriet. Dat overbekende gevoel van zenuwachtigheid dat me altijd bekropen had als ik met vrouwen te maken kreeg, was verdwenen. Ik klampte me niet meer meteen vast aan de eerste de beste die in mijn leven verscheen. Als ik met een vrouw uitging en ik kwam tot de conclusie dat het niets zou worden, dan raakte ik niet meer meteen in paniek. Voor zo'n hopeloze onzekere romanticus als ik was dat gevoel dat ik alles in de hand had een waar godsgeschenk. Voor het eerst in mijn leven was ik degene die zei: 'Dit heeft geen enkele zin', in plaats van degene tegen wie het gezegd werd.

Een ander vreemd bijverschijnsel van het feit dat ik rondliep met een gebroken hart, was dat ik alles met andere ogen bekeek. Mijn vijftigste verjaardag naderde met rasse schreden en hoe langer ik erover nadacht, hoe zekerder ik wist dat ik veel gelukkiger was dan toen ik veertig moest worden. Toen zag mijn leven er echt troosteloos uit, kort nadat mijn moeder was overleden en ik geen flauw idee had wat ik moest beginnen. Maar nu kon ik mezelf voorhouden dat ik in ieder geval geleefd had. In de afgelopen tien jaar had ik dingen beleefd die ik nooit voor mogelijk had gehouden. Mijn leven was door mijn eigen toedoen zinniger en betekenisvoller geworden.

Ongeveer rond die tijd kreeg ik het verzoek om een toespraak te houden bij een lunch waarbij geld werd ingezameld voor de Autism Society of Los Angeles. In plaats van een zoveelste versie van mijn gebruikelijke dit-is-mijn-geweldige-levenrede besloot ik in een opwelling om mijn voordracht te baseren op een succesboek uit de jaren zeventig, *Passages* van Gail Sheehy. Ik vertelde dat autistische mensen zoals wij net als ieder ander mens verschillende fasen in hun leven kennen. Het besef dat je anders bent, kenmerkt zo'n fase. Hetzelfde geldt voor het vinden van je eerste vriend, voor het eerst uitgelachen worden, het huis uitgaan, je schoolopleiding voltooien, je eerste baan en je eerste kennismaking met dat vreselijke gevoel van volslagen hopeloosheid. Ieder mens passeert die onzichtbare grenzen die ons in het leven van het ene hoofdstuk naar het volgende voeren. Autistische mensen doen dat gewoon op hun eigen manier terwijl ze hun weg zoeken in een gebied dat voor iedereen behalve voor ons letterlijk onbekend terrein is. Iedere mijlpaal in het leven is uniek, net als de emoties die we op dergelijke momenten ondergaan. Het belangrijkste is dat je niet moet vergeten om verder te gaan en dat je je best moet doen om van de reis te genieten. En dat is gemakkelijker gezegd dan gedaan.

Maar het merendeel van de tijd voelde ik me leeg, alsof het enige wat vanbinnen nog leefde een gevoel van mislukking was. Er hoefde geen langdurig navelstaren aan te pas te komen om te beseffen dat in gebreke blijven het enige was wat ik de afgelopen twintig jaar met een zekere regelmaat voor elkaar had gekregen. In ieder geval ben ik daar goed in, kreunde ik af en toe, als ik mezelf weer eens wijs probeerde te maken dat ik niets anders was dan een uitgebluste wiskundefreak, dopedealer, paardengokker, taxichauffeur, politiek vrijwilliger, boekverkoper en bibliothecaris van een lagere school.

Avond aan avond lag ik in bed te luisteren naar het doffe gedreun van het verkeer en het geschreeuw van mensen beneden in de straat dat door mijn appartement weergalmde. Dan kneep ik mijn ogen dicht en zag de beelden van gebeurtenissen en momenten uit mijn leven voorbijflitsen als een slonzig geredigeerde film. Eén beeld dat ik nooit van me af kon zetten speelde zich af op die nevelige middag toen ik te horen kreeg dat ik was uitgenodigd voor een sollicitatiegesprek bij de Occidental Petroleum Corporation in het centrum van Los Angeles. Ik was inmiddels al lang genoeg van de universiteit van Michigan af, om te beseffen dat mijn leven een niet tegen te houden neerwaartse spiraal vertoonde, al was dat destijds nog een vrij nieuw gevoel. Een paar maanden eerder was ik, op aandringen van mijn wanhopige moeder bij wie ik weer was ingetrokken in haar driekamerflat in Santa Monica, een cursus voor verzekeringsexpert gaan volgen, in de hoop dat ik mijn brood zou kunnen verdienen door uit statistische gegevens dingen als verzekeringspremies, risicofactoren, dividenden en annuïteiten te berekenen. In ieder geval zou ik op die manier mijn mathematische gaven volledig kunnen uitbuiten. Nadat ik geslaagd was voor de eerste twee van tien pittige toelatingsexamens die je als verzekeringsexpert moest afleggen, maakte ik mijn opwachting bij Occidental gekleed in een oud pak dat ik voor het laatst in mijn studententijd had gedragen.

Ik verwachtte er niet veel van. Waarom zou ik ook? Ik had nog nooit van mijn leven een zinnige baan aangeboden gekregen, waarbij ik gebruik zou kunnen maken van mijn buitenissige gave om met cijfers te goochelen. Waarom zou daar nu dan ineens verandering in komen? Nadat ik met vlag en wimpel was geslaagd voor het interne examen van het bedrijf werd ik door een goedwillende personeelsfunctionaris met een jeugdig gezicht meegenomen voor een rondleiding door het keurig uitziende hoofdkwartier.

Bij iedere stap bestookte hij me met indringende vragen. Zelfs iemand die zo'n bord voor de kop had als ik kon begrijpen dat alles wat hij zei een dubbele betekenis had. Hij was nieuwsgierig of ik wist welke richting ik uit wilde en of ik ook maar een flauw idee had van wat ik uiteindelijk wilde bereiken. Het duurde niet lang voordat hij had begrepen dat ik ongelooflijk onnozel was. En terwijl ik probeerde die stortvloed van vragen te beantwoorden, had ik op een gegeven moment genoeg moed verzameld om hem in de ogen te kijken.

Ik wenste meteen dat ik dat lef niet had gehad.

Op het moment dat ik mijn blik ophief van de vloer en hem aankeek, zag ik dat hij zijn ogen ten hemel had geslagen terwijl hij mijn antwoorden aanhoorde. Hij lachte koeltjes toen hij zag dat ik hem betrapt had en bracht me vervolgens naar een enorme eiken deur. Hij stak zijn hoofd om de deur.

'Meneer Oldham,' zei hij, op een heel officiële toon, 'dit is Jerry Newport. Hij heeft net fase twee van zijn nationale verzekeringsopleiding achter de rug en is met vlag en wimpel geslaagd voor onze interne toets.'

De twee mannen keken elkaar even zwijgend aan. Ten slotte knikte meneer Oldham streng, stond op, stak zijn hand uit en zei: 'Hallo, Jerry. Ik ben Ed Oldham, vice-president van de verzekeringsdivisie van Occidental.' Het enige dat ons van elkaar scheidde was zijn glanzende mahoniehouten bureau dat ongeveer zo groot leek als een tennisbaan. Hij knikte tegen mijn ondervrager, kennelijk ten teken dat hij ons alleen moest laten en deed de deur achter hem dicht. Ik ging zitten en snoof jaloers de chique, dure sfeer van succes op die in het kantoor van Ed Oldham hing. Gehuld in een olijfkleurig maatkostuum stak hij van wal en trakteerde me op een relaas over de opwindende carrière die iedereen te wachten stond die werd opgenomen in de administratieve broederschap van Occidental. Het was te merken dat hij het al heel wat keertjes had afgedraaid. Maar hij had zich de moeite kunnen besparen, ik hoorde toch nauwelijks wat hij zei. Het uitzicht vanuit zijn raam op de twintigste etage met al die andere kantoortorens die door een zee van mosterdkleurige smog omhoog rezen duidde op succes, op iemand die het gemaakt had, die zijn doel had bereikt.

'En Jerry,' hoorde ik hem zeggen, 'wat bevalt je het best aan het vak van verzekeringsexpert?'

'De problemen,' antwoordde ik. 'Ik vind het leuk om de statistische problemen die me worden voorgelegd op te lossen.'

Meneer Ed Oldham knikte langzaam en fronste. Dat was duidelijk niet het antwoord dat hij wenste te horen. 'Het oplossen van problemen is natuurlijk mooi en aardig, maar dat vormt maar een onderdeel van het werken voor Occidental,' legde hij uit. 'Je moet ambitie hebben, Jerry. Uiteindelijk zal van je verwacht worden dat je in een leidinggevende functie belangrijke beslissingen kunt nemen.' Hij keek naar me alsof ik een plastic vuilniszak was die aan de straat was gezet. Zelfs ik begreep dat hij zich al een oordeel over me had gevormd. Precies zoals ik al had voorspeld voordat ik voor dit gesprek was komen opdagen, werd ik ongeschikt bevonden. Eigenlijk was ik het liefst opgestaan en de deur uitgelopen, om een eind te maken aan dit rare, vernederende ritueel.

'Wat zou je nou eigenlijk het liefst willen doen, Jerry?' vroeg hij.

Omdat ik inmiddels geen spoortje energie meer over had om hem in de ogen te kijken, bleef ik strak naar de zilveren beker met pennen op zijn bureau staren. 'Wat ik echt graag zou willen, ik bedoel na afloop van dit gesprek, is naar beneden gaan, een hamburger halen bij McDonald's en vervolgens op een bus stappen naar Hollywood Park om wat geld op paarden te zetten.'

'O,' was het enige wat meneer Ed Oldham nog kon uitbrengen. Hij stond meteen op, liep met me zijn kantoor uit en bracht me door de gang naar een wachtende lift. 'En nog bedankt dat je de moeite hebt genomen om langs te komen, Jerry,' zei hij, maar zelfs ik kon merken dat hij daar niets van meende. Hij liep terug naar zijn kantoor zonder ook maar één keer om te kijken. Daarna gingen de deuren van de lift dicht.

Er gaat niets boven het ophalen van herinneringen, dacht ik kreunend als ik mezelf weer eens had gedwongen om terug te denken aan die middag.

Avond aan avond drongen zich flitsen uit mijn verleden aan me op – felgekleurde flarden vol emotie ter illustratie van mijn reis van toen naar nu, van nergens naar niets. Niet lang na dat mislukte sollicitatiegesprek verhuisde ik naar San Diego, ervan overtuigd dat ik mijn fortuin zou kunnen maken door mijn wiskundige vaardigheden te gebruiken bij het gokken op paarden. Toen dat op niets uitliep, bleef ik in San Diego hangen en werd taxichauffeur. Uiteindelijk werd ik gedeeld eigenaar van een onafhankelijk taxibedrijf, kreeg mijn foto in de krant en werd zelfs kandidaatgemeenteraadslid. Maar het duurde niet lang voor ik overal een puinhoop van had gemaakt en in 1985 was ik mijn baan weer kwijt, raakte al snel door mijn geld heen en had geen andere keus dan terug te gaan naar het appartement van mijn moeder in Santa Monica. Omdat ik niet genoeg geld had om de Greyhound-bus te nemen, legde ik de ruim tweehonderd kilometer af door met mijn hele hebben en houden in een stel vuilniszakken van de ene stadsbus op de andere te stappen. Hoewel ik ongetwijfeld een of ander idioot record bij het openbaar vervoer heb gevestigd, was ik ontzettend gedeprimeerd toen ik eindelijk bij mijn moeder voor de deur stond.

Een paar jaar en diverse uitzichtloze baantjes later werd ik aangenomen als bibliothecaris op een openbare lagere school in de buurt. Dat bleek een keerpunt in mijn leven te worden, en niet alleen omdat ik het gevoel had dat ik eindelijk een échte baan had. Daar kreeg ik ook contact met mijn eerste autistische kind, een verloren jochie dat er zonder het te weten in slaagde om me te raken en een zaadje in mijn hart te planten dat pas jaren later zou ontkiemen.

Toen ik weer eens op een avond in bed lag met mijn onderarm over mijn ogen zag ik hem in een flits achter in de schoolbibliotheek zitten. Het was tijdens mijn tweede jaar als bibliothecaris op de lagere school dat ik de tienjarige Timothy voor het eerst onder ogen kreeg, een jongetje dat alleen met de andere kinderen communiceerde door ze te knijpen. Zijn onderwijzeres in groep vier wist niet wat ze met hem moest beginnen en zette hem daarom regelmatig aan een tafeltje ergens in de hoek van de bibliotheek met een koptelefoon op zijn hoofd om naar muziek te luisteren. Terwijl ik mijn werk deed, dat onder andere bestond uit het terugzetten van boeken en het opzoeken van referentiemateriaal, zag ik Timothy dan zwijgend aan zijn tafeltje heen en weer wiegen. Hoewel ik niet wist waarom, voelde ik toch een soort duistere verwantschap met dit gesloten jochie dat zich kennelijk in een wereld bevond waarin niemand kon doordringen.

Toen zijn lerares op een dag zag dat ik naar hem zat te kijken fluisterde ze: ‘Hij houdt van vrachtauto’s.’

‘Van vrachtauto’s?’ zei ik.

'Ja,' antwoordde ze. 'Zijn moeder heeft me verteld dat hij helemaal weg is van vrachtauto's.'

Toen de school die middag uit ging, bleef ik achter in de bibliotheek en haalde elk boek tevoorschijn waar een foto van een vrachtauto in stond. Daarna kocht ik onderweg naar huis een stuk of zes speelgoedvrachtauto's bij een winkel in de buurt. Vanaf die dag zette ik de vrachtauto's altijd voor hem op tafel als Timothy weer in de bibliotheek opdook. Hij raakte ze nooit met een vinger aan, maar hij zat naar de verzameling grote trucks te staren tot het tijd was om naar huis te gaan. Het grappige was dat er, nadat ik hem een paar maanden lang had gadegeslagen terwijl hij zijn ogen geen moment van die speelgoedauto's afwendde, ineens iets tot me doordrong dat niemand anders had beseft.

'Hij kijkt niet echt naar die vrachtauto's,' vertelde ik zijn onderwijzeres. 'Het zijn de wielen die zijn aandacht vasthouden. Ik denk dat hij van cirkels houdt.'

'Van cirkels?' zei ze lachend. 'Hoe kom je daar nou bij?'

'Ik weet eigenlijk niet hoe ik dat moet uitleggen,' zei ik, terwijl ik me herinnerde hoeveel moeite ik ervoor over had gehad om als taxichauffeur mijn pauze door te brengen op de parkeerplaats van een wegrestaurant die altijd vol vrachtauto's stond. Het kijken naar al die eendrachtig draaiende wielen werkte kalmerender dan alle pillen die me voorgeschreven waren, hoewel ik geen zin had om dat tegen de onderwijzeres van Timothy te zeggen. Ik maakte mezelf wijs dat ze dat toch niet zou begrijpen omdat ik zelf niet eens wist waarom ik dat deed en waarom het die specifieke uitwerking op me had.

In plaats daarvan begon ik over de draaitafel. 'Af en toe laat ik hem kijken hoe de platen ronddraaien,' zei ik tegen haar. 'Hij schijnt altijd kalm te worden als ik dat doe. Na een paar minuten is hij veel te blij om nog iemand te willen knijpen.'

Heel lang waren de nachten vaak het moeilijkst om zonder Mary door te komen. Je kon er bijna de klok op gelijkzetten dat rond halftien die diavoorstelling in mijn hoofd weer op gang kwam en dat ik even onvermijdelijk weer diep in de put kwam te zitten zonder er iets aan te kunnen doen. Ik kon het gevoel niet van me afzetten dat alles wat ook maar enige betekenis had of vreugde bracht in mijn leven doelloos en afgezaagd was geworden. Mijn verleden leek volledig zinloos. Zelfs mijn baan, die ooit een geschenk uit de hemel had geleken, wekte nu alleen nog maar frustratie en treurigheid op. Nadat ik jaren bij de UCLA had gewerkt, begon ik regelmatig overhoop te liggen met mijn baas. De gespannen toestand begon toen ik een volgens mij onfeilbare nieuwe methode had gevonden om de administratie rond de ontelbare aankopen van de universiteit beter te stroomlijnen. Maar toen ik het voorstel aan mijn meerderen voorlegde, werd het genegeerd. In plaats van na te denken over een manier om mijn idee voor te leggen aan de juiste persoon werd ik boos en geërgerd, een houding die ik niet onder stoelen of banken stak. Niet lang daarna begon me op te vallen dat ik steeds minder belangrijk werk te doen kreeg. In plaats van spreadsheets te controleren moest ik nu documenten fotokopiëren en dossiers voor mijn collega's opzoeken. Ik nam wraak door veel te veel tijd te verdoen met telefoontjes en het versturen van e-mails. Mijn baas zei dat ik me op mijn werk moest concentreren, maar ik wilde niet luisteren. Het absolute dieptepunt werd bereikt op de ochtend dat ik bij mijn bureau kwam en zag dat mijn computer was weggehaald.

'Je hebt gewoon een bord voor je kop, Jerry,' zei mijn baas toen ik naar haar toe ging en wilde weten wat er aan de hand was. Natuurlijk had ze volkomen gelijk. Ik was in dat opzicht altijd dom geweest, vooral als het ging om het interpreteren van en het reageren op de subtiliteiten van mijn omgeving. Maar in het verleden had ik altijd mijn best gedaan om dat op te vangen. Inmiddels was ik op een punt in mijn leven aanbeland dat het me allemaal niets meer kon schelen. Het was alsof de ramen waardoor ik naar de buitenwereld keek zo smerig waren geworden dat ik alleen nog maar vage vormen en omtrekken kon zien van wat zich daar bevond en afspeelde. Vandaar dat ik het niet eens meer probeerde, maar gewoon de rolgordijnen omlaag deed en me terugtrok in mijn eigen verduisterde wereld. Waarom ik nooit ontslagen werd, verbaast me nog steeds. Het zou echt mijn verdiende loon zijn geweest.

Ik begon me zelfs aan AGUA te ergeren. Ik had nooit verwacht dat ik voorgoed de leiding zou hebben over de organisatie, maar aangezien niemand van de groep het over wilde nemen, zat ik eraan vast. Ik wilde geloven dat mijn creatie mij zou overleven, dat de groep ook jaren na mijn dood nog steeds mensen zou helpen. Dat was heel belangrijk voor me. Maar het zag er niet naar uit dat dat ook zou gebeuren.

En sinds Mary uit mijn leven was verdwenen had ik ook steeds sterker het gevoel gekregen dat mijn passie voor de groep samen met al haar spulletjes was meeverhuisd naar Arizona. Maar als ik overwoog om de hele toestand te vergeten en mijn handen ervan af te trekken, moest ik steeds weer denken aan de manier waarop AGUA de levens van bepaalde mensen had beïnvloed. En dan schoot me onvermijdelijk door het hoofd dat mijn bestaan misschien toch niet zo zinloos was als ik mezelf af en toe probeerde wijs te maken. Onze groep bood mensen in ieder geval bepaalde mogelijkheden. Op een strikt eigen en onbedoelde wijze werden mensen subtiel gestimuleerd zich een toekomst voor ogen te halen waar ze waarschijnlijk nooit eerder aan hadden gedacht. En daarvoor hoefde ze alleen maar te komen opdagen. Het simpele feit dat ze in het gezelschap waren van iemand die wél een echte baan had of een echte vriendin, of die niet meer bij zijn of haar ouders was en eigen woonruimte had, bleek een soort paardenmiddel te zijn voor het teweegbrengen van veranderingen. Het bleek een stimulans die veel sterker was dan alles wat het merendeel van onze leden ooit had meegemaakt. Iemand in de groep vergeleek het zelfs met een soort virus: zodra het besef dat alles mogelijk was zich bij je had vastgezet, kwam je er bijna niet meer vanaf. Na verloop van tijd muteerde het en vermenigvuldigde zich en veranderde de kijk op de wereld van iedereen die erdoor besmet was.

Het idee dat iemand echt carrière zou kunnen maken in plaats van alleen maar een zinloos baantje te hebben voor een minimumloon bleek bijvoorbeeld voor ongeveer onze hele groep iets waar ze eigenlijk nooit aan gedacht hadden. Maar dat was precies wat een van onze leden, een zekere Ken die jarenlang alleen in huis computertekeningen had zitten maken, was overkomen. Op een van onze bijeenkomsten ontmoette hij toevallig een vader die zijn autistische zoon had geleerd om een computer voor diverse vormen van kunst te gebruiken. Het duurde niet lang tot Ken zich realiseerde dat hij misschien geld zou kunnen verdienen met wat hij het liefst deed, en uiteindelijk werd hij grafisch kunstenaar.

Het besef dat ik een klein steentje had bijgedragen om de metamorfose in Kens leven te bewerkstelligen was een fantastisch hulpmiddel bij het gevecht tegen mijn depressie. En van lichaamsbeweging kikkerde ik ook ontzettend op. Nadat ik een paar maanden lang met gewichten had gestoeid en gebruik had gemaakt van de lopende band in een fitnesscenter bij mij in de buurt merkte ik dat ik beter kon slapen. Daarna begonnen de donkere wolken weer een beetje op te lossen. Ik smeet mijn flesje met antidepressiva in de vuilnisbak. Mijn eetlust kwam terug. Al snel kwam ik weer onder de mensen en maakte een paar nieuwe vrienden.

Maar toen, op een avond in oktober 1998, belde Mary die me vroeg om in de auto te stappen en haar vogels in Arizona op te halen. Het was meer dan een jaar geleden dat ik iets van haar had gehoord. 'Mijn geld is op,' legde ze uit. Ze klonk vermoeid en verslagen. 'Ik kan de komende winter hun voer niet meer betalen.'

Ik had eigenlijk helemaal geen zin om Mary weer te ontmoeten. Een bezoek aan haar was voor mijn hersenen een soort Russische roulette. En vooraf kon ik ook niet voorspellen welke gevoelens dat bij mij zou oproepen. Desondanks beloofde ik toch dat ik haar zou helpen. Een paar dagen later stond ik bij haar voor de deur. Nadat ze die langzaam had opengedaan omhelsden we elkaar even onhandig. Mary leek op een wandelend lijk. Ik had haar nooit zo lusteloos en afwezig meegemaakt.

We hadden elkaar niet veel te vertellen. Op dat moment drong het niet echt tot me door, maar zij zat echt op het absolute dieptepunt van een depressie. Het kostte me een uur om haar negen vogels te vangen – hoewel ze beloofd had dat ze klaar zouden staan als ik kwam – en in hun kooien te doen. Ze nam mompelend afscheid en daarna reed ik de zevenhonderdvijftig kilometer terug naar mijn studioflat in Venice Beach. Een paar uur na mijn vertrek probeerde Mary opnieuw zelfmoord te plegen door opnieuw de inhoud van haar medicijnkastje naar binnen te werken. Pas veel later drong tot me door dat dát de echte reden was geweest waarom ze had gevraagd of ik de vogels op kon halen. Ze wilde niet dat ze alleen achter zouden blijven. Het besef dat ik helemaal niets had gemerkt van Mary's gemoedstoestand maakte mij alleen maar nog somberder. Ik kon bijna niet geloven dat ik het niet door had gehad.

Met mijn humeur ging het ook snel bergafwaarts. Ik had genoeg van alles wat mijn leven in Los Angeles inhield en mijn werk bij de UCLA, waar ontslag boven mijn hoofd hing omdat ik zo vaak afwezig was, zorgde alleen maar voor frustraties. Toen kwam de avond, een paar maanden nadat Mary vergeefs had geprobeerd een eind aan haar leven te maken, dat ik ook een zelfmoordpoging deed door wat naar mijn idee een overdosis slaappillen was in te nemen. Het enige wat ik daarmee bereikte, was het besef dat leven misschien toch niet zo'n slecht idee was. Niet lang daarna, toen ik de stad uit moest voor een van mijn lezingen, vroeg ik me ineens af waarom ik niet ging verhuizen. Waarom zou ik niet gewoon al mijn bruggen achter me verbranden en weggaan uit Los Angeles waar je op zijn minst $2000 per maand moest verdienen om arm te zijn? Maar iedere keer als ik overwoog om te gaan verhuizen kon ik alleen maar denken aan al dat geld dat ik met mijn stomme baantje verdiende en dan zonk de moed me weer in de schoenen.

En toen ging mijn telefoon opnieuw over. Het was Mary. Ik had niets meer van haar gehoord sinds we een paar maanden geleden een mislukte poging hadden gedaan om weer bij elkaar te komen. Ik kon mijn oren niet geloven, maar ze klonk alsof ze voor het eerst in jaren haar gezond verstand teruggevonden had. Toen ik me liet ontvallen dat ik meer dan genoeg had van het leven in Los Angeles zei ze dat ik dan maar eens moest overwegen om naar Tucson te verhuizen.

'Het leven is hier goedkoper,' zei ze. 'We zouden het nog eens kunnen proberen. Zonder verplichtingen.'

Ik had er een zwaar hoofd in, maar ik miste Mary. Ja, ik had het wel verwerkt, maar ik voelde me zonder haar toch geen compleet mens. Dus stapte ik een paar weken na dat gesprek in de auto om bij haar op bezoek te gaan. En kort daarna kwam Mary bij mij op bezoek. Hoewel ik mijn bedenkingen had en geen overhaaste beslissingen wilde nemen, leek ze echt een andere vrouw – of misschien was ze wel gewoon weer de oude, die ik me herinnerde uit de tijd dat we elkaar leerden kennen. Mijn vrienden zeiden dat ik niet goed wijs was om zelfs maar te overwegen weer naar haar terug te gaan. Maar ze gaven ook allemaal toe dat het misschien niet zo'n slecht idee was als ik Los Angeles de rug toe zou keren. Op een middag kwam ik Bert tegen, een oude maat en collega uit de tijd dat ik nog taxichauffeur was die ik geen tien jaar gezien had. Hij strompelde met een stok in de hand over een trottoir in Venice Beach. En ik had net dringend behoefte aan een gesprek met iemand als Bert. Dus voordat ik wist wat er gebeurde, had ik al uitgeflapt dat ik overwoog om weer samen te gaan wonen met mijn ex-vrouw. Bert luisterde hoofdschuddend toe en lachte.

'Soms,' zei hij grinnikend, 'moet je even doorzetten – gewoon om er zeker van te zijn dat je die oude fles nog tot op de bodem leeg wilt drinken of dat je hem in de vuilnisbak kiepert.' Volgens mij hield dat in dat hij vond dat ik een verstandig besluit had genomen.

Ik had geen flauw idee waarnaar ik op zoek was op die middag in maart 2001 toen ik al mijn bezittingen in mijn aftandse blauwe Mazda propte en op weg ging naar Arizona. Wat ik wel wist, was dat ik het dit keer heel anders zou aanpakken. Want nu kende ik immers al haar trucjes.

Dit keer zou ik haar de kans niet geven om mijn hart te breken.

Tucson, Arizona
Mei 1997

Ik zal jullie precies vertellen hoe mijn nieuwe leven met Jerry begon. Ik kon nog niet echt logisch nadenken, maar één ding wist ik zeker: ik wilde niets liever dan een vaste woonplaats voor mij en mijn dieren. Maar het valt niet mee om anderen ervan te overtuigen dat iemand in zo'n verwarde toestand als ik in staat zou zijn om de aflossingen van een hypotheek te betalen. Uiteindelijk vond ik toch een vervallen huis in een stoffige barrio aan de rand van Tucson dat maar $65.000 kostte. Met het beetje geld dat ik nog had, wat hulp van Ron Bass, de scenarioschrijver van onze film, en uiteindelijk zelfs Jerry, slaagde ik erin om $20.000 aan te betalen. Ik liet de verkoper een kopie zien van ons contract met Dream-

Works waarin me werd toegezegd dat ik nog een aantal jaren genoeg geld zou ontvangen om van te leven en vaste kosten te betalen. Ik was zo wanhopig dat ik voor de rest van het bedrag een lening aanvaardde met een variabele rentevoet, die uiteindelijk op zou lopen tot een astronomische 13,75 procent.

Een paar dagen nadat ik in het huis was getrokken stond ik in mijn nieuwe achtertuin die niets anders was dan een stuk hard aangestampte aarde en zand en kreeg ineens een visioen.

'Dit huis heeft behoefte aan een graf!' riep ik uit.

Het duurde niet lang voordat ik een oud tuinschepje, een hamer en een schroevendraaier in een van mijn kasten had gevonden en vervolgens liep ik doodleuk naar buiten en begon een gat te schrapen in de keiharde grond. Ik bleef er zes uur lang aan doorwerken. Er gingen dagen en weken voorbij en ik bleef maar schrapen, waarbij ik allerlei spulletjes in het steeds groter wordende gat tegenkwam, van kippenbotjes en een paar kattenschedels tot rotzooi van tientallen jaren geleden.

Ondanks het feit dat ik genoot van het graven voelde ik me verschrikkelijk alleen. Mijn ouders, die al jaren geleden naar Californië waren verhuisd, wilden niet meer met me praten en hadden weer elk contact verbroken. Ondanks het feit dat ik nog steeds napijn had van mijn baarmoederoperatie en kromp van de pijn in mijn buik die veroorzaakt werd door een darmontsteking. Alsof dat niet erg genoeg was, had zelfs mijn ziektekostenverzekering me in de ban gedaan.

Toch bleef ik dapper doorschrapen aan mijn gat in de grond. Iedere dag liepen mijn buren, voor het merendeel Mexicaanse immigranten, langs mijn tuin op weg naar hun werk bij een bottelfabriek of een bouwbedrijf in de buurt. Ze staarden naar me met nietszeggende gladde bruine gezichten, volkomen verbijsterd door wat hun krankzinnige gringo-buurvrouw aan het uitspoken was. Ze konden geen van allen Engels lezen, maar ik had toch borden opgehangen aan het hek aan de voorkant met de tekst: Steven Spielberg Belet dat Ik Medische Zorg Krijg! Zelf vond ik dat heel logisch klinken. Acht maanden daarvoor had ik DreamWorks gebeld met de eis dat de beroemde regisseur en producer een specialist zou vinden die me kon genezen. Ik had nooit meer iets van hem gehoord, dus wat mij betreft was het logisch dat ik hem de schuld gaf van al mijn fysieke problemen.

'Daarom graaf ik nu mijn eigen graf!' schreeuwde ik dan tegen de voorbijgangers. 'Ik ben stervende!' Na een poosje begonnen ze te lachen en te wuiven.

Er waren ook dagen dat ik de moed niet op kon brengen om uit bed te kruipen. De inwendige pijn was voldoende afgenomen om het leven draaglijk te maken, maar door al dat graafwerk begon de ellende weer van voren af aan. Toch bleef ik, als ik er ook maar enigszins toe in staat was, in de grond schrapen. Op een middag, toen het graf zo'n anderhalve meter diep was, stuitte ik op een asgrauwe laag kalksteen. Daarna goot ik de ene na de andere emmer water in mijn graf en bleef een paar dagen achtereen in de melkachtige vloeistof liggen tot mijn lichaam helemaal doorweekt was. Het alkalihoudende water van mijn geïmproviseerde badkuip werkte kalmerend op de wonden die ik overal had en die waren dan ook binnen de kortste keren verdwenen.

Ik begon weer te schilderen en te componeren. Mijn grond was helemaal bedekt met ronde cactussen. Aangezien ik bijna geen geld meer had, begon ik de platte eetbare delen van de planten te plukken en roosterde ze met behulp van een soldeerlamp. De platte delen, die door mijn Mexicaanse buren *nopalito* werden genoemd, smaakten een beetje als kalebas en zaten boordevol vitaminen en aminozuren. Op een dag vroeg ik een paar kinderen uit de barrio, allemaal Yaqui-indianen, om hun blote voeten in een bak rode verf te dompelen en vervolgens om mijn huis heen te lopen. Een paar gingen languit op de grond liggen en ik omlijnde hun lichamen met rode en witte verf. Ik vond het leuk om de achtergebleven beelden engelen des doods te noemen.

Mijn leven verliep langs krankzinnige maar voorspelbare wegen en toen gebeurde het. Op een middag kroop ik met moeite uit bed, deed de voordeur open en keek vol schrik toe hoe een groep zwarte helikopters boven mijn hoofd langs scheerde. Iets aan dat beeld en aan dat schorre stotterende geluid van de rotors riep bij mij een vreselijke angst op. Ik wist destijds niet wat dat was, maar inmiddels heb ik begrepen dat die helikopters een akelige herinnering opriepen die ik al bijna twintig jaar lang probeerde te verdringen.

Het bijna oorverdovende geluid dwong me om terug te denken aan die vreselijke maanden waarin mijn jongens en ik gevangen gehouden werden door een waanzinnige Vietnamveteraan, een zekere Lars die aan shellshock leed. In een leven vol akelige, traumatische gebeurtenissen was de tijd die ik als zijn psychologische gijzelaar door moest brengen het ergste wat me was overkomen. Wat er precies mis was met de radertjes in mijn brein voordat ik Lars ontmoette, was kinderspel vergeleken bij de permanente puinhoop die hij van mijn zenuwstelsel maakte. Hij veranderde me van een geschift hippiemeisje met het syndroom van Asperger in een vaak paranoïde eenling die ervan overtuigd was dat de wereld het op haar voorzien had.

Toen we elkaar in 1979 ontmoetten, was Lars mijn buurman in Tucson. Hij trok bij me in en ging mijn hele leven beheersen. In de maanden daarop sloeg hij mijn zoons, dwong ons om vrijwel zonder water marsen af te leggen door de woestijn en dreigde zo vaak dat hij ons zou vermoorden dat zijn woorden ons bijna geen schrik meer aanjoegen. Als ontvoerder was Lars ronduit een genie. Hij vond het ideale slachtoffer: mij. Zoals zoveel mensen met Asperger vat ik dingen altijd letterlijk op. En Lars kwam er al snel achter dat hij dat als zijn ultieme wapen kon gebruiken. Zijn gewoonte om tot in de kleinste bijzonderheden te beschrijven wat hij zou doen als ik ook maar een poging deed om te ontsnappen, was een veel effectievere methode om mij gevangen te houden, dan wanneer hij me alleen maar geketend en gekneveld had. En wat nog veel erger was, hij begreep ook instinctief dat ik niet zoveel om mijzelf gaf, maar dat ik een haast fanatieke behoefte had om het handjevol mensen van wie ik hield te beschermen. Dus had Lars het met name op hen voorzien: mijn jongens en mijn ouders.

'Ik zal je eens vertellen wat ik zal doen als je ook maar overweegt om weg te gaan,' zei hij dan vol razernij. 'Eerst steek ik het huis van je ouders in brand en dan ga ik buiten staan met een geweer om ze aan flarden te schieten als ze proberen te ontsnappen. Ze zullen als ratten in de val zitten.'

Lars begreep ook heel goed dat de politie mij, vanwege het feit dat ik binnen de gemeenschap als een rare meid bekend stond, nooit zou geloven als ik naar hen toe kwam met allerlei wilde verhalen dat mijn zoons en ik ontvoerd waren. Zoals op die middag dat Lars wegging om wat valium te scoren en ik eindelijk de moed opbracht om de politie te bellen.

'Jullie moeten me helpen,' fluisterde ik in de hoorn. 'Hij zegt steeds dat hij me gaat vermoorden.'

'Hoe lang zegt hij dat al tegen je?' vroeg de brigadier die als wachtcommandant fungeerde en meteen nogal sceptisch klonk.

'De afgelopen zes maanden,' fluisterde ik. 'Het begon vlak nadat hij ons ontvoerd had.'

'Dame,' zei de politieman, 'als hij echt van plan was je te vermoorden, had hij dat inmiddels wel gedaan.'

Einde gesprek. Hij verbrak de verbinding. De autoriteiten deden de hele zaak af als een vervelend voorbeeld van een bekoelde liefde tussen een vriendje en zijn vriendinnetje. Zelfs mijn ouders waren ervan overtuigd dat het mijn eigen schuld was dat de toestand zo uit de hand was gelopen. Dus toen alles voorbij was, nadat Lars eindelijk achter de tralies belandde (hij maakte zich uit de voeten op het moment dat hij weer vrijkwam, een paar weken voordat hij terecht moest staan), heb ik al die afschuwelijke herinneringen en de schuldgevoelens omdat ik niet in staat was geweest mijn zoons te beschermen in een doosje gestopt dat ik diep in mijn hart achter slot en grendel zette. Het enige probleem was dat het slot steeds kapotging waardoor de inhoud van dat doosje af en toe weer tevoorschijn kwam. Iedere keer als dat gebeurde en de vreselijke herinneringen te levendig werden, pakten ze me weer op en stopten me in een psychiatrische inrichting, wat niet half zo erg was als het klinkt. Behalve dat ik een aantal leuke mensen heb leren kennen was een van de bijverschijnselen van een verblijf in een psychiatrische inrichting dat ik onbedoeld leerde wat het was om met je beide benen op de grond te staan – en dat is een volslagen onbekende ervaring voor iemand met een brein dat zo raar in elkaar zit als het mijne.

Het gebeurde meteen op de ochtend van mijn eerste dag, nadat ik een paar broeders tot de orde had geroepen die volgens mij veel te hardhandig optraden tegen een bejaarde 'gast'. Ik werd aangepakt, tegen de vloer gewerkt en begraven onder een paar honderd pond lijfwachten. Het was ongeveer hetzelfde gevoel als aangereden worden door een stadsbus. Ik vond het geweldig. Het was op een vreemde manier heel... geruststellend. Met al dat gewicht boven op me dat me platdrukte en onder het linoleum probeerde te stoppen voelde ik ineens de omtrek van mijn eigen fysieke lichaam tot in de kleinste bijzonderheden. Voor het eerst in mijn leven wist ik precies waar ik was. De wazige omtrek van mijn bestaan loste op en maakte heel even plaats voor een scherpomlijnd bewustzijn. Ik had het gevoel dat ik vloog.

En er is nog iets dat ik heb geleerd van het verblijf in diverse psychiatrische inrichtingen: in tegenstelling tot wat de meeste mensen wordt wijsgemaakt struikel je in de gangen van de meeste inrichtingen niet bepaald over psychiaters, psychologen en therapeuten. In feite kwam ik ze zelden tegen. Af en toe mocht ik wel eens een praatje maken met de huistherapeut. Niet dat die bezoeken mij enige duidelijkheid schonken. Het was zelfs zo dat als ik begon te vertellen dat Steven Spielberg de rechten had gekocht om een film over mijn leven te maken mijn therapeut meteen begon te fronsen en zei: 'Hoor eens, Mary, we weten allebei heel goed dat dat niet waar is. Dat is toch zo? We weten best dat niemand een film over jouw leven gaat maken. Waar of niet?'

'Maar...' wierp ik dan tegen.

'Nee, Mary,' antwoordden ze dan. 'Waarom houden we niet op met die onzin?'

Na een poosje legde ik me erbij neer dat ik ze toch nooit zou kunnen overtuigen. Waarom zou ik me inspannen? En om eerlijk te zijn, naarmate ik er langer over nadacht, moest ik eigenlijk wel toegeven dat het eigenlijk heel idioot klonk. Uiteindelijk kreeg ik het vermoeden dat ze gelijk hadden. Waarom zou iemand per slot van rekening een film over mij willen maken?

Als ik niet onder invloed was van de overdaad aan medicijnen die een eind moest maken aan mijn waandenkbeelden bracht ik in de diverse instellingen heel wat tijd door met het piekeren over mijn leven en het inspecteren van alles wat achter me lag om te bewijzen dat ik niet altijd zo'n hopeloos geval was geweest. Zoals in de tijd toen alle heisa over het Lars-fiasco achter de rug was en ik puur op mijn instinct bepaalde beslissingen nam die bij nader inzien de juiste bleken te zijn.

Het begon allemaal toen de onderwijzeres van mijn zoon Peter, die toen in groep één zat, erop aandrong dat ik hem naar een bepaalde klas zou laten overplaatsen waar hij de hulp zou krijgen van een logopedist. Hoewel hij al zes jaar was, bestond zijn hele woordenschat uit een handjevol medeklinkers. Iedere keer als hij probeerde te praten begon hij te snuiven en te grommen. Als ik zijn moeder niet was geweest, had ik vast gedacht dat hij totaal verwilderd was.

'Doe nou maar rustig aan,' zei ik altijd tegen hem. 'Praten is niet de enige manier om te communiceren. Als je zover bent, gaat het allemaal vanzelf. Er is geen haast bij.'

Als ik dacht aan wat de specialisten me verteld hadden, betwijfelde ik ten zeerste of hij ooit zou leren praten. Maar toch, diep vanbinnen op dat plekje waar ik al mijn optimisme bewaarde, wist ik gewoon dat de woorden uiteindelijk omhoog zouden borrelen om over zijn lippen te vloeien. Er moest alleen iemand zijn die in hem geloofde, iemand die het geduld kon opbrengen om te wachten tot hij zover was.

De lessen logopedie die Peter moest volgen, maakten alles alleen maar erger. Als hij daarna thuiskwam, was hij zo gespannen en overstuur dat hij klonk als Knorretje Knor. Dus op een dag bracht ik Peter en zijn broer gewoon niet meer naar school en begon een manier te zoeken waarop ik hem kon helpen. Niet lang daarna kwam ik plotseling op het idee dat de oplossing misschien in de muziek lag, omdat Peter daardoor altijd aangetrokken werd. Hoewel niemand hem kon verstaan, vond hij het heerlijk om te zingen.

Daardoor ging me ineens een licht op. 'Je moet helemaal niet op woorden letten,' zei ik op een ochtend tegen hem toen hij net was opgestaan. 'Doe maar net alsof het muziek is als je luistert naar wat mensen zeggen. Daarna moet je gewoon proberen je eigen woorden te maken alsof je een liedje zingt.'

Toen ik dat de eerste keer tegen hem zei, keek Peter me met grote ogen aan en glimlachte flauw. Maar ik zag wel degelijk dat hij glimlachte. Als we daarna in de auto stapten, draaide ik de raampjes helemaal open in plaats van de airconditioning aan te zetten en dan luisterden we naar de wind die naar binnen waaide en over ons gezicht streek. De volgende paar maanden besteedden we heel veel tijd aan luisteren en we schonken ook veel aandacht aan geluiden in een poging om de melodie te vinden in alles, van een stevige storm tot een ketel water aan de kook. Peter had zich tijdens die periode geen betere metgezel kunnen wensen. Nadat ik zo'n groot deel van mijn leven had gedacht dat ik anders was dan de mensen om me heen, met het gevoel alsof ik door een of ander ondoordringbaar krachtveld was afgescheiden van de rest van de wereld, hield ik mezelf nu voor dat ik precies wist wat hij doormaakte. Het enige wat ik hem kon bieden waren geduld en sympathie, want dat waren de enige dingen die ik had.

Aanvankelijk gebeurde er niets. Zelfs iemand met zo'n scherp en belachelijk gevoelig gehoor als ik kon geen enkel verschil horen in Peters spraak. Maar hij lachte veel vaker en ik kon voelen dat hij meer ontspannen was, en dat vond ik ontzettend belangrijk. Maanden later, op een ochtend, was het ineens zover. Hij kwam in zijn pyjama de keuken in slenteren en wreef de slaap uit zijn ogen. Een keurig uitgesproken, afgemeten 'Hoi, mam' vloog uit zijn mond voordat hij aan tafel ging zitten en me aankeek met zijn bekende waar-blijft-mijn-ontbijtblik. Hoewel ik het liefst was gaan springen en dansen wist ik dat het laatste waar hij behoefte aan had, was dat ik een hele ophef zou maken van het feit dat hij eindelijk had leren praten.

In plaats daarvan woelde ik door zijn haar, schonk een glas sinaasappelsap voor hem in en vroeg: 'Wil je wafels of pannenkoeken?'

Toen ik op een middag mijn tijd zat te verdoen in de recreatieruimte van een naamloze inrichting even buiten Tucson, moest ik onwillekeurig terugdenken aan de tijd dat ik als rondreizend pianostemmer werkte, een beroep dat me eindelijk de kans gaf om gebruik te maken van mijn griezelig goede gehoor. Ik had het vak midden jaren tachtig voornamelijk in Los Angeles geleerd, nadat ik een baan had gekregen bij een van de grootste pianoverhuurbedrijven uit de stad. Ik moest hard werken, veel harder dan ik daarvoor ooit had gedaan. Maar met oren die zo fijngevoelig waren als de mijne (mijn baas omschreef ze ooit als 'wolfachtig', omdat ik geluiden kon horen die andere mensen ontgingen) kon ik snel te werk gaan. De meeste stemmers die ik kende deden er ongeveer twee uur over om een volkomen valse piano weer in het gareel te krijgen. Met behulp van een elektronisch stemapparaat kon ik het in vijfenveertig minuten.

Het duurde niet lang voor ik door heel Zuid-Californië rondreisde om piano's te stemmen voor lui als Herbie Hancock, Burt Bacharach, Crystal Gayle en Don Henley. Voor het eerst in mijn leven had ik het gevoel dat ik een gat had geprikt in de barrière die me al tientallen jaren omhulde. Ik begon eindelijk in te zien dat ik wel iets meer was dan een getalenteerde amateur. Hoe vreemd en onwaarschijnlijk het ook mag lijken, ik had echt het gevoel dat ik op het punt stond om professional te worden. Het zou vast alleen maar een kwestie van tijd zijn voordat ik de fundamenten had gelegd en genoeg lering had betaald om mijn geheime droom te vervullen: muziek componeren die serieus zou worden genomen.

Uiteindelijk verhuisden de jongens en ik naar Manhattan en het duurde niet lang voordat mijn vakmanschap ook daar aansloeg. Ik werkte al snel voor instanties als Carnegie Hall en Radio City Music Hall. Ik stemde piano's bij shows op Broadway, bij klassieke radiostations, opnamestudio's, restaurants en hotels. Ik ging zelfs op huisbezoek – dat wil zeggen tot ik één keer te vaak in een appartement belandde vol krijsende kinderen en tv-toestellen die knalhard aan stonden. Bij meer dan één gelegenheid werd ik in het appartement van een volkomen vreemde bijna stapelgek van een overdosis lawaai. Dan had ik het gevoel dat er een keilbout door mijn hoofd geslagen werd.

Als ik terugkijk op die periode denk ik wel eens dat mijn oren veel te gevoelig waren voor al dat werk dat ik als stemmer deed, dat ze gewoon niet tegen die geluidsoverlast konden. Niet lang daarna stortte ik in en belandde, volledig opgebrand, in een inrichting. Omdat ik inmiddels de reputatie had van een getalenteerde, maar bijzonder labiele mafkees wilde niemand me meer in dienst nemen.

Ik mis het beroep niet echt. Maar ik heb altijd gewenst dat ik iemand zou kunnen vinden die mij weer in het gareel zou kunnen brengen.

Mijn hereniging met Jerry een jaar later ging als volgt: ik was volkomen platzak. Ik had al maandenlang mijn hypotheek niet meer betaald. Iedere dag als ik naar huis kwam van mijn werk in een broodjeswinkel verwachtte ik een hangslot op mijn voordeur aan te treffen en al mijn bezittingen in een container voor de deur. Ik bracht het merendeel van mijn tijd door met het fantaseren over de dag dat ik eindelijk gedwongen zou worden om in een grote kartonnen doos ergens op straat in Tucson te slapen. Eerlijk gezegd vond ik dat niet eens zo'n deprimerend vooruitzicht. En na een poosje werd het zelfs een beetje opwindend. Ik kreeg het gevoel dat het weer een wild, onvermijdelijk avontuur zou worden, het logische volgende hoofdstuk in mijn langdradige levensverhaal. Toch toetste ik een dag voordat ik verwachtte dat mijn telefoon afgesloten zou worden het nummer van Jerry in. Ik had de laatste tijd vaak aan hem moeten denken. En bij iedere herinnering begonnen alle fijne dingen van Jerry me weer voor de geest te komen – dingen waaraan ik jarenlang niet meer had gedacht, flarden van momenten die me onwillekeurig aan het lachen maakten.

'Hoi Jerry,' zei ik toen ik zijn stem aan de andere kant van de lijn hoorde. Hij leek niet echt verbaasd dat ik hem belde. Maar hij klonk een beetje argwanend, alsof hij spijt had dat hij de telefoon had opgenomen. Ik vertelde hem precies waar ik de afgelopen maanden over na had lopen denken. En ik vertelde hem ook hoe ik me met het huis in de nesten had gewerkt.

Zijn monotone, vrij emotieloze stem kwam een beetje vreemd over, alsof hij zich down voelde. Ik vroeg of er iets aan de hand was. Met tegenzin vertelde hij me dat hij eigenlijk meer dan genoeg had van Los Angeles. Hij had behoefte aan een verandering. Ik kwam meteen met mijn voorstel op de proppen.

'We weten allebei dat jij hoopte dat het tussen ons heel anders zou lopen,' zei ik tegen hem. 'En volgens mij heb ik hetzelfde idee. De laatste tijd vraag ik me steeds vaker af hoe het had kunnen zijn tussen ons.'

Jerry hield even zijn mond. 'Wat bedoel je nou precies, Mary?' vroeg hij argwanend.

'Kom hiernaartoe,' zei ik tegen hem. 'Als je bij mij komt wonen, zal ik het huis op jouw naam laten zetten. Dan ben jij de eigenaar.'

'En?' bromde hij. Hij had zich al zo vaak laten meeslepen door mijn wilde plannen dat hij nauwelijks opgewonden raakte door iets dat ik hem vertelde.

'En dan zal ik de vlijtigste en meest stabiele vrouw worden die een man zich kan wensen,' antwoordde ik. 'Let maar op. En als het toch misloopt, weten we in ieder geval zeker dat we ons best hebben gedaan.'

Jerry hield opnieuw zijn mond. Het enige wat ik hoorde, was het geluid van zijn ademhaling dat via de telefoonlijn honderden kilometers aflegde.

'Ben je er nog, Jerry?' vroeg ik ten slotte.

'Ik denk na,' antwoordde hij. 'Ik zit na te denken.'

Tien

Tucson, Arizona
April 2001

Het doek voor mijn tweede bedrijf met Mary was nog maar nauwelijks op toen ik ineens iets besefte: Mary leek in veel opzichten op een oude radio die ik vroeger had gehad. Zolang haar signaal luid en duidelijk doorkwam kon ik de hele avond naar haar zitten luisteren, diep onder de indruk van de schoonheid en de magie van wat ik te horen kreeg. Maar als je per ongeluk tegen de knop stootte waarmee je andere stations op kon zoeken, ook al was het nog maar zo licht, dan hield de muziek op en hoorde ik alleen nog maar een storend geruis. Er zat absoluut een heleboel muziek in de eerste dagen nadat we hadden besloten om onze relatie een nieuwe kans te geven. We leerden elkaar opnieuw kennen. Alleen wisten we dit keer iets meer over de geniepige trucjes die ons hoofd, ons hart en onze hersenen met ons uit konden halen.

In die beginfase van Jerry en Mary, Deel II, voelde ik me uitstekend. Dat ik eindelijk de chaos van Los Angeles achter me had gelaten deed wonderen voor mijn geest. Ik had het gevoel dat er een loden last van mijn schouders was gevallen. Kort na mijn aankomst ging ik aan de slag om in Tucson een steungroep voor volwassenen met het syndroom van Asperger op te zetten. We hielden onze eerste bijeenkomst in de broodjes- en pizzabakkerij waar

Mary als kokkin werkte. Tijdens die eerste paar bijeenkomsten, waarbij de deelnemers zich langzaam maar zeker op hun gemak gingen voelen, wierp ik af en toe een blik op de keuken waar zij achter de bakplaten stond en een stuk of tien bestellingen tegelijk klaarmaakte, terwijl ze om de paar minuten een nieuwe order toegeschreeuwd kreeg. Het was een verbijsterende aanblik. Ik had nooit iemand met Asperger gekend die zoveel dingen tegelijk kon doen, die zoveel druk en al die informatie aan kon zonder ter plekke te ontploffen. Voor het eerst sinds we elkaar hadden ontmoet, draaide Mary op volle toeren, zo geconcentreerd en gedreven als ik haar nog nooit had gezien. Bovendien werkte ze zich een ongeluk, wat overigens helemaal niet zo erg hoeft te zijn.

Omdat Mary als kostwinner optrad, had ik eindelijk de kans om thuis te blijven en een poging te doen het boek te schrijven dat ik al jaren in mijn hoofd had. Vanaf het moment dat onze *60 Minutes*-special werd uitgezonden was ik benaderd door uitgevers met de vraag of ze mijn biografie mochten publiceren. Maar eigenlijk had ik helemaal geen zin om nog meer tijd te besteden aan het verhaal dat ik al zo vaak verteld had. Het begon me de keel uit te hangen. Toch had ik bij mijn verhuizing naar Arizona besloten om serieus op zoek te gaan naar een manier waarop ik anderen in de autistische gemeenschap met mijn ervaringen zou kunnen helpen. Uiteindelijk besloot ik een zelfhulpboek te schrijven, sloot een overeenkomst met een uitgever en zat een paar maanden lang dag en nacht op mijn toetsenbord te rammen. En nadat *Your Life Is Not a Label* ten slotte in september 2001 was verschenen, verkocht ik dat vaak na mijn lezingen. Het leukst vond ik dat de mensen me vaak vroegen of ik iets in het exemplaar wilde schrijven dat ze net hadden aangeschaft. Aanvankelijk wist ik nooit wat ik moest schrijven. En toen kwam ik ineens op het lumineuze idee om gebruik te maken van mijn gave om met getallen te goochelen. Binnen de kortste keren stelde ik aan iedereen die een exemplaar had gekocht dezelfde vraag: 'Wanneer bent u geboren?' Zodra ze me dat verteld hadden, begon ik uit te reken hoeveel dagen ze inmiddels achter de rug hadden en schreef dat getal boven mijn handtekening. Dat vond iedereen prachtig.

Het enige nadeel van mijn carrière als schrijver was de hoogte van mijn royaltycheques. Om de een of andere reden had ik het idee gehad dat het om bedragen met een aantal nullen zou gaan, vooral omdat Mary's loon maar net genoeg was voor onze hypotheek, de vaste lasten en de kleine voedselvoorraad in onze keuken. De middag waarop ik vol opwinding de envelop openritste die ik via de post van mijn uitgever had ontvangen staat in mijn geheugen gegrift. Ik kon alleen maar lachen toen ik het bedrag van de cheque zag.

'Waar moeten we in vredesnaam van leven?' kreunde ik. Mary wierp een blik op het stukje papier dat ik in mijn hand had en giechelde.

'Ik heb een idee,' verkondigde ze terwijl ze de voordeur opentrok en de straat in wees. 'Waarom ga je daar niet eens langs?'

Omdat ik me afvroeg waar ze het over had, liep ik naar buiten en tuurde door het scherpe zonlicht naar een bord aan een gebouw verderop om te zien wat erop stond.

'O!' Ik schoot verbaasd in de lach. 'Dat is me nooit eerder opgevallen.'

Aan het eind van de straat zat inderdaad een taxibedrijf. Ik trok mijn schoenen aan en liep de straat door om er mijn licht op te steken. Ik werd ter plekke in dienst genomen. En hoewel ik had gezworen dat ik nooit meer taxichauffeur zou worden, duurde het niet lang voordat het tot me doordrong dat ik dat baantje nu veel leuker vond dan ik ooit voor mogelijk had gehouden. Het was leuk om weer achter het stuur van een taxi te zitten, veel prettiger dan ik me herinnerde. Aanvankelijk wist ik niet waar het aan lag, maar na een paar maanden begreep ik het ineens. Tijdens de jaren dat ik in San Diego achter het stuur had gezeten geneerde ik me altijd voor het feit dat ik gedwongen was om in een taxi rond te rijden om mijn huur te kunnen betalen. Er ging geen dag voorbij dat ik me niet afvroeg wat de mensen wel zouden denken als ze in mijn auto stapten en me vertelden waar ze naartoe wilden. Ze hoefden vast maar één blik op mijn achterhoofd te werpen om te begrijpen dat ik een afschuwelijke mislukkeling was en dat ik de mooie praatjes en beloften waaronder ik in mijn jeugd was bedolven niet waar had kunnen maken.

Maar dit keer voelde ik me helemaal geen mislukkeling. Waarom niet? Omdat ik inmiddels een verleden had waarop ik trots kon terugkijken. Iedere keer als ik een beetje in de put zat, kon ik mezelf voorhouden dat ik iets van mijn leven had gemaakt en dat geloofde ik ook nog. Dat maakte een groot verschil. Dus als ik in een taxi moest rondrijden om mijn dagelijkse volkoren boterham op tafel te krijgen, dan deed ik dat gewoon zonder het gevoel dat ik me daarvoor moest verontschuldigen.

Naarmate ik langer in mijn taxi rondreed door de snikhete, stoffige straten van Tucson, werd ik me steeds sterker bewust van de subtiele veranderingen die ik diep vanbinnen onderging. Het was een gevoel dat wel wat leek op de lichte aardbevingen die ik zo vaak had gevoeld toen ik nog in Los Angeles woonde. Dankzij de technologie was mijn baantje veel gemakkelijker geworden en kende ook veel minder druk dan toen ik in de jaren zeventig taxichauffeur was. Alle gegevens die ik nodig had, verschenen op een computerschermpje dat op mijn dashboard was bevestigd – waar de klanten stonden te wachten, waar ze naartoe wilden enzovoort. Dat betekende dat ik nog maar zelden in een microfoon hoefde te schreeuwen tegen de meldkamer, iets waardoor ik vroeger op slag was veranderd in een kribbig stuk chagrijn. Autorijden in Tucson was ook veel plezieriger dan San Diego of Los Angeles – nergens gevaarlijke kruisingen en altijd een berg of een ander mooi uitzicht waar ik mijn ogen op kon richten, waar ik ook moest stoppen. Het verkeer was lichter en reed ook veel rustiger, iets wat me prima beviel.

Het enige wat ik nog moest doen was rijden, zodat ik voldoende tijd had om na te denken en te overwegen wat er allemaal was gebeurd en wat ik zou gaan doen. Er ging vrijwel geen dag voorbij dat ik niet op de een of andere manier een glimp opving van de manier waarop ik in elkaar stak. De eerste openbaring betrof mijn sterfelijkheid. In plaats van mezelf voor te houden dat het grootste deel van mijn leven nog voor me lag, moest ik nu toegeven dat het tegendeel het geval was. En daardoor drong er nog iets anders tot me door: de meeste kleine dingen waaraan ik zoveel energie had verspild waren het niet waard om me zorgen over te maken. Wat maakte het nou uit dat ik op het ene rode stoplicht na het andere stuitte? Wat kon ik er nou aan doen dat er een file stond op weg naar het vliegveld?

Hoe vreemd het ook mag klinken, het rondrijden in een taxi werd een soort meditatie voor me. En voor het eerst van mijn leven vond ik iets leuk om te doen zonder me af te vragen of het wel nut had. Ik leverde gewoon een dienst aan mijn medemensen door ze van punt A naar punt B te brengen en dat was zo'n zalig gevoel dat ik me afvroeg hoe ik dat al die jaren had kunnen negeren. Ik maakte me niet langer druk over al die teleurstellingen uit het verleden of over wat er al dan niet in de toekomst zou gebeuren. Ik hield me alleen maar bezig met het heden, op een manier die me nooit eerder was gelukt. Naarmate ik langer rondreed, begon ik steeds meer dingen over mezelf te begrijpen die me altijd waren ontgaan.

Op een middag, toen ik een paar uur aan het werk was, besefte ik ineens dat mijn hele leven in het teken had gestaan van mijn overdreven minderwaardigheidscomplex. Dat was zo'n openbaring voor me dat ik bijna flauwviel. In een oogwenk werd al dat gezeur in mijn hoofd, werden al die akelige stemmetjes die me constant dwongen om te geloven dat het nooit genoeg was, wat ik ook deed, tot zwijgen gebracht. Ze waren eindelijk in ademnood gekomen of misschien begrepen ze gewoon dat ik toch niet meer luisterde. In hun plaats kwam een serene, behaaglijke rust.

En wat ik ook probeerde, ik kon het gevoel niet van me afzetten dat het Mary was die me uiteindelijk had geholpen de volumeknop te vinden. De jaren die ik aan haar zijde had doorgebracht hadden me de ruimte gegeven die mijn hart en mijn geest nodig hadden om met elkaar te leren leven. Wat ik er inmiddels over weet, heeft me tot de conclusie gebracht dat het niet de liefde is die genezing brengt. De liefde zorgt gewoon voor het juiste klimaat waarin we onszelf kunnen genezen. Dat besef bezorgde me een bitterzoete smaak in de mond. Per slot van rekening was ik eenenvijftig jaar. Het feit dat zowel mijn vader als mijn grootvader op de leeftijd van eenenzestig aan een hartaanval was overleden hield in dat ik misschien nog maar tien jaar te leven had en daardoor werd ik gedwongen om op mijn leven terug te kijken met een helder inzicht dat ik nooit eerder had kunnen opbrengen. Maar in plaats van gedeprimeerd te raken kreeg ik voor het eerst een gevoel dat veel op tevredenheid leek. Misschien had het leven me niet precies gegeven wat ik ervan verlangd had, maar – met een parafrase op Mick Jagger – ik had alles wat ik nodig had. En voor het eerst kon ik me daarbij neerleggen.

Ondanks al mijn onzekerheid en zelfkastijding kwam ik tot de slotsom dat mijn leven toch wel inhoud had gehad. Ik had mijn eigen weg gezocht. Dat was heel belangrijk voor me. Misschien kwam dat door al die afleveringen van *The Untouchables* die ik in mijn jeugd had gezien. Maar het idee dat ik iemand was die niet omgekocht kon worden beviel me goed. Ik was ook onaantastbaar, niet vanwege mijn afkeer van lichamelijk contact, maar omdat ik voet bij stuk hield en alleen die dingen deed waarvan ik instinctief wist dat ze goed waren. De bekrompen, ouderwetse ideeën van andere mensen konden me niet raken. Natuurlijk maakte die onverschrokkenheid me niet bepaald populair bij iedereen in de autistische gemeenschap.

Destijds in 1993 waren er nog een heleboel mensen die het idee van een groepering voor en door volwassen autisten pure waanzin vonden. Maar ze hadden het mis. En vandaag zijn er overal in het land tientallen van dat soort steungroepen, allemaal gebaseerd op het AGUA-model en stuk voor stuk een succes. Maar in die duistere tijd in het verleden waren er nog steeds een aantal welwillende maar hopeloos onwetende figuren die echt dachten dat onze toestand verergerde als je te veel autisten op één plek bij elkaar bracht – alsof onze neurologische afwijking besmettelijk was en mensen die er gevoelig voor waren erdoor aangestoken konden worden. Anderen waren ervan overtuigd dat we niet in staat waren om zo'n gigantische taak die nog nooit eerder was opgepakt zonder toezicht te volbrengen. We zouden toch op zijn minst één 'deskundige' in de arm moeten nemen die de zaak in de gaten kon houden.

Na mijn verhuizing naar Arizona had ik nog steeds contact met AGUA, maar ik raakte vervreemd van de eigenlijke groep. Dat was niet langer de spil waarom mijn leven draaide, ook al bleef het een onvervreemdbaar deel van me. Mary had haar beide zoons die allebei tot flinke jonge kerels waren opgegroeid. Ik had AGUA, dat op haar eigen manier ook was opgegroeid. En het was hoog tijd dat ik de organisatie de kans gaf om op haar eigen benen te staan, om te zien of ze ook zonder dat ik me er voortdurend mee bemoeide sterk genoeg was om zich staande te houden in deze wereld.

Maar ik vraag me nog vaak af hoe het gaat met veel van de mensen die ik altijd tegenkwam in de tijd dat ik nog helemaal vergroeid was met AGUA. Ik denk aan al die moeders die me aanmoedigden en steunden toen ik ermee begon. En ik denk aan hun zoons, de mensen die ze zo graag wilden helpen om een normaler leven te gaan leiden, om ze iets te geven dat in ieder geval op een eigen leven leek. Af en toe vraag ik me op de raarste momenten ineens af of die zoons – of dochters – voldaan hebben aan die innige wens van hun moeders om via de groep vrienden en onafhankelijkheid te vinden.

Ik weet dat het Ilene Arenberg wel gelukt is. Zij was een van de oorspronkelijke leden van AGUA die inmiddels een volledige baan heeft bij de UCLA, zelfstandig in een appartement woont en iedere dag met de bus naar haar werk gaat. Ilenes vooruitgang is ongetwijfeld beïnvloed door al die mensen die ze via AGUA ontmoet heeft en die haar duidelijk maakten dat er veel meer mogelijkheden in het leven waren. In mijn ogen is ze een groot succes en een echte heldin. Maar niet alleen omdat het haar in beroepsmatig opzicht gelukt is. Ilene is erin geslaagd om op te groeien tot een prima aangepaste volwassene hoewel ze nog steeds ontegenzeggelijk autistisch is.

En dan is er nog Derrick Hall. Aan hem denk ik ook vaak en dan moet ik onwillekeurig glimlachen. Toen hij opgroeide, wist Derrick niet eens dat hij autistisch was. Hij had geen flauw idee waarom hij al die medicijnen moest nemen en waarom hij in de klas altijd gescheiden werd gehouden van de andere kinderen. Pas toen hij achter in de twintig was en zijn baan op het postkantoor was kwijtgeraakt, kreeg hij het nieuws eindelijk van zijn moeder te horen.

'Sjongejonge, wat was dat een schok voor me,' vertelde hij me een paar jaar later. Ondanks het feit dat hij zich diep gekwetst voelde, is hij nog steeds een van de beleefdste, gevoeligste en oprechtste menen die ik ooit heb mogen ontmoeten. Hij is een knappe, gezonde man met een goed huwelijk, dat hij op latere leeftijd sloot. En sinds ik verhuisd ben naar Arizona mis ik toch vooral de aanstekelijke manier waarop Derrick het leven bekeek. Je kon niet naast hem staan zonder in de ban te raken van zijn geestelijke uitstraling. Hij is het levende bewijs dat een autistische persoon heel goed in staat is om op te groeien en niet alleen de bomen maar het hele bos te onderscheiden.

Jessica is ook zo'n AGUA-lid aan wie ik maar hoef te denken om meteen het gevoel te krijgen dat ik omringd word door een zoetgeurende wolk van parfum. In de jaren dat ik haar ken, is haar persoonlijkheid zo ongelooflijk gegroeid en verder ontwikkeld. Jessica belandde al op jeugdige leeftijd in een inrichting en werd daaruit gered toen ze geadopteerd werd. Nadat het bestaan van onze groep haar ter ore was gekomen, duurde het nog een hele tijd voordat ze zich ontspannen genoeg voelde om zich te realiseren dat het optrekken met 'zo'n stel autistische mafkezen' als wij geen bedreiging voor haar vormde. Uiteindelijk ging ze ons zelfs als haar vrienden beschouwen. Ze is zo'n type dat helemaal in beslag wordt genomen door haar hobby's (ze is dol op vliegtuigen en op het tekenen van bussen). Om haar gezicht te zien oplichten als ze hoog boven haar hoofd een vliegtuig over ziet komen is iets wat je niet snel zult vergeten. Ze is inmiddels achter in de veertig, een echte autiste en dankzij AGUA als mens lang niet meer zo eenzaam als ze vroeger was.

En dan hebben we Sharon nog. Die kwam in 1994 als een soort handgranaat bij ons binnenvallen, kort nadat ze van New York naar Los Angeles was verhuisd. Ze joeg me de doodschrik op het lijf tijdens de eerste bijeenkomst die ze bijwoonde. Ons groepje voldeed kennelijk niet aan de voorwaarden waaraan een steungroep volgens haar moest voldoen en ze geneerde zich niet om mij dat luid en duidelijk mee te delen. Lieve hemel nog aan toe, ik had echt mijn evenknie gevonden! Daar hebben we later, tijdens een lunch in het Getty Museum waar we een groepsreisje naartoe hadden gemaakt, nog eens hartelijk om gelachen. Sharon is onlangs verhuisd naar de woestijn vlak buiten Los Angeles, op aandringen van Hal, een ander lid met wie ze bevriend is geraakt en die zich ongelooflijk inspant om haar te helpen met problemen als ouder worden en met pensioen gaan.

Hal en zijn maatje John zijn de echte 'wereldreizigers' van AGUA. Ze vinden het allebei leuk om overal in het land conferenties over autisme bij te wonen en nemen regelmatig deel aan Autreat, een jaarlijks kamp aan de oostkust dat gesponsord wordt door Autism Network International. Hal heeft jarenlang op de afdeling planning van de gemeente Los Angeles gewerkt en is daarna met vervroegd pensioen gegaan. John vindt het heerlijk om overal ter wereld vrijwilligerswerk te doen voor zijn kerk. Het is echt jammer dat ze allebei zo vaak weg zijn. Helemaal in het begin wist ik niet precies wat voor vlees ik in de kuip had toen ze samen voor een bijeenkomst kwamen opdagen. Dat gold voor ons allemaal. Ze leken allebei prima om te kunnen gaan met het merendeel van de dingen waarvan de meesten van ons stapelgek werden. Er waren dagen genoeg dat ik me afvroeg of ze wel echt bij ons hoorden. Maar uiteindelijk slaagden ze voor ons 'autisme-examen', hoewel ik er eigenlijk nooit achter ben gekomen wat dat precies inhoudt. Ik vermoed dat we allemaal het idee hadden dat die twee kerels wel net zo moesten zijn als wij als ze gek genoeg waren om hun tijd met ons te verdoen.

Naarmate ik langer achter het stuur in mijn taxi zat, klaarde mijn hoofd steeds meer op. Ik begon een heel andere kijk op mezelf te krijgen en ik ging zelf geloof hechten aan het ketterse idee dat ik in mijn leven iets bewerkstelligd had. Maar het grappige was, dat ik waarschijnlijk nog steeds bezig zou zijn geweest met mezelf onder de grond te trappen als ik me niet door Mary naar Arizona had laten lokken, waar ik zoveel ruimte en rust vond als ik van mijn leven nog niet had gehad. Als iets mij kon laten opbloeien, dan was het Mary wel. (Afgezien van de stront die ik mezelf in mijn leven op de hals had gehaald.)

Toen ik op een middag met een gekwelde zakenvrouw op weg was naar het Tucson International Airport, kreeg ik ineens een flashback. In een flits zag ik mezelf weer bij het gymlokaal onder de douche staan, terwijl een groep jongens stond te grinniken om mijn anatomie. Bij die herinnering kromp ik in elkaar. Ik had het liefst de taxi in de berm gezet om te gaan schreeuwen tegen dat stel idioten dat het op de een of andere manier voor elkaar had gekregen dat ik mezelf was gaan haten. Maar dat deed ik niet. Ik bleef gewoon doorrijden, vechtend tegen een stortvloed van tranen die ieder moment uit mijn ogen kon gaan stromen. Na een paar minuten hoorde ik mezelf fluisteren: 'Vergeet dat nou maar, Jerry. Dat was jaren geleden. Dat moet je nu eens loslaten. Vergeef het ze, want ze zouden je vast niet uitgelachen hebben als ze hadden geweten dat je daar na veertig jaar nog steeds over in zou zitten. Laat het nou rusten.' En dat deed ik ook. Ik trapte het gaspedaal in en reed met zo'n vaart de snelweg af dat ik binnen de kortste keren op het vliegveld was.

'Sjonge,' lachte mijn klant toen ik met piepende remmen langs het trottoir stopte. 'Dat heeft niet lang geduurd.'

'Hooguit een jaar of veertig,' grinnikte ik terwijl ik uitstapte om haar bagage uit de kofferbak te halen.

Niet lang na die rit begon ik bewust mijn best te doen om alle openbaringen van de laatste tijd in mijn dagelijkse leven te verwerken. Ik hoopte voornamelijk dat ik ze kon gebruiken om een beetje gezond verstand bij elkaar te grabbelen als ik weer eens op het punt stond om mijn zelfbeheersing te verliezen. Ik weet nog goed dat ik er voor het eerst bewust gebruik van maakte bij de Belmont Stakes in juni 2004. Ik was van de ene naar de andere kant van het land gevlogen om te zien of Smarty Jones het eerste paard sinds 1978 zou worden dat de Triple Crown won.

Jaren eerder zou ik me nooit op een plek hebben gewaagd waar zoveel mensen bij elkaar kwamen – meer dan 120.000 – die allemaal een blik probeerden op te vangen van die jonge kastanjebruine hengst die zich probeerde een plekje te verwerven in de geschiedenis van de paardenrensport. Overal stonden lange rijen. Om het nog erger te maken was de lucht vergeven van sigaren- en sigarettenrook, een stank waar ik een ontzettende hekel aan heb. En de herrie was oorverdovend. Toch slaagde ik erin me staande te houden door van alle vervelende toestanden die ik op mijn weg vond een spelletje te maken. In de rij voor de toiletten nam ik de tijd op van de mensen die voor me waren om te zien hoe lang ze erover deden. Datzelfde trucje gebruikte ik bij de wedloketten en de kraampjes, waardoor ook daar dingen waar ik me aan had kunnen ergeren ineens leuk werden.

En iedere keer als ik gedwongen was me door een menigte te worstelen maakte ik daar een spelletje van door de mensen te tellen die op Elvis, Alexander Haig, Whoopi Goldberg en nog een paar anderen leken. Daardoor werd het niet zo'n opgave om door een zee van mensen te waden die allemaal van alle kanten tegen me aan duwden. In plaats van driftig te worden vond ik het zelfs amusant. Maar mijn verstandigste zet was iets wat ik had gedaan lang voordat ik op de renbaan arriveerde, een perfect voorbeeld van hoe een autistisch brein te werk gaat. Ik zocht op het internet een kaart van de renbaan op en bestudeerde die om de kortse weg van punt A naar B uit mijn hoofd te leren. Daardoor was ik in staat om binnen de kortste keren van de renbaan naar de plek waar de paarden gezadeld werden te lopen, of van de paddock naar de tribune.

Smarty Jones mag die dag dan verloren hebben, maar door al die trucjes die ik me in de loop van een lang leven eigen had gemaakt, voelde ik me die middag een echte winnaar.

Tucson, Arizona
April 2001

Diep in mijn hart wilde ik niets liever dan Jerry een echt huisjeboompje-beestjeleven geven toen we voor het tweede bedrijf van onze romance bij elkaar kwamen. En dat lukte me ook bijna. Voor het eerst sinds jaren had ik geen last meer van mijn hoofd. De relatieve rust en de voorspelbaarheid van het leven in Arizona hadden op de een of andere manier het beest tussen mijn oren getemd. Ik begon langzaam maar zeker een verbazingwekkend heldere kijk op de wereld te krijgen, waardoor ik ineens besefte dat al die herrie in mijn hoofd niet meer was dan dat... herrie. Het drong eindelijk tot me door dat ik ernaar kon luisteren of er gewoon mee kon leren leven.

En dankzij mijn wel-of-niet-methode bij het slikken van antipsychotica begon ik ook eindelijk te begrijpen hoe de radertjes in mijn hoofd werkten – of in mijn geval vaak niet werkten. Iedere keer als ik door begon te slaan en de autoriteiten erbij gehaald werden, kreeg ik steeds grotere hoeveelheden medicijnen voorgeschreven om de chemie van mijn zenuwstelsel weer onder controle te krijgen. Dat werkte dan gedurende een tijdje waardoor de idiote ideeën die bij de minste provocatie bij me opkwamen het stilzwijgen werd opgelegd, maar dan bereikte ik onvermijdelijk het punt waarop ik ze niet meer innam en vervolgens begon de hele waanzin weer van voren af aan. Het was een patroon dat zich steeds weer herhaalde. De ene maand was ik normaal en zes maanden later was ik weer stapelgek. Die cyclus herhaalde zich zo vaak en in zo'n korte tijdspanne, dat zelfs iemand die zo hardleers was als ik begon te begrijpen dat alle waandenkbeelden die me al zo lang in de greep hadden ergens vandaan kwamen. Het was een soort domino-effect. Van het een kwam het ander en dat bleef eindeloos doorgaan. Iedere waan was gebaseerd op iets dat echt was gebeurd. Het was mijn poging om verband te leggen door de ene gebeurtenis aan de andere te koppelen in een poging de grootste gemene deler te vinden die alle nare dingen, alle teleurstellingen die ik in mijn leven had ondervonden, in één klap zou verklaren. Einstein wilde niets liever dan de zogenaamde Unified Field Theory bewijzen, in de hoop op die manier een verklaring te vinden voor alles wat zich in het universum afspeelt. Ik wilde een soort Asperger-versie daarvan vinden, namelijk het onderlinge verband tussen alle vreselijke dingen die mij in mijn leven overkomen waren.

Nu ik meer grip had gekregen op al die herrie in mijn hoofd raakte ik geobsedeerd door iets wat ik niet meer van me af kon zetten: ik was het zat om constant alles kwijt te raken en vervolgens weer alles op te moeten bouwen om het daarna weer ondersteboven te kegelen als mijn zenuwstelsel op hol sloeg. Ik besloot dat het hoog tijd werd om alles weer terug te halen en mijn eigen wereld nieuw leven in te blazen.

In het begin, toen we net aan het tweede bedrijf waren begonnen, hadden we echt een fijne tijd. We waren opnieuw verliefd op elkaar geworden en moesten ook weer van voren af aan leren hoe twee mensen die in veel opzichten gelijk waren maar toch ook heel anders met elkaar konden leven. We begonnen helemaal opnieuw. En omdat Peter niet meer bij me woonde, werd Jerry de spil in mijn leven waarom alles draaide.

Destijds werkte Jerry niet. Voor het eerst sinds jaren had hij een tijdje vrij genomen om na te denken over wat hij zou gaan doen. Na alles wat hij voor mij had gedaan vond ik dat ik hem op zijn minst de kans moest geven om op adem te komen. Ik begreep heel goed dat hij niets liever wilde dan nieuwe wegen gaan verkennen. Toen hij uiteindelijk meedeelde dat hij een boek wilde schrijven vond ik dat een fantastisch idee. Het duurde niet lang voor hij een uitgever had gevonden en iedere dag als ik pizza's en broodjes stond te bakken, zat hij achter zijn computer te typen.

Het duurde ook niet lang voordat Jerry en ik besloten om weer te trouwen. We waren toch al zo'n eind op weg, we vonden dat we het dan ook maar af moesten maken. We hielden onze receptie op een hondenrenbaan in de buurt waar we de laatste maanden regelmatig kwamen. We vonden het allebei een fijne plek om naartoe te gaan, want daar konden we een aspect van ons syndroom van Asperger gebruiken dat we anders misschien nooit samen verkend zouden hebben. We ontwikkelden ons eigen unieke wedsysteem, waarbij we ten volle gebruik maakten van onze aangeboren gaven. Ik baseerde me volledig op het uiterlijk van een bepaalde greyhounds. Ik keek toe hoe de trainers met de honden op de baan kwamen, waarbij ik vooral lette op de manier waarop een bepaald dier liep, of het een glanzende vacht had en hoe het zich gedroeg ten opzichte van de andere windhonden. Jerry baseerde zijn oordeel op de administratieve gegevens van ieder dier en had elke statistiek die hij van een bepaalde hond had gevonden doorgespit. Met mijn visuele talent om er gezonde, energieke honden uit te pikken en zijn vermogen om de kwaliteiten van een dier in te schatten hadden we bijna altijd een winnaar te pakken als we het eens konden worden over een bepaald dier.

In de zomer van 2001 kwam er weer een van die ideeën bij me op die ik gewoon niet uit mijn hoofd kon zetten. Ik wilde meer doen met mijn leven dan alleen maar broodjes en pizza's maken.

Dus ging ik terug naar school en leerde eindelijk praktisch gebruik te maken van mijn artistieke gaven door haren te gaan knippen. Zoals te doen gebruikelijk was tijdens zo'n vredige periode in mijn leven stortte ik me met hart en ziel op mijn cursus. Ik was dolgelukkig dat ik eindelijk een vak had gevonden dat me echt het gevoel gaf dat ik hielp om de wereld een beetje mooier te maken. Dat was een gedachte die mijn eigen ego ook een zetje in de goede richting gaf. Maar er was nog een andere reden waarom ik het zo leuk vond om anderen te helpen met het veranderen van hun ik-beeld. Jaren geleden, toen mijn leven ook een tijdje rustig had voortgekabbeld zonder chaos en gekte, had ik mijn ouders overgehaald om me weer thuis te laten wonen, zodat ik naar de muziekschool van de universiteit van Arizona kon. Destijds was het een van mijn favoriete bezigheden om de badkamer in te duiken, de deur op slot te doen en voor de spiegeldeurtjes van het medicijnkastje te gaan staan om geboeid naar het spiegelbeeld van mijn gezicht te kijken.

Ik ging ernaartoe om iets te creëren. De badkamer was mijn atelier. Ik zette de deurtjes van het kastje op zo'n manier open dat ik zowel de voor- als de zijkanten van mijn gezicht kon zien en probeerde het dan een andere vorm te geven waardoor het een wat acceptabeler aanzien kreeg, normaler en meer als de gezichten van de mensen om me heen. De buitenwereld was voor mij altijd vreemd en onbekend geweest. Ik paste er niet in. Maar ik was op een punt in mijn leven aangekomen dat ik had besloten dat toch te proberen. Ik maakte mezelf wijs dat geaccepteerd worden mijn enige hoop was, als ik ooit iets in mijn leven wilde bereiken. En als ik mij in die wereld ging storten, was het van het grootste belang dat ik niet alleen mijn uiterlijk veranderde, maar ook hoe ik klonk. Dus repeteerde ik ook allerlei zinnetjes waardoor ik naar mijn idee wat prettiger zou overkomen: 'Nee maar, is dat echt waar?... Wat fantastisch... Misschien moeten we maar eens samen een kopje koffie gaan drinken... Ik weet precies hoe je je voelt.' Ik was uren bezig met de manier waarop ik glimlachte en pogingen om de spieren rond mijn mond in bedwang te houden, zodat ze niet meer zo ongecontroleerd en losgeslagen emotioneel zouden reageren.

De wens om mijn gezicht te veranderen kwam op mij als iets

volkomen natuurlijks over. Ik kon me niet herinneren dat ik ooit het gevoel had gehad dat ik er net zo uitzag als de rest van mijn familie. Overigens hoefde dat van mij ook helemaal niet. Maar aangezien ik toch bezig was met die psychische plastische chirurgie besloot ik om net zo'n kin te nemen als mijn vader had. De manier waarop die voor zijn gezicht uitstak als de boeg van een stevige schoener leek mensen te dwingen hem ogenblikkelijk te accepteren. En aangezien ik niets liever wilde dan geaccepteerd worden maakte ik mezelf wijs dat, als ik me maar sterk genoeg concentreerde, ik dat gedeelte van mijn gezicht gewoon met behulp van gerichte gedachten kon veranderen. Het leek allemaal heel simpel. Aan de ene kant wist ik dat mijn kin van uiterlijk kon veranderen door één beweging van mijn kaak, die op zijn plaats werd gehouden door een aantal spieren en pezen. Dat was het gemakkelijkste deel. Aan de andere kant wist ik ook dat mijn kin, net als de rest van mijn gezicht, niets anders was dan een verzameling atomen en moleculen, die door elektrische impulsen op hun plaats werden gehouden. Om die elektrische lijm te bewerken bleef ik uren voor de spiegel staan en zag dan in mijn verbeelding hoe mijn gezicht alleen als gevolg van mijn wilskracht de door mij gewenste vorm aannam. Na een poosje kon ik voelen hoe mijn jukbeenderen ronder werden en mijn ogen een verleiderlijker, haast engelachtige vorm kregen.

Onder de dwang die ik mezelf had opgelegd zette ik de gedachten aan het verleden van me af en ging steeds meer van de nieuwe Mary genieten. Maar heel af en toe voelde ik toch een vleugje twijfel opkomen dat me eraan herinnerde dat ik niet voorgoed op de loop kon gaan en dat op een dag die zorgvuldig opgetrokken façade weer net zo hard zou instorten. Ondertussen deed ik net alsof het me niet kon schelen wie nu eigenlijk de echte Mary was. Waarom zou ik me druk maken? De nieuwe, verbeterde versie beviel me veel beter.

Negen maanden nadat ik aan mijn cursus begonnen was, deed ik met succes eindexamen, slaagde vervolgens voor mijn middenstandsdiploma en ging op pad om een baan te zoeken. Ik had vleugeltjes en voelde me alsof ik de hele wereld aankon. Aanvankelijk was ik van plan om een baan in een trendy salon in Tucson aan te nemen. Maar ik besefte al snel dat ik daar helemaal niet paste – mijn smaak was een beetje te aards voor de laatste snufjes uit Parijs, New York en Los Angeles. Daarom ging ik aan de slag in een eenvoudige kapperszaak waar voornamelijk veteranen uit de Tweede Wereldoorlog, Korea en Vietnam kwamen. Dat was een stel vergrijsde, keiharde kerels van wie een groot aantal nog steeds met bomscherven in hun lijf rondliepen. Ze gaven geen van allen ook maar een cent om de moderne coupes die ik de laatste paar maanden op de cursus had geleerd. Ze wilden gewoon een van de kapsels die al jaren bestonden, stekeltjes, kort opgeschoren of in laagjes. Vanaf het eerste moment dat ik de stoffige oude kapperszaak binnenkwam, voelde ik me op mijn gemak bij die oude krijgers. We hadden ons allemaal staande weten te houden.

Het beviel me goed daar. Ik knipte hun haar en ondertussen wisselden we verhalen uit over de veldslagen die we achter de rug hadden. Maar na verloop van tijd merkte ik dat het me steeds meer moeite kostte om netjes te knippen, of het nou met een schaar of met een tondeuse was. En als ik me bewust probeerde te ontspannen, werd mijn lichaam steeds strammer. De artsen vermoedden dat de oorzaak bij mijn medicijnen lag. Vandaar dat ik gewoon ophield die in te nemen, want per slot van rekening had ik eindelijk de touwtjes over mijn leven stevig in handen dus zou het waarschijnlijk toch geen kwaad kunnen. Het gevoel dat vanbinnen bij me opwelde, was bijna te vergelijken met geluk. Alles wat ik wilde, lukte me en ik was weer verliefd. Er was dus eigenlijk niets mis met me, waarom had ik dan medicijnen nodig?

Het duurde maar een paar maanden voordat ik daar achter kwam.

In de loop van de volgende paar jaar zat ik met de regelmaat van de klok in een psychiatrische inrichting. Ik kwam in een diep gat terecht, maar vlak voordat ik helemaal op de bodem belandde, veerde mijn zwaar gedrogeerde brein ineens weer op. Uiteindelijk begon ik de rol van Lars binnen mijn waandenkbeelden te begrijpen en waarom de vliegtuigen die over ons huis vlogen al die afschuwelijke herinneringen opriepen aan de tijd dat ik in de woestijn door hem gevangen werd gehouden.

Op de dag dat ik Jerry vertelde wat ik ontdekt had, zag ik de spiertjes rond zijn ogen trillen en aan de vorm van zijn mond dacht ik te kunnen zien dat hem ineens een licht opging. Ik rende naar mijn slaapkamer om het beduimelde exemplaar op te halen van het Diagnostics Statistics Manual IV dat ik de laatste paar weken van voor naar achter bestudeerd had. Ik sloeg het open bij de bladzijden waarop mijn toestand beschreven werd – posttraumatische stressstoornis – en gaf het aan Jerry. Hij bleef het artikel herlezen. Na afloop ging hij op de bank zitten en haalde zijn vingers door zijn smerige haar.

'Ja,' mompelde hij terwijl alles langzaam tot hem begon door te dringen, 'dit lijkt echt op jou, Mary.' Hij bleef een hele tijd doodstil zitten en staarde neer op de pagina's. Toen fluisterde hij: 'Het... het spijt me.'

Eerst dacht ik dat hij gewoon beleefd probeerde te zijn. 'Ja, het is echt knap vervelend als je geschift bent,' antwoordde ik.

'Nee, nee...' zei hij terwijl hij zijn hoofd ophief en me recht aankeek. 'Ik heb spijt van alles wat ik heb gedaan, van dat geschreeuw. Je hebt een zwaar leven gehad, Mary. Veel zwaarder dan ik.' Jerry hield even zijn mond en ik zag dat hij tranen in zijn ogen had. 'Tot op dit moment had ik nooit... ik heb nooit beseft hoe al die aspecten van je leven – je familie, Lars, de Kinderen van God – bij elkaar opgeteld je zoveel verdriet hebben bezorgd. Als ik alles terug zou kunnen draaien, zou ik dat doen. Maar dat gaat niet. Ik kan je alleen maar beloven dat ik nooit meer tegen je zal schreeuwen.'

En daar hield hij zich aan. Na die dag is Jerry nooit meer tegen me tekeergegaan. Ik weet niet hoe hij dat klaarspeelde. Een autistische driftbui kan niet uitgezet worden door een kraan dicht te draaien. Als je vanbinnen ontploft, kun je je alleen nog maar schrap zetten, alles eruit gooien en hopen dat iedereen binnen gehoorsafstand er begrip voor op kan brengen of doof is.

Op een ochtend niet lang daarna zei Jerry tegen me: 'Er zijn wel degelijk filmplannen, hoor.'

'Wat?' stamelde ik, omdat ik mijn oren niet kon geloven.

'Filmplannen,' zei hij. 'Die bestaan wel degelijk. Spielberg heeft de rechten voor een film over ons gekocht.'

Ik stond hem met grote ogen en een mond vol tanden aan te kijken. Een paar maanden eerder had ik alle herinneringen aan en gedachten over mijn contacten met Hollywood vastberaden uit mijn hoofd gezet. En dat hij me nu ineens vertelde dat er wel degelijk filmplannen waren, dat al die psychologen, therapeuten en maatschappelijk werkers die me aan mijn verstand wilden peuteren dat het pure waan was om zoiets denken zich vergisten... Het leek gewoon een grap, zo'n zinloze grap die nergens op slaat.

Net als mijn leven.

ELF

BENSON, ARIZONA
JUNI 2003

Als ik me het perfecte Jerry & Mary-moment voor de geest moet halen, denk ik meteen aan een spelletje dat we kort nadat we verhuisd waren naar ons huis in de woestijn samen begonnen te spelen. Het was een vrij spontane bedoening. En aangezien spontaniteit een begrip is waar onze hersenen nogal wat moeite mee hebben, hebben we altijd het gevoel dat dat spelletje van ons op pure magie berust.

Het begon altijd op dezelfde manier: Mary zat op de bank met onze valkparkiet Shayna op haar schouder als ik de kamer binnenkwam. Op hetzelfde moment dat Shayna mij in het oog kreeg, begon ze met haar vleugels te slaan, fladderde door de kamer en landde op mijn hoofd. Een vogel op mijn hoofd gaf me altijd het gevoel alsof ik een verenkroon droeg. Vandaar dat ik altijd doodstil bleef staan en Mary aankeek voordat ik uitriep: 'Ik ben de vogelgod!'

Mary kon nog zo haar best doen om zich te beheersen, uiteindelijk barstte ze toch in lachen uit.

'Nee, helemaal niet!' brulde ze dan.

Vrijwel op hetzelfde moment voelde ik de klauwtjes van Shayna over mijn hoofdhuid krabbelen voordat ze weer opsteeg, door de kamer terugvloog naar Mary en feilloos op haar schouder landde.

'Nu ben ik de vogelgod!' gilde Mary dan. 'Denk daar maar goed aan!'

Soms konden we dat spelletje wel een halfuur volhouden, tot Shayna er genoeg van kreeg en wegvloog om zich bij de andere vogels te voegen die in een slaapkamer aan de achterkant zaten te zonnen.

In de zomer van 2003 ging er bij mij vanbinnen ineens een knopje om. Ik heb eigenlijk nooit begrepen waarom het precies op dat moment gebeurde. Misschien was het gewoon de eerste keer dat ik echt mijn best deed om te luisteren naar wat Mary in haar waanzin allemaal uitkraamde in plaats van het maar over me heen te laten komen. Het gebeurde laat in de middag, toen Mary weer aan haar gewone tirade begon over hoe de helikopters die af en toe over ons huis vlogen ervoor zorgden dat ze ineens weer werd bekropen door de vreselijke herinneringen aan de tijd die ze in de buurt van een legerplaats ergens in de woestijn van Arizona had doorgebracht als gevangene van Lars. Ergens midden in haar wanhopige tirade, die ik inmiddels uit mijn hoofd kende, begon ze altijd over PTSS, de afkorting van posttraumatische stressstoornis. Natuurlijk had ik daar wel eens van gehoord. Een paar van de mannelijke leden van AGUA beweerden dat ze er last van hadden omdat ze op school zó gepest waren dat ze er een trauma aan hadden overgehouden. Ze hadden me vaak verteld dat bepaalde dingen, bijvoorbeeld iemand die hard stond te schreeuwen, herinneringen konden oproepen aan de vreselijke kwellingen die ze in hun jeugd hadden ondergaan.

Een paar uur na mijn gesprek met Mary reed ik naar een bibliotheek in de buurt en begon me in PTSS te verdiepen. Naarmate ik er meer over te weten kwam, moest ik toegeven het me echt aan Mary deed denken, vooral het gegeven dat een simpele stimulans ervoor kan zorgen dat mensen met deze stoornis al hun ellendige ervaringen opnieuw beleven tot ze uiteindelijk hun realiteitszin verliezen. Toen Mary er de volgende ochtend uiteindelijk in was geslaagd om uit bed te kruipen, vertelde ze me dat ik haar vaak aan Lars deed denken als ik weer eens tegen haar tekeerging.

Meer hoefde ze me niet te vertellen.

Daarna heb ik nooit meer tegen Mary geschreeuwd. En ik heb

me ook verontschuldigd voor al het verdriet dat ik met mijn geschreeuw heb veroorzaakt. Tot op dat moment had ik schreeuwen altijd beschouwd als traditioneel gedrag van de mannelijke leden van de familie Newport. Mijn vader was een kampioen schreeuwer geweest. Wat mij betrof, was het alleen een emotionele uitlaatklep. Maar zodra Mary me rustig had uitgelegd welke uitwerking mijn bulderende stem op haar had, bond ik in. Hoe flauw het ook mag klinken, ik voelde precies aan wat ze bedoelde en ik wilde alleen maar dat daar een eind aan zou komen. Het leek in veel opzichten op mijn besluit van twintig jaar geleden om te stoppen met roken. Nadat ik een walgelijke hoestbui had gehad, waarbij ik de meest gore troep uit mijn longen uitspuugde, zei ik tegen mezelf: nu is het mooi geweest, ik hou op met roken. En meer was er niet voor nodig.

Ik heb af en toe beslist een bord voor mijn kop. Maar als ik eindelijk doorheb dat iets schadelijk kan zijn voor mijzelf of voor anderen, heb ik geen andere keus dan mijn gedrag aan te passen. Iedere andere reactie zou onlogisch zijn. En zeker niet autistisch.

Ondanks de fijne tijd die we hadden en de openbaringen die ik van tijd tot tijd had, vertoonde ons dagelijks leven soms toch nog veel gelijkenis met een ritje in een van de achtbanen in Six Flags. Daarom begon ik de onderbrekingen vanwege lezingen die ik in andere steden moest houden steeds meer te waarderen. En in die hotelballrooms en conferentieoorden viel me langzaam maar zeker op dat er diep vanbinnen nog iets bij me veranderde. Dit keer betrof het mijn persoonlijkheidsbesef. In plaats van me te concentreren op mensen met Asperger begon ik steeds vaker na te denken over hoe het zou voelen om een kind te hebben dat een Aspie was. (Als ik zag hoe hun ouders zich af en toe tijdens die lezingen gedroegen, had ik soms moeite de twee uit elkaar te houden.) Het duurde dan ook niet lang tot ik mijn voordrachten gebruikte om die moeders en vaders aan hun verstand te brengen dat het leven geleefd moet worden, dat je het moet proeven, moet aanraken en er je tanden in moet zetten. Ik sprak met regelmaat over het belang van het vinden van onderwerpen en plaatsen waar hun kinderen hun interesses, hoe simpel of hoe complex die ook waren, met anderen konden delen.

'Dan moeten jullie niet denken aan ploegsporten als basketbal,' legde ik uit. 'Zorg dat jullie kinderen bij de padvinderij gaan of lid worden van clubs voor wis- en natuurkunde of muziekverenigingen. Dat zijn de plaatsen waar ik de meeste van mijn vrienden heb ontmoet.'

Natuurlijk kwam dat advies niet uit mijn eigen koker, maar uit die van mijn vader. Het was zijn filosofie geweest, die hij op mij had uitgeprobeerd toen hij zag hoe moeilijk ik het had in het leven. Hoe vaker ik terugdacht aan mijn vader, hoe meer waardering ik kreeg voor de harde maar liefdevolle aanpak die hij had verkozen om een man van mij te maken. En daardoor begon ik me ook af te vragen hoeveel anderen ik had genegeerd of afgeweerd, ondanks het feit dat ze me een hand hadden toegestoken. Soms deed het gewoon pijn om na al die tijd te beseffen dat ik de tijd die me met hem gegund was, had verkwanseld. Hij had zijn best gedaan om de betrekkingen tussen ons aan te halen, maar daar had ik niets van willen weten. Dat had hij niet verdiend. O ja, hij had zich af en toe aan me geërgerd, heel erg zelfs. Maar het lijdt geen enkele twijfel dat hij een van de belangrijkste redenen is waarom ik erin ben geslaagd om iets van mijn leven te maken. Zijn motto was: Gedraag je altijd zoals het hoort, maar verwacht niet dat je er ooit erkentelijkheid voor ontvangt.

Niet zo lang geleden had ik een lichte draai aan dat motto gegeven. In zekere zin zou je kunnen zeggen dat het nu mijn motto is. En dat luidt als volgt: Als je hier op aarde de held wilt uithangen, verwacht dan niet dat je daar in het hiernamaals waardering voor krijgt. Dat is dan ook wat ik de afgelopen paar jaren van mijn leven heb geprobeerd te doen. Ik heb echt mijn best gedaan om mijn soortgenoten te helpen. Maar ondanks alle goede bedoelingen, heeft het feit dat ik de man ben die mede verantwoordelijk is voor het aanmoedigen van huwelijken tussen autisten ook bepaalde schuldgevoelens bij me opgeroepen. De verbintenis tussen Mary en mij was voor sommige mensen binnen onze gemeenschap kennelijk een reden om te geloven dat het zorgwekkende isolement onder volwassen autisten eenvoudig opgelost kon worden door ons allemaal aan elkaar uit te huwelijken. Recentelijk is er met dat idee op diverse internet-chatgroepen gestoeid en het komt ook regelmatig aan de orde tijdens conferenties. Het kan dan nog zo goed bedoeld zijn, volgens mij is het gewoon een belachelijk idee, een soort instinctieve reactie op een dilemma waar veel non-Aspies liever niet over willen nadenken.

De theorie gaat op zoveel punten mank dat je er niet eens aan kunt beginnen om ze allemaal op te sommen. En daarbij is het statistische gegeven dat er viermaal zoveel mannen met Asperger zijn als vrouwen nog niet eens het grootste struikelblok. (Per slot van rekening kun je dan net zo goed polyandrie legaliseren, zodat iedere vrouw er vier echtgenoten op na kan houden!) Maar alle gekheid op een stokje, het grootste probleem is dat de meeste mannen en vrouwen met autisme qua karakter veel te veel gelijkenis vertonen om geschikte partners van elkaar te zijn.

Vriendschap, geen enkel probleem.

Maar een huwelijk? Hoogst zelden.

Waarom? Ik kan alleen een paar opmerkingen maken over dingen die me zijn opgevallen in de jaren dat ik leiding heb gegeven aan AGUA, waardoor ik binnenskamers een onschatbare blik heb mogen werpen op het gemeenschappelijke verschil tussen autistische mannen en vrouwen. Om te beginnen beschikken de vrouwelijke leden van AGUA meestal over veel meer sociale vaardigheden dan hun mannelijke tegenhangers. Vraag dat maar eens aan de vrouwen die het waagden om een AGUA-bijeenkomst bij te wonen en het genoegen beleefden om vrijwel onder de voet gelopen te worden door een kamer vol stompzinnige autistische kerels. Vrijwel iedere vrouw bij AGUA had al een vriendje of twee achter de rug tegen de tijd dat ze zich bij de groep meldden. De meesten waren getrouwd geweest en meer dan de helft had kinderen. Twee van hen waren zelfs al grootmoeder.

De mannelijke kant van het verhaal is precies het tegenovergestelde – in alle opzichten. De meeste mannelijke AGUA-leden, zelfs mannen van boven de dertig of ouder, hadden zelfs nog nooit een afspraakje gehad. En als ze er op de een of andere manier toch een keer in geslaagd waren om met een vrouw op stap te gaan, dan duurde het jaren voordat een dergelijke gebeurtenis zich opnieuw voordeed. Vriendinnetjes? Hooguit tien procent had een vriendinnetje gehad. Huwelijk? Tot dusver hebben twee kerels uit een totaal van tachtig mannen de sprong gewaagd – hoewel een van hen zich kennelijk heeft laten beetnemen door een huwelijk aan te gaan met een Zuid-Amerikaanse 'postorderbruid'. Zodra haar Amerikaanse staatsburgerschap een feit was, nam de vrouw de benen.

'En ze heeft zelfs haar ring meegenomen,' klaagde de in de steek gelaten echtgenoot tijdens een AGUA-bijeenkomst kort nadat ze hem had verlaten.

Maar wat steekt er nu werkelijk achter die deprimerende trend? Als ik afga op alles wat ik gehoord heb, krijg ik het idee dat de sociale naïviteit die autistische vrouwen kenmerkt vaak de reden is dat ze zich laten overhalen om een relatie te beginnen. En dit soort verbintenissen zijn zelden deugdelijk. Wat het probleem nog groter maakt, is dat ze net als hun mannelijke soortgenoten een lage eigendunk hebben, waardoor ze vaak veel te lang in dit soort onzindelijke relaties of huwelijken blijven plakken.

Het uiteindelijke resultaat is duidelijk: autistische vrouwen hebben al een voorproefje gehad van sociale interactie, in tegenstelling tot de mannen. Daardoor liggen ze lichtjaren voor op hun mannelijke tegenhangers.

Er zijn nog andere geslachtsgebonden autistische eigenschappen die meespelen, al is het op een andere wijze. Veel mannen vinden bijvoorbeeld een passieve vrouw aantrekkelijk, terwijl een passieve man de meeste vrouwen afstoot. Het mag dan honderdduizenden jaren geleden zijn sinds de mens in grotten leefde en zich met behulp van een speer van voedsel moest voorzien, maar onze algemene opvatting van de manier waarop mannen en vrouwen zich behoren te gedragen is nauwelijks veranderd. Of we dat nou wel of niet willen toegeven, de man wordt nog steeds als een jager gezien en hoe belachelijk het ook mag klinken, de vrouw is hun prijs.

Ik heb altijd mijn twijfels gehad bij die zogenaamde 4:1-verhouding die door veel deskundigen wordt gehanteerd. Ik heb altijd het idee gehad dat autisme eerder bij mannen aan het licht komt omdat de elementaire autistische symptomen lijnrecht tegen het in onze cultuur heersende gedragspatroon voor mannen indruisen. Met andere woorden, autisme is bij mannen gemakkelijker te constateren. De onderlinge verhouding – wat die ook moge zijn – doet er trouwens niet toe. Waar het om gaat is dat onze gemeenschap bestaat uit een groep mannen van wie verwácht wordt dat ze de dans zullen leiden. Maar ze zijn veel te bang om ook maar een voet te verzetten, zodat de meer ervaren vrouwen in ons midden er niet over piekeren om zich bij al hun schrijnende tekortkomingen neer te leggen. Niemand zal ervan opkijken dat een Aspie-vrouw die op zoek is naar mannelijk gezelschap zich vooral concentreert op eigenschappen als vastberadenheid, oprechtheid, geduld inzake lichamelijk contact en ordelijkheid. Zo iemand mag dan misschien wat rare trekjes hebben die even vervelend zijn als autisme, maar hij zal in ieder geval in staat zijn om aan zijn sociale verplichtingen te voldoen, en dat is iets waar het merendeel van mijn mannelijke soortgenoten niets van snapt en doodsbang voor is. En dan heb ik het onder andere over het nemen van initiatief (bijvoorbeeld door een gesprek te beginnen of, God betere het, om een afspraakje te maken), te weten wat er vervolgens van je verwacht wordt, attent zijn en niet over je toeren raken van fysieke intimiteit.

Als ik de dialoog op papier zou zetten die je aan het slot van de meeste afspraakjes tussen een autistische man en vrouw hoogstwaarschijnlijk te horen krijgt, dan verloopt die ongeveer als volgt:

Zij *(terwijl ze bij zichzelf denkt: Zou hij nog proberen om iets met me te beginnen? Zou hij wel weten hoe dat moet? En op welk moment)*: 'En...?'

Hij: 'Ehhh... wat wil je nu doen?'

Zij: 'Kennelijk weet je niet precies wat je wilt, dus het lijkt me verstandiger dat ik naar huis ga.'

Hij *(met een zucht van opluchting)*: 'Oké. Dan zie ik je later wel weer.'

Of wat zou u zeggen van de dialoog tussen een autistische man en de vrouw die hij opbelt om te vragen of ze met hem uit wil?

Hij: 'Hallo. Is Peggy daar?'

Zij: 'Daar spreek je mee.'

Hij: 'Ehhh... Ehhh... Je wilt zeker niet met mij naar *Men in Black* toe, hè?'

Zij: 'Ik denk het niet.'

Hij: 'Dat dacht ik al. Ik bel je nog wel een keer. Tot ziens.'

Toen ik tijdens een recente lezing die scenario's aan het publiek voorlegde, vonden sommige mensen dat ik maar een ongevoelig stuk vreten was. Dat was voor mij een frustrerende ervaring, omdat ze helemaal niet begrepen wat ik daarmee had willen zeggen. Namelijk dat als we ooit verandering willen aanbrengen in de huidige, trieste stand van zaken, we de waarheid onder ogen moeten zien. En dan hebben we het op zijn zachtst gezegd over een bittere waarheid. De meeste autistische kerels krijgen niet eens de kans om onderuit te gaan. Hoezo? Niet vanwege een gebrek aan belangstelling bij leden van de andere sekse. Het is een kwestie van onnozelheid – ze doen te veel of niet genoeg. Dat is dan ook de reden waarom zoveel van onze jongens in de problemen komen omdat ze naar iemand zitten te staren of ander 'opdringerig' gedrag vertonen waardoor ze ontslagen worden, gearresteerd of zelfs allebei.

Ik vergeet nooit de oudejaarsavond van 1995 toen Mary en ik een AGUA-feest hadden georganiseerd waarvoor voornamelijk mannen kwamen opdagen. Het hoogtepunt van de avond was het moment waarop haar Mary's jongste zoon, Peter, die destijds negentien was, op weg naar een ander feestje even kwam aanwippen in het gezelschap van twee vriendinnen. De twee jonge vrouwen hadden nog geen voet in ons appartement gezet of je voelde de eenzijdige seksuele spanning van de muren spatten. Iedere kerel in de kamer stond met grote ogen naar de twee meiden te staren. Na een paar minuten waarin de spanning te snijden was, begonnen ze als zenuwachtige gekooide beesten heen en weer te drentelen. En vervolgens, alsof ze een geluidloos bevel hadden gekregen, sloten ze de gelederen en begonnen en masse om hun prooi heen te draaien.

Peter en zijn beide vriendinnen maakten zich al snel daarna uit de voeten.

De volgende dag kwam Mary de beide meisjes tegen en vroeg wat ze van de AGUA-mannen dachten. Ze keken elkaar even aan, lachten en sloegen hun ogen ten hemel. 'Geen voorspel!' riepen ze.

Als puntje bij paaltje komt, maakt het niet uit of je een haantje de voorste, een middenmoter of een laatbloeier bent. Het belangrijkste is dat je iets met je leven doet. En dat brengt me bij mijn theorie: ik heb zo'n gevoel dat Mary me destijds in 1994 vroeg of ik met haar uit wilde, omdat ze besefte dat ik een man in de volle bloei van mijn leven was, zo'n vent die zelf bepaalt wat er met hem gebeurt. Ze vroeg me in ieder geval niet mee uit omdat ze dacht dat ik een boel geld had. Per slot van rekening was ik een vrachtrijder die niet eens zelf een auto had. Zag ik er dan zo goed uit? Dat waag ik te betwijfelen. De helft van de tijd zaten mijn zwaar gekreukelde kleren vol ketchup en andere vlekken. Ik heb het idee dat Mary zich tot mij aangetrokken voelde, omdat ze instinctief besefte dat ik – zo goed en zo kwaad als het ging – probeerde om me op eigen kracht door het leven te slaan, mijn eigen weg volgde en geen excuses zocht als ik weer eens onderuit ging of opgebrand raakte. Dat is de ultieme seksuele uitdaging, volgens mij is er niets waar een vrouw meer betekenis aan hecht.

Ik ben ervan overtuigd dat iedereen kan leren om zich op eigen kracht door het leven te slaan, als ze het maar lang genoeg proberen. Het is een kunst die je je met veel geduld en oefening eigen kunt maken. En dat is een van de redenen waarom ik nog steeds mijn best doe om de generaties Aspies (en hun verzorgers) voor wie het spel nog maar net is begonnen een eerlijke blik te gunnen op de weg die voor hen ligt. En mijn advies luidt als volgt: of je nu een autistische man of een autistische vrouw bent, je zult in sociaal opzicht altijd een laatbloeier zijn. Dus maak je niet druk. Of je het nu leuk vindt of niet, de meesten van ons beschikken niet over de oppervlakkige vaardigheden die je op de middelbare school of tijdens je studie populair zullen maken. Maar als de jaren verstrijken worden onze goede eigenschappen – eerlijkheid, betrouwbaarheid, oprechtheid en concentratievermogen – steeds aantrekkelijker. Dat is de voornaamste verklaring voor het feit dat ik pas op mijn zesenveertigste voor het eerst trouwde, ook al had ik een meer dan gemiddeld IQ, een behoorlijke opleiding en een dosis sociale ervaring die veel 'normaler' was dan die van mijn lotgenoten.

Een ding staat vast: we zullen het met autisme gepaard gaande isolement nooit oplossen door al onze autistische mannen en vrouwen aan elkaar te koppelen. In het zeldzame geval dat ze met elkaar trouwen en het blijkt een geslaagd huwelijk, zullen ze toch eerst eigendunk en zelfrespect hebben moeten verwerven. Daarna, en geen moment eerder, heeft het zin om op zoek te gaan naar een metgezel die je kan aanvullen. Maar ga er niet automatisch van uit dat die ook autistisch zullen zijn, al zullen ze misschien wel een paar autistische trekjes hebben.

In mijn opinie zit het leven boordevol verrassingen. Als je even niet oplet, kom je op je levensweg een paar van die haarspeldbochten tegen die je eigenlijk nooit ziet aankomen. Ons impulsieve besluit om te verhuizen naar een huis met een grondgebied van twee hectare was ook zoiets. Het kwam ineens bij ons op en we hebben er nooit ook maar een moment spijt van gehad. Voor het eerst van ons leven beseften we allebei dat rust echt een godsgeschenk kan zijn. De kalmte deed wonderen voor Mary's hoofd en voor mijn zenuwen. Onze relatie was niet volmaakt, maar het ging in ieder geval een stuk beter dan ooit.

Ik gunde Mary inmiddels meer ruimte en dat beviel ons allebei prima. Het was eindelijk tot me doorgedrongen dat ik niet voortdurend bij iemand in de buurt hoefde te zijn om het gezelschap op prijs te stellen. Dat was tijdens ons eerste huwelijk heel anders. Destijds sloofde ik me uit om Mary letterlijk te bedelven onder mijn aandacht. Per slot van rekening had ik eindelijk mijn wederhelft gevonden. Het laatste wat ik wilde, was dat ze me door mijn vingers zou glippen omdat ik niet attent genoeg was. (Hetzelfde overkwam me met kamerplanten bij die zeldzame gelegenheden dat ik er een in mijn bezit had. Die verzopen omdat ik ze constant iedere dag water gaf.)

De dag dat Mary me vertelde dat ze lid was geworden van het kerkkoor in de buurt van ons appartement in Santa Monica staat me nog helder voor de geest. Het bezorgde me zo'n onbehaaglijk gevoel dat ik me de volgende dag, na mijn werk, ook als lid heb aangemeld, hoewel zingen me geen bal interesseert. Waarom niet, dacht ik. Waarom zouden we ons leven niet in alle opzichten met elkaar delen? Voor een autist die voor het eerst van zijn leven verliefd is, is dat een volstrekt logische reactie.

Een andere keer besloot ik om Mary vanaf mijn bureau bij de UCLA op te bellen... een paar keer om te zien 'hoe het met haar ging'. Aangezien ik wist dat ze nooit het appartement uitging, snapte ik niet waarom ze de telefoon niet opnam. Vandaar dat ik tijdens mijn lunchpauze hals over kop naar ons appartement snelde, om me ervan te overtuigen dat er niets aan de hand was en dat ze niet al haar spulletjes gepakt had om ervandoor te gaan.

'Waarom neem je de telefoon niet op?' schreeuwde ik toen ik naar binnen holde en tot de ontdekking kwam dat ze uit het raam zat te staren, gehypnotiseerd door de wiegende takken vol blauwe trossen van een jacarandaboom op de binnenplaats. Toen ze opschrok uit haar trance keek ze me aan met verdwaasde grote ogen, waarin al snel een geërgerde blik verscheen.

'Ik heb gewoon de telefoon uit het stopcontact getrokken, Jerry,' zei ze klaaglijk. 'Laat me nou toch eens met rust. Als je dit soort dingen doet, heb ik gewoon het gevoel dat ik stik.'

Tegenwoordig heb ik niet meer, zoals vroeger, constant behoefte aan Mary's gezelschap. Ik weet alleen maar dat het eindelijk genoeg is om te weten dat ze er is, ergens in ons huis, dat ze net zo stapelgek is op onze dieren als ik en dat ze net als ik geen enkele moeite heeft om de tijd te verspillen – wat inhoudt dat je gewoon urenlang helemaal niets doet, zonder je daar ook maar enigszins schuldig over te voelen. Een ding staat vast: Mary heeft me eindelijk geleerd om respect en genegenheid op te brengen voor de luilak die in me schuilt. De uren die we voor de tv hangen en grapjes maken over het belachelijk stompzinnige en onwaarschijnlijke programma waar we naar zitten te kijken terwijl onze vogels en leguanen los door het huis lopen zijn met geen geld te betalen.

Een van de dingen waar we allebei genoegen in scheppen is om de draak te steken met onze film die met zoveel bombarie is aangekondigd. Niet lang geleden hebben we er een soort vast grapje van gemaakt, omdat we ons er inmiddels bij hadden neergelegd dat er waarschijnlijk toch niets van zou komen. Maar op een ochtend ging de telefoon in onze keuken. Ik pakte op en hoorde een officieel klinkende stem meedelen: 'Ik heb producer Robert Lawrence voor u. Blijft u alstublieft aan de lijn.'

'Wie is dat?' vroeg Mary.

'Hollywood,' vertelde ik haar. 'Ze hebben ons weer opgespoord.'

Ze trok een gezicht en lachte. 'Leg de telefoon maar gauw neer,' zei ze.

Ik schudde mijn hoofd. Gedurende de volgende paar minuten

kreeg ik van Robert te horen dat ons scenario eindelijk was goedgekeurd. Het filmen zou over een paar maanden beginnen. Voordat hij ophing, voegde hij er nog aan toe: 'Ik heb hier iemand die nog even met je wil praten. Hij zal jou gaan spelen in de film.'

'Hoi,' zei een stem. 'Met Josh. Ik vind het fantastisch dat ik even met je kan praten.'

'Josh wie?' vroeg ik.

'Josh... Hartnett,' zei hij nadrukkelijk. 'Ik vind het echt een bijzonder opwindend project.'

We praatten nog een paar minuten door en wisselden telefoonnummers uit voordat ik de verbinding verbrak.

'Wie was dat?' wilde Mary weten.

'Josh Hartnett,' zei ik. 'Hij gaat mij spelen in de film.'

'Leuk hoor, Jerry,' zei ze. 'We moeten vogelzaad halen.'

Wat ons ook overkomt, ik had geen betere lerares kunnen treffen dan Mary. Zij heeft me gedwongen om in meer opzichten volwassen te worden dan ik ooit voor mogelijk had gehouden en me aan mijn verstand gebracht dat ik eens moet ophouden met denken dat de hele wereld om mij draait. Dat ik eindelijk een echte relatie heb met iemand van wie ik houd en die ook van mij houdt, heeft me op de een of andere vreemde manier betoverd. Het heeft ertoe meegewerkt een beter mens van me te maken. Uiteraard gebeurt het nog vaak genoeg dat ik overdreven reageer en er zijn meer dan genoeg dingen gebeurd die ik anders had moeten aanpakken. Maar Mary was de eerste vrouw die me niet het gevoel gaf dat ik op eieren liep als ik bij haar in de buurt kwam. En dat ik me niet anders hoefde voor te doen dan ik was om ervoor te zorgen dat mensen me aardig zouden vinden.

Mary heeft me de kans gegeven om me meer op mijn gemak te voelen met het feit dat ik Jerry Newport ben. Een mooier cadeau kan iemand je toch niet geven? O ja, in zekere zin zal ik altijd een onhandig zestienjarig knulletje blijven, hunkerend naar aandacht en met een wanhopig verlangen om geaccepteerd en bemind te worden. Maar beetje bij beetje, dag na dag, begint hij nu toch op te groeien. En dat doet me denken aan iets dat ik heb opgestoken van dit maffe leven van mij: 'ze leefden nog lang en gelukkig' gaat voor niemand op, en zeker niet voor mensen met Asperger. Wij zijn al vanaf onze geboorte anders, en hebben andere eigenschappen. Of je dat nu leuk vindt of niet, we zullen nooit echt helemaal aangepast raken aan de zogenaamde normale wereld. (Af en toe vraag ik me wel eens af waarom iemand dat ook zou willen.)

Je kunt weigeren om dit levensfeit te accepteren. Je kunt doen alsof het niet voor jou of voor jouw kind geldt. Maar vroeg of laat zul je je er toch bij neer moeten leggen. En het leuke is dat zodra je dat doet, er vanbinnen iets wonderbaarlijks gebeurt. Je begint jezelf te accepteren zoals je bent. En je zult langzamerhand vriendschappelijke gevoelens krijgen voor de meest bijzondere, fantastische persoon die je ooit zult ontmoeten – jijzelf.

Benson, Arizona
Mei 2003

Het universum houdt er vreemde trucjes op na. Net als je denkt dat je gezien bent, krijg je een nieuwe kans. Op een bloedhete middag in mei 2003 stond er ineens een vreemde bij ons voor de deur en in plaats van hem een klap te verkopen met een honkbalknuppel – zoals ik een paar jaar eerder had gedaan met een advocaat die een cheque van DreamWorks kwam brengen – nodigde ik hem uit om binnen te komen. Ik vind het prachtig om naar verkopers te luisteren, naar de stembuigingen en de toonhoogte waarmee ze proberen je met hun woorden omver te kegelen en mee te slepen. Hij bood ons een contant bedrag voor ons huis, maar uiteindelijk draaide het erop uit dat we ons huis voor dat van hem ruilden.

Om midden in de woestijn te gaan wonen is waarschijnlijk een van de meest logische, verstandige dingen die ik ooit heb gedaan. Vanaf het allereerste moment werkten de rust en de stilte als een soort behaaglijke deken. Vaak hoor je niets anders dan het geluid van de wind over het zand en de rotsen. Soms rijdt Jerry langs en dan drukt hij op de claxon van de taxi waarin hij niet lang nadat we hier kwamen wonen is gaan rijden. Het is bijna onmogelijk dat je hersenen op zo'n plek overgestimuleerd raken.

Niet lang nadat we in dit huis trokken nam ik een baan aan in een kapsalon in een legerplaats hier in de buurt. Dat was geen succes. De eigenaar wilde dat ik haar knipte op de manier waarop een arbeider aan de lopende band nippeltje A aan nippeltje B zet. Het enige dat voor hem telde, was efficiency en snelheid. *Knip, knip, knip, volgende klant.* Maar ik heb mezelf altijd beschouwd als een kunstenaar, iemand die tijd nodig heeft om iets te scheppen. Maar toen hij zag hoe langzaam ik was, begon hij zich helaas aan me te ergeren en boos op me te worden, waardoor ik al snel helemaal bibberig en zenuwachtig werd. Na twee weken stond ik alweer op straat.

'Het is niet voldoende om te weten waar ik plezier aan beleef,' zei ik tegen Jerry toen ik na mijn ontslag thuiskwam. 'Ik moet ook weten wat ik moet vermijden.'

Jerry lachte en gaf me een klopje op mijn rug. Hij zei niets, maar dat was ook niet nodig.

De laatste tijd heb ik niet meer zo vaak de behoefte om te schilderen. Dat zal heus wel weer terugkomen, dat weet ik zeker. Of zou de buitenaardse muze die altijd mijn hand heeft geleid als ik schilderde me een tijdje rust gunnen voor mijn volgende vloedgolf van scheppingsdrang? Nu zit ik het liefst in de voorkamer van ons huis in de zon die door de ramen naar binnen valt. Ik trek aan mijn Marlboro en probeer mezelf te dwingen om op te lossen en in de omgeving op te gaan, zodat ik nog meer kan genieten van onze dieren die zichzelf amuseren.

Het is volgens mij toch wel vreemd dat deze kamer een van de zeldzame plaatsen is waar ik me veilig genoeg heb gevoeld om zo volkomen op te gaan in de omgeving. Daarnaast is het ook nog een van de weinige plaatsen waar ik nooit meer weg wil. Ik vind het hier zalig, vooral de rust. Na al die jaren zijn mijn gevoelige oren allergisch geworden voor lawaai. Waar ik het meest van geniet, is van het geluid van de pootjes van onze dieren terwijl ze door het huis rennen, terwijl de valkparkiet achter de hond aanzit, die de kat opjaagt, die achter de leguaan aanzit, die het op de valkparkiet heeft voorzien.

's Middags kan ik urenlang naar buiten kijken, naar de massieve, eeuwenoude bergen die omhoogrijzen uit de woestijn om ons heen. Een hele optocht van dieren trekt over ons met struiken bezaaide grondgebied: kwartels, wilde zwijnen, herten en konijnen. Een van die konijnen, met een vacht in de kleur van een stel oude, afgetrapte cowboylaarzen dat ik vroeger heb gehad, doet niets liever dan onze hond, Cujoy, pesten. Ergens diep in zijn konijnenhersentjes schijnt hij te weten dat Cujoy aangelijnd is, dus rent hij zo dicht als hij kan naar hem toe, om vervolgens op het laatste moment hoog op te springen.

Op sommige dagen kan ik nog net het zachte gerommel horen van de treinwagons die kilometers ver van ons huis voorbijrijden. Jerry vindt het heerlijk om daar naartoe te rijden, naar de spoorwegovergang bij de Circle K-supermarkt, en dan het aantal van Chinese stickers voorziene goederenwagons te tellen die langs hem heen rollen. Zodra hij dat getal heeft, laat hij het door zijn hoofd gaan en ik begin automatisch te glimlachen als ik bedenk dat hij daar zit, in de auto aan de kant van de weg, en orde en betekenis probeert te scheppen in iets dat zo willekeurig is als het aantal goederenwagons dat langs hem heen rijdt.

Niet lang geleden begon ik mezelf ook ineens af te vragen waar dit allemaal toe zal leiden. Niet wat mijn eigen leven betreft. Ik heb het al lang geleden opgegeven om het verloop van mijn eigen leven te bepalen. Waar ik me het hoofd over breek, is over wat er in de toekomst met mensen als Jerry en ik zal gaan gebeuren. De laatste paar jaar heb ik geruchten opgevangen (uit boeken, van het internet en binnen onze gemeenschap) als zouden wij autisten de prototypes zijn voor een nieuw soort mens – de laatste tak aan de evolutionaire boom, in neurologisch opzicht heel anders dan de meeste mensen. Dat klinkt mij heel logisch in de oren. En als ik er langer over nadenk, word ik steeds trotser dat ik hier sta, midden op het punt waar de weg van de evolutie zich in tweeën splitst. Want als deze planeet van ons, samen met onze soort, enige kans op overleven wil hebben wordt het hoog tijd dat we in genetisch opzicht eens iets nieuws gaan proberen. Een paar nieuwe kronkels in ons DNA zou ons waarschijnlijk een wereld van goed doen. En het kan zeker geen kwaad, aangezien we er de laatste paar duizend jaar zo'n gigantische puinhoop van hebben gemaakt.

Ik noem deze nieuwe mens, waarvoor Jerry en ik de trotse vaandeldragers zijn, *homo cognitas*. En ik stel me voor dat hij/zij twee min of meer tegendraadse eigenschappen zal hebben: een niet te onderdrukken verlangen om de elementaire structuur van het universum te ordenen en in beeld te brengen plus een ongekend vermogen om zich in de gevoelens van anderen in te leven. In mijn opinie zal de *homo cognitas* een kruising zijn tussen Mr. Spock en Ghandi. Nee, dat is niet om te lachen. Ik ben ervan overtuigd dat het menselijk brein, compleet met alle lukrake kronkelwegen die het de laatste paar miljoen jaar heeft gevolgd, onderdeel vormt van een langetermijnexperiment waarvan we allemaal deel uitmaken en dat in feite met de oerknal is begonnen. Met ieder kind dat wordt geboren is er de kans dat een of andere willekeurige omzetting in de hersenen – of dat nu autisme is of iets anders – de sleutel zal blijken te zijn waarmee de volgende deur die we door moeten kan worden geopend. We kruipen met ons allen vooruit, zenuwvezel voor zenuwvezel, dendriet na dendriet, naar een toekomst waarvan zelfs ik me geen beeld kan vormen. Maar als het heel rustig is en ik in de juiste geestestoestand ben, kan ik er af en toe een glimp van opvangen.

Dat wil zeggen, als Jerry niet net op dat moment binnen komt denderen en uitroept: ‘Drieënvijftig!’

‘Heel fijn,’ zeg ik dan. ‘Drieënvijftig wat?’

‘Dat nummer staat op de zijkant van al die goederenwagons geschilderd,’ zegt Jerry. ‘Was je dat nooit opgevallen? Nou, ik ben er eindelijk achter wat dat betekent.’

Jerry kijkt me aan, trakteert me op dat schattige malle glimlachje van hem en ineens hou ik meer van hem dan ik ooit voor mogelijk had gehouden. En ik voel die mysterieuze lijm die ons bij elkaar houdt in me opwellen. Het kriebelt waardoor me onwillekeurig te binnen schiet dat ik hou van de manier waarop de liefde aanvoelt.

Maar inmiddels is Jerry niet meer te houden en hij zwalkt al rond door het land der getallen. ‘Die wagons zijn drieënvijftig voet lang,’ dweept hij. ‘Daar slaat dat getal drieënvijftig dus op. Dat wil dus zeggen dat honderd wagons een mijl lang zijn. En als je dan vier locomotieven hebt om zo’n trein te trekken, dan hou je dus zesennegentig wagons over. Weet je wat ik zo leuk vind van het getal zesennegentig? Dat het de uitkomst is van twee tot de vijfde macht maal drie... Een drieënvijftig is ook een fantastisch getal als je van Corvettes houdt... Die auto kwam in 1953 voor het eerst op de markt.'

'Nee maar,' zeg ik terwijl ik net doe alsof ik gaap.

Jerry grijnst en roept dan ineens zonder aankondiging: 'Laten we naar Tombstone rijden!'

'Naar Tombstone?' vraag ik.

'Ja,' zegt hij. 'Daar hebben we het de laatste paar weken regelmatig over gehad. We kunnen zo in de auto stappen en vertrekken. Ik ben er helemaal klaar voor.'

Met die opmerking wil Jerry in feite zeggen dat hij elke millimeter van de reis op een kaart heeft uitgezet, kilometer na kilometer, van wegwijzer tot wegwijzer. Daardoor weet hij zeker dat hij mij niet hoeft te vragen waar hij precies heen moet, een fout die hij tijdens ons eerste huwelijk wel maakte, waardoor hij regelmatig driftaanvallen kreeg. Maar nu schreeuwt hij nooit meer tegen me en ik mag zelfs mijn hand op zijn schouder leggen als we samen luisteren naar een van de fuga's van Bach die uit de radio sijpelt. Het is een schitterende rit naar Tombstone, door de vervallen buitenwijken van Benson, langs de plaatselijke diergeneeskundige kliniek – waar we net bijna al onze spaarcentjes naartoe hebben gebracht omdat een van onze leguanen een maagoperatie moest ondergaan – en vervolgens naar de stad St. David, die voor ons uitgespreid ligt als een lappendeken van nat groen gras.

Als we uiteindelijk in Tombstone aankomen, is het eerste wat we willen zien het Boot Hill Cemetery. Maar we besluiten om ons in te houden en zetten de auto aan de andere kant van de stad neer, zodat we naar Main Street kunnen lopen en de dode mensen tot het laatst bewaren.

'Ik heb behoefte aan een whisky, Jerry,' deel ik mee als ik uit de auto ben gestapt. Dus lopen we Big Nose Kate's Saloon in, waar ik een bourbon bestel, die ik meteen achterover sla. De drank laat een gloeiend spoor na dat tot in mijn maag reikt. 'Geef me er nog maar een,' zeg ik tegen de barkeeper en zie dat er iets wonderbaarlijks gebeurt met Jerry's gezicht. Er verschijnt een zachte trek op en ik weet ineens dat ik van hem rustig mijn cowgirl-fantasie mag uitleven.

'Ik ga ergens een broodje kopen,' zegt hij lachend. 'Ik zie je over een uur op de begraafplaats.'

'Maak daar maar twee uur van,' zeg ik tegen hem terwijl ik kijk naar de kleurrijke figuren om me heen die hun eigen drankjes naar binnen werken. 'Ik wil een babbeltje maken met de plaatselijke bevolking.'

Jerry loopt de kroeg uit, het scherpe stoffige zonlicht in. En ik heb weer een aanval van dat gevoel, dat als een dronken inktvis door mijn borstkas tolt. Liefde. Mijn soort liefde.

Ik neem nog een paar glaasjes bourbon en wat borrelhapjes, voordat ik verder slenter.

Op Main Street zie ik Jerry naar een groep straatmuzikanten kijken die breed grijnzend op hun banjo's staat te spelen. Ik pak zijn grote hand vast en knijp er even in. We blijven staan en luisteren naar een schelle ballade over een liefde die compleet misloopt. Terwijl de muzikanten doorspelen, sta ik met mijn voet op de houten planken van het wandelpad te tikken en zie een wolkje stof omhoog dwarrelen over de teen van mijn laars. Als het voorbij is, lopen we verder door Main Street, helemaal tot aan het Boot Hill Cemetery en wandelen tussen de met stenen bezaaide graven met de broze botten van mensen die lang geleden de dood vonden bij overvallen op postkoetsen, mijnexplosies, ruzies bij het kaarten en zelfs hier en daar door een tomahawk. In zekere zin maken al die tragedies me een beetje jaloers. De dood was in die tijd veel opwindender en dramatischer.

Het volgende halfuur lopen we al lezend over de hele begraafplaats, van het ene verweerde houten kruis naar het andere en blijven staan als we weer een van die trieste, ongewone grafschriften zien. *Here Lies Lester Moore / Four Slugs from a 44 / No Les / No More.* Of dat van George Johnson die in 1882 ten onrechte werd opgehangen en waar met galgenhumor wordt gesteld dat hij gelijk had en wij niet, maar dat we hem desondanks opgeknoopt hebben. Of Johnny Blair die aan pokken is overleden en door een cowboy met een lasso om zijn laarzen naar zijn graf is gesleept.

Tijdens de rit naar huis is Jerry niet bepaald spraakzaam. Hij zit ergens over na te denken, dat kan ik zien aan de manier waarop hij zijn ogen half dichtknijpt en aan de rimpeltjes rond zijn ogen die een soort doolhof van zachte kloofjes vormen.

'Ik ben eruit,' zegt hij als hij eindelijk zijn mond opendoet.

'Waaruit, Jerry?' vraag ik.

'Een grafschrift,' zegt hij lachend. 'Ik weet wat er op mijn graf moet staan.'

'Wat dan?' zeg ik.

Jerry draait zich om en kijkt me even recht in de ogen. Hij knippert niet eens. En om de een of andere reden word ik daar niet eens zenuwachtig van, ook al zit hij achter het stuur. 'Het leven was een goed idee,' zegt hij. 'Dat wil ik best nog eens overdoen.'

Toen Jerry en ik elkaar voor het eerst ontmoetten, was ik het merendeel van mijn leven op zoek geweest naar het soort liefde dat alleen op wenskaarten bestaat. Ik weet niet of dat het gevolg was van mijn artistieke of van mijn autistische inslag. Maar tegenwoordig ben ik veel praktischer. Zou je misschien eerst alles kwijt moeten raken voordat je eindelijk een andere kijk op de wereld krijgt? Of misschien neem ik wel in bepaalde opzichten een voorbeeld aan Jerry. Ik weet tegenwoordig alleen heel zeker dat mijn reden tot bestaan die vriend is met wie ik in overleg mijn leven kan delen, iemand met wie ik samen op weg kan gaan naar het eind van mijn aardse bestaan.

Als ik wat we nu hebben vergelijk met wat we eerder deelden, dan zie ik dat het meeste wat we de eerste keer kwijt waren geraakt of kapot hadden gemaakt inmiddels weer hersteld is. Destijds reageerde Jerry nooit op mijn onuitgesproken signalen. En als ik gespannen ben, wordt zoveel van wat ik doe niet door woorden onderstreept. Ik doe alle lichten uit, trek de gordijnen dicht en trek me volledig terug in mezelf. En als ik dat deed, wilde Jerry altijd met me mee. Dan stond hij op de deur te bonzen en als ik niet reageerde, trapte hij die in. En dat is het laatste waar een vrouw als ik behoefte aan heeft. Maar dat doet hij niet meer.

Tegenwoordig probeert Jerry mijn signalen zo goed mogelijk op te vangen en speurt naar elk zichtbaar teken dat ik me niet prettig voel. Dan doet hij een stapje terug. Ik doe hetzelfde met hem.

Meestal is dat niet gemakkelijk, maar als ik voel dat mijn bloed gaat koken, haal ik een paar keer diep adem voordat ik tegen hem tekeerga of mijn gedachten laat wegdwalen. In het merendeel van de gevallen is dat voldoende om weer af te koelen en de hele toestand in een perspectief te zien dat me een moment eerder ontging. Twee seconden extra tijd om na te denken of te ontspannen mag dan niet belangrijk lijken, maar voor ons soort mensen zijn het elementaire seconden, het verschil tussen het gevoel dat je met een vijand naar bed gaat of met een vriend.

Wat uiteindelijk ook tot me is doorgedrongen is dat ik ondanks mijn excentrieke, artistieke buitenlaagje veel eensporiger ben dan Jerry. Dat is me nogal wat, want Jerry is het standaard voorbeeld van een monorail. Ik kan het gewoon een beetje beter verbergen dan hij. En anders dan hij word ik ook niet woest als iemand mijn gedachten onderbreekt. Ik sla dicht. Als ik terugkijk naar ons eerste huwelijk ben ik ervan overtuigd dat zelfs hij de wanhoop in mijn ogen en in mijn lichaamshouding kon zien. En toch drong het zelden tot hem door, in ieder geval niet als het echt belangrijk was. Maar dat is nu allemaal veranderd. Dat we in de jaren dat we uit elkaar waren alleen zaten met onze problemen heeft ons een heel andere kijk op onszelf gegeven. Jerry en ik leren van elkaar.

We zijn allebei vast van plan om elkaar niet meer voor het hoofd te stoten. We beseffen nu dat we er niet automatisch van uit kunnen gaan dat de ander meteen alles zal accepteren wat wij doen of zeggen. Dat betekent dat we meer consideratie met elkaar moeten hebben dan in het verleden. We zullen heel wat voorzichtiger moeten omspringen met het hart en de gevoelens van de ander. Dat je Asperger hebt, geeft je nog niet het recht om je te gedragen als de spreekwoordelijke olifant in een porseleinkast. Of we dat nu leuk vinden of niet, er zullen altijd bepaalde dingen zijn waar we het niet over eens kunnen worden, maar dat accepteren we nu. En dat is in feite waar het in de liefde allemaal om draait: dat je kunt leven met het feit dat je wederhelft in bepaalde opzichten uniek is en heel anders dan jij.

Maar op de meest onverwachte momenten kunnen we door die verschillen toch nog ineens het gevoel krijgen dat er een lawine op ons afkomt. Jerry staat bijvoorbeeld altijd vroeg op, terwijl ik het juist altijd fijn vind om lekker lang uit te slapen als ik de kans krijg. Jerry is ook meteen klaarwakker en begint te neuriën zodra hij zijn ogen opendoet. Als Jerry 's morgens wakker wordt, blijft hij eerst liggen kijken hoe ik slaap. Hij bestudeert me zo aandachtig dat ik zijn ogen bijna in mijn rug voel branden. Dat ochtendritueel van hem joeg me de stuipen op het lijf toen we elkaar net kenden. Ik had nog nooit zoiets meegemaakt. De meeste mensen konden me niet eens aankijken als ik wakker was en echt mijn best deed om normaal te lijken. Het was nooit bij me opgekomen dat iemand naar me zou willen kijken als ik niet eens wakker was.

'Moet je haar zien, ze slaapt zelfs als een van die autisten!' hoorde ze ik in mijn verbeelding al spottend zeggen.

Maar dat gold niet voor Jerry. Zolang ik me kon herinneren, was ik in slaap gevallen met het idee dat ik de komende paar uur alleen maar mijn ogen dicht hoefde te doen en de buitenwereld, die nooit iets met me te maken had willen hebben, zou goddank verdwijnen. Maar om iedere avond in slaap te vallen in de wetenschap dat voordat ik wakker werd iemand naar mijn bewegingsloze lichaam zou liggen staren en dankbaar zou zijn met mijn gezelschap... nou ja, daar moest ik echt ontzettend aan wennen.

Nadat hij had liggen kijken hoe ik een gat in de ochtend sliep, sprong Jerry meestal onder de douche en dan trok ik het kussen over mijn hoofd om niet te horen hoe het water tegen de randen van het bad spatte. Daarna rammelde hij rond in de keuken om het ontbijt klaar te maken en zette ondertussen de tv aan om naar het nieuws te kijken. Dat was zijn manier om me wakker te maken, maar dat lukte nooit. Dus kwam hij de slaapkamer binnen met een opmerking als: 'Mary, het is zo twaalf uur. We waren van plan om in de stad naar de eerste middagvoorstelling te gaan. Ik zou maar gauw opstaan.'

Dan reageerde ik door te kreunen en het kussen nog vaster op mijn hoofd te drukken.

'Mary,' zei Jerry dan. 'Ik heb de vogels en de hagedissen gevoerd, maar er is geen konijnenvoer meer. Heb jij een paar dagen geleden geen voer gehaald? Of heb je tegen mij gezegd dat ik dat moest doen?' Als we op dat punt waren aanbeland, zag ik me meestal genoodzaakt om mijn vingers in mijn oren te steken om Jerry's stem niet meer te horen.

Maar dat was het juist: tijdens ons eerste huwelijk konden die vervelende ochtendgewoontes van Jerry me binnen de kortste keren op de kast krijgen. En nu, als hij weer eens zo kwiek loopt te kwebbelen en ik nog even wil slapen, zucht ik maar eens diep en denk: zo is mijn Jerry nu eenmaal.

En dan val ik weer in slaap.

Een andere gekmakende eigenschap van de man waar ik vroeger helemaal dol van werd, is zijn onbedwingbare behoefte om op de bank te gaan zitten en allerlei ingewikkelde lijstjes, schema's en opzetjes te krabbelen van allerlei dingen die hij van plan is. Hij is zo verslaafd aan het maken van lijstjes dat ik hem laatst zelfs betrapt heb op het maken van een lijstje van zijn andere lijstjes.

'Alleen op die manier kan ik bijhouden wat er allemaal door mijn hoofd spookt,' lachte hij een beetje beschaamd. Hoewel ik me er nu niet langer aan erger, vond ik die eigenschap vroeger zo irritant dat ik me de haren uit het hoofd kon trekken. In de tijd dat ik hem ken, heeft Jerry zoveel lijstjes gemaakt dat je er een bibliotheek mee kunt vullen. Maar ik kan geen lijstje maken, ook al zou ik er mijn leven mee kunnen redden. Ik zou niet weten waar ik moest beginnen. Ik ben een soort dwaallicht, ik zweef van het ene karweitje naar het andere. Ik heb veel minder besef van tijd dan Jerry. Mijn wereld is zo luchtig en wazig dat het geen wonder is dat ik de neiging heb om weg te zweven als er problemen op de loer liggen. Jerry's verdraaide nog-te-doenlijstjes lijken op een soort anker en dat is het laatste dat ik mee wil slepen.

Iets anders dat ik nu veel beter begrijp van mijn man is dat de goede raad waaronder hij iedereen lijkt te willen bedelven het resultaat is van zijn oprechte verlangen om mensen te helpen net zo'n leven te leiden als hij sinds kort doet. Het is geen wonder dat hij de halve wereld rond moet reizen omdat hij overal gevraagd wordt iets van zijn ervaringen over te brengen op mensen in onze gemeenschap. Ik moest laatst aan hem denken toen ik zat weg te dromen, kijkend naar een verdroogde struik die door onze voortuin waaide. Toen drong ineens tot me door dat ik maar één raad voor andere mensen zou hebben: een relatie met een andere autistische persoon kan gemengde gevoelens oproepen. Aan de ene kant kun je voor verrukkelijke verrassingen komen te staan, en aan de andere kant zijn er duizelingwekkende uitdagingen. Voor een geslaagde relatie moet je niet alleen die verrassingen kunnen delen, maar je moet ook vastbesloten zijn samen de problemen op te lossen.

Een ander groot verschil tussen ons tweede huwelijk en het eerste is dat Jerry en ik nu onze respectieve aangeboren gaven met elkaar delen, in plaats van ze zorgvuldig af te schermen. Ik leer Jerry nieuwe dingen over mijn kunst, hoe bepaalde mengelingen van kleuren, beelden of geluiden een verschillende indruk op mensen maken. Hij leert mij dingen over getallen en laat me af en toe zien dat de wereld eigenlijk niets anders is dan een gigantische combinatie van hoeveelheden.

Ik ga niet meer zo vaak het huis uit. Ik reis zeker niet zoveel als Jerry doet. Maar ik heb het vermoeden dat er veel meer echtparen zijn zoals Jerry en ik. Als ik ooit net als hij een lezing zou moeten houden, dan zou ik al die mensen zoals Jerry en ik die hun best doen om hun relatie in stand te houden het volgende willen vertellen. Pak een schoenendoos, versier die en maak er een schatkist van. Schrijf vervolgens alle dingen die je graag samen met je partner doet op stukjes papier en doe die in je schatkist. Zoek dan een prullenbak op en schrijf al je negatieve eigenschappen op. Dat hoeven niet de dingen te zijn die je niet leuk hoort te vinden, maar gewoon alles wat je een vervelend gevoel bezorgt. Gooi al die papiertjes in de prullenbak. En ten slotte moet je jezelf dan nog één vraag stellen: Wat zou ik liever willen... in een schatkist rommelen of een prullenbak doorspitten?

De afgelopen paar jaar is er echt ontzettend veel veranderd tussen Jerry en mij. Er hangt niet langer zo'n onverteerbare spanning tussen ons. Ik kan nu veel gemakkelijker ademhalen. En we houden er meer aan over. Zoals de meeste dingen die de tijd tussen onze geboorte en de dood betekenisvol maken, gaat het om vrij subtiele veranderingen – dat wil zeggen als je ernaar kijkt met een normáál brein. Tijdens ons eerste huwelijk werd Jerry na een tijdje zo allergisch voor aanrakingen, dat ik het gevoel had dat ik een cactus omhelsde als ik mijn armen om hem heen sloeg. Daarom vond ik het ook zo fijn dat er zoveel cactussen om mijn huis in Tucson groeiden nadat we uit elkaar waren gegaan. Ze deden me denken aan Jerry en aan de reden waarom ik bij hem weg was gegaan. Maar na verloop van tijd herinnerde de ongelooflijke schoonheid van die sterke planten – die zoveel kunnen hebben en zo weinig vragen – me aan wat ik zo fijn aan hem vind. Het was niet alleen een stel volhouders, ze hielden me ook op de been in een tijd dat ik bijna niets anders had.

Jerry is precies zo. Zolang hij mijn leven deelt, weet ik dat hij er altijd voor me zal zijn. Zelfs als ik diep in de put zit en nergens meer naartoe kan, zal hij me geven waar ik behoefte aan heb om op de been te blijven. En nadat hij hierheen kwam om bij mij te zijn en weer opnieuw te beginnen, duurde het niet lang voordat ik merkte dat hij door het stof van Los Angeles van zijn voeten te schudden weer mijn aanbiddelijke teddybeer was geworden.

En ik zal jullie nog eens iets over ons vertellen wat niet zo lang geleden ineens tot me doordrong. Destijds, toen we elkaar leerden kennen, waren we allebei zo woedend over de streken die het leven ons had geflikt, dat we er bijna door verscheurd werden. Onverteerde woede vormde de grondslag van alles wat we deden, ieder woord dat over onze lippen kwam. Het was een etterend abces in ons binnenste, dat daar verscholen zat als een dief in de nacht, wachtend tot het alle fijne dingen die zouden gebeuren kon verpesten. Het ironische is dat mijn woede eigenlijk niets te maken had met Jerry, net zoals zijn woede niets met mij te maken had. Het was een overblijfsel uit ons verleden, het gevolg van een leven vol frustraties. Als we al vroeg in onze relatie hulp hadden gehad, het soort relatieadviezen waardoor we meer begrip voor elkaar zouden hebben gekregen en hadden geleerd hoe we uiting moesten geven aan die emoties die ons verteerden, hadden we het misschien gered.

Kort voordat we besloten om te hertrouwen, besloten Jerry en ik om eindelijk eens echt te proberen al die toorn uit ons leven te bannen. We hadden inmiddels begrepen dat onze hereniging alleen zou slagen als we allebei bereid waren de ander volledig vergiffenis te schenken. Ik was niet zo'n onverbeterlijke optimist dat ik geloofde dat we met een schone lei konden beginnen. Daarvoor waren er te veel nare dingen gebeurd. Maar waarom zouden we dat ook willen? We waren allebei inmiddels al zo ver, we hadden zo veel geleerd in de afgelopen paar verdrietige jaren. We moesten gewoon accepteren wat er in het verleden was gebeurd en echt ons best doen om niet weer in dezelfde fouten te vervallen. Vandaaruit konden we verder gaan.

'Ik denk echt dat we alles wat we ons in dit leven wensen ook kunnen krijgen als we gewoon al dat verdriet en die boosheid de deur uit doen,' zei ik op een ochtend bij het ontbijt tegen Jerry, terwijl onze valkparkieten de restjes gebakken eieren en jam van onze borden pikten. Hij zei aanvankelijk niet veel, maar aan de manier waarop hij langzaam zat te knikken kon ik zien dat hij luisterde. Ik denk dat hij het gevoel had dat hij af en toe voor twee zat te praten en dat hij wilde horen wat ik te vertellen had.

'Het voelt bijna alsof we allebei met een enorme, loodzware rugzak rondlopen,' ging ik verder. 'En de hemel weet dat ik het zat ben om dat ding constant mee te zeulen.'

Jerry stond op, liep om de tafel heen en deed net alsof hij een denkbeeldige rugzak van mijn rug tilde.

'Je hebt gelijk,' zei hij lachend. 'Dat verdomde ding is echt zwaar.'

Tegenwoordig zit ik meestal in mijn gemakkelijke stoel naar buiten te staren, naar de uitgestrekte, lege woestijn. Ik doe mijn best om gezonde, positieve gedachten in mijn hoofd te halen. Ik denk aan hoe trots ik ben op mijn beide jongens, Steve, die in Long Beach, Californië, woont en Peter in Flagstaff, Arizona. Het zijn allebei gelukkige en gezonde kerels geworden, volwassen en met verantwoordelijkheidsgevoel. Ik denk aan mijn kleindochter, Skye, die Steve heeft vernoemd naar een van mijn ouders die hebben geholpen hem groot te brengen toen ik daar niet toe in staat was. En ik probeer de schilderkunst en de muziek terug te halen, in de hoop dat ze me nog één kans willen geven.

Ik geniet hier in deze stoel met uitzicht over de uitgestrekte dorre woestijn waar ik alles – bijvoorbeeld een auto die naar ons huis rijdt of een prairiewolf – al kilometers van tevoren kan zien aankomen. Dat soort dingen geeft me een veilig gevoel. Het geeft mijn universum een mate van voorspelbaarheid die het maar zelden schijnt te bezitten. Als Jerry is vertrokken voor zijn werk als taxichauffeur zit ik hier vaak uren achter elkaar door mijn verrekijker te turen en bestudeer de op kleine tornado's lijkende zandhoosjes die opstijgen vanaf de woestijnbodem, gedurende een paar minuten heftig ronddwarrelen en dan in een vage bruine vlaag ten onder gaan.

Soms steek ik een sigaret op, zuig mijn longen vol rook en blaas ze weer leeg, waarbij ik me verbeeld dat er niet alleen rook maar ook al mijn herinneringen tevoorschijn komen. Ik vind het heerlijk om toe te kijken hoe ze als geesten door de kamer zweven. Ik ben een paar weken geleden weer gestopt met mijn medicijnen. De enige reden daarvoor was, dat ik een beetje genoeg begon te krijgen van mijn nieuwe ik. Per slot van rekening kan het heel opwindend zijn om labiel te zijn. Je weet nooit wat er dan ineens in je hoofd opkomt. Maar als je geestelijk gezond bent, ben je verplicht om te wachten tot er iets interessants gebeurt voordat het leven een beetje spannend wordt. Tot dusver voel ik me prima. Nog steeds helder. Af en toe zo erg dat het gewoon verblindend wordt. Daarentegen zijn er ook dagen waarop de lucht zó donker is dat ik me afvraag of ik ooit de zon zal zien. De laatste tijd zit ik vaak na te denken over Jerry en mij. Hoeveel langer kunnen twee mensen zoals wij het met elkaar uithouden? Het lijkt alsof iedereen, ikzelf incluis, wilde dat dit een van die ouderwetse liefdesverhalen zou worden waarin twee mensen die voor elkaar geboren zijn elkaar ontmoeten, verliefd worden en een tijdje heel gelukkig zijn voordat er wat nare dingen gebeuren die een kloof tussen hen veroorzaken. Maar op de een of andere manier komen ze toch weer bij elkaar en leven nog lang en gelukkig.

Jerry luisterde naar de stem van zijn hart toen hij besloot om weer bij me terug te komen. Iedereen in zijn omgeving was ertegen. Iedereen ging ervan uit dat ik hem alleen maar meer verdriet zou doen. Ik hoop dat dat niet zo zal zijn. Want Jerry is de eerste persoon, afgezien van mijn zoons, die oprecht van me houdt. Hij ging van me houden vanwege mijn goede eigenschappen, die hij zelfs scheen te zien toen ze niemand anders opvielen. Maar ons verhaal is absoluut geen zwart-wit liefdesverhaal. Het is juist een verhaal dat voortdurend uit elkaar kan spatten in alle kleuren van de regenboog. Het is een schitterend, ingewikkeld verhaal, vervuld van de belofte dat ware liefde alles overwint.

Het is geen medicijn tegen autisme. Maar voor mij is het precies het recept dat ik nodig had om mijn gewonde ziel te helen.